NUIT SOMBRE ET SACRÉE

Michael **CONNELLY**

NUIT SOMBRE ET SACRÉE

Roman traduit de l'anglais (États-Unis)
par Robert Pépin

CALMANN LÉVY NOIR

Les personnages et événements décrits dans ce livre sont de pure fiction. Toute ressemblance avec, morts ou vivants, des individus réels n'est que coïncidence et n'a pas été voulue par l'auteur.

CALMANN LÉVY

ÉDITEUR DEPUIS 1836

Titre original (États-Unis) :
DARK SACRED NIGHT

© Hieronymus, Inc., 2018
Publié avec l'accord de Little, Brown and Company, Inc., New York, New York, U.S.A.
Tous droits réservés

Pour la traduction française :
© Calmann-Lévy, 2020

Couverture :
Rémi Pépin, 2020
Photographies de couverture : Lune © Christophe Lehenaff/Getty Images - Paysage urbain © Okita Fumika/Getty Images

ISBN 978-2-7021-6631-4

Pour Mitzi Roberts
qui m'inspira le personnage de Renée

BALLARD

CHAPITRE 1

Les officiers de la patrouille avaient laissé la porte d'entrée ouverte. Ils croyaient lui avoir rendu service en aérant, mais cela constituait une violation du protocole de conservation des éléments de preuve de la scène de crime. Des insectes auraient pu y aller et venir et de l'ADN de contact être altéré par une brise traversant la maison. Les odeurs étant de la matière particulaire, aérer une scène de crime, c'était en perdre des éléments.

Mais les officiers de la patrouille ne savaient pas tout ça. Le rapport que Ballard avait reçu du lieutenant de veille disait que le corps se trouvait depuis deux ou trois jours dans une bâtisse fermée avec climatisation arrêtée. À le citer, l'endroit puait aussi fort qu'un plein sac de mouffettes.

Là, devant elle, deux véhicules de patrouille stationnaient le long du trottoir. Trois hommes en bleu se tenaient debout à côté et l'attendaient. Ballard ne pensait pas vraiment qu'ils seraient restés à l'intérieur avec le corps.

Cent mètres au-dessus dans les airs, un hélico décrivait des cercles, projecteur braqué sur la rue. On aurait dit une laisse de lumière retenant l'appareil pour l'empêcher de disparaître au loin.

Ballard coupa le moteur, mais resta un instant assise dans son véhicule de fonction. Elle s'était garée devant un espace entre deux maisons et regarda la ville qui se répandait en un vaste tapis scintillant sous ses yeux. Peu de gens se rendent compte qu'Hollywood Boulevard se perd haut dans les montagnes et, étroit et resserré, dessert alors un quartier strictement résidentiel, bien loin du mélange de clinquant et de crasse de La Mecque touristique qu'il est tout en bas, où les visiteurs posent avec des clodos en costume de super-héros et sur des étoiles gravées dans le trottoir. Dans ses hauteurs, tout n'est qu'argent et pouvoir, et elle savait qu'un meurtre dans ces collines faisait toujours sortir les grands pontes. Elle ne faisait, elle, que du « baby-sitting » et ne garderait cette affaire que peu de temps. Celle-ci terminerait aux Homicides du West Bureau, voire à la division des Vols et Homicides du centre-ville, tout dépendant de l'identité de la victime et de son statut social.

Elle se détourna de la vue et alluma le plafonnier pour prendre son carnet. Elle revenait de sa première mission, un cambriolage ordinaire dans une maison en retrait de Melrose Avenue, et y avait ses notes pour le rapport qu'elle rédigerait une fois de retour à la division d'Hollywood. Elle l'ouvrit à une nouvelle page et y porta l'heure – 1 h 47 du matin –, et l'adresse. Elle ajouta aussi une ligne sur les conditions météo : la nuit était claire et douce. Puis elle éteignit le plafonnier, descendit de voiture en laissant ses clignotants bleus allumés et ouvrit le coffre pour y prendre son kit de scène de crime.

Lundi matin, et c'était son premier service d'une semaine où elle travaillerait seule – elle savait qu'elle allait devoir garder son tailleur une nuit, peut-être même deux. Cela voulait dire : on ne l'abîme pas avec les puanteurs de la décomposition. Debout devant le coffre, elle ôta sa veste, la plia soigneusement et la posa dans un des cartons à éléments de preuve. Elle sortit ensuite sa combinaison de scène de crime de son sac en plastique et s'en couvrit les chaussures, le pantalon et le chemisier. Elle en remonta la fermeture Éclair jusqu'à son menton, puis en posant un pied, puis l'autre sur le pare-chocs, elle serra les attaches en Velcro autour de ses chevilles. Et fit pareil autour de ses poignets et sa tenue fut hermétiquement close.

Dans son kit, elle prit encore des gants jetables et le masque respiratoire dont elle se servait lors des autopsies du temps où elle travaillait aux Vols et Homicides, puis elle referma le coffre et rejoignit l'endroit où se trouvaient les trois policiers en tenue. En s'approchant, elle reconnut le sergent Stan Dvorek, le responsable local, et deux officiers dont tout le temps qu'ils avaient passé au service de nuit leur avait valu de se dégotter la ronde pépère et bien confortable des Hollywood Hills.

Dvorek avait le crâne dégarni, un petit ventre et les hanches larges du patrouilleur qui a passé trop d'années assis dans une voiture. Il s'appuyait au pare-chocs d'un des véhicules et s'était croisé les bras sur la poitrine. On l'appelait « La Relique ». Tout individu aimant le service de nuit et y donnant un nombre important d'années terminait avec un surnom. Actuel recordman, Dvorek y avait fêté ses dix ans un mois plus tôt, les deux officiers avec lui, Anthony Anzelone et Dwight Doucette, ayant droit aux surnoms de Caspar et de Deuce. Ballard, qui n'avait que trois ans dans ce service, n'avait, elle, toujours pas de surnom. À tout le moins aucun qu'elle connût.

— Salut, lança-t-elle.

— Holà, Sally Ride[1]! lui renvoya Dvorek. C'est quand, le décollage de la navette?

Ballard écarta les bras pour se montrer. Elle savait que sa combinaison était ample et ressemblait à une tenue spatiale. Elle se demanda si elle ne venait pas de recevoir un surnom.

— Je dirais que c'est pas demain la veille, répondit-elle. Alors, qu'est-ce qui vous a fait sortir de chez vous?

---

1. Troisième Américaine à être allée dans l'espace. *(Toutes les notes sont du traducteur.)*

— C'est pas beau là-dedans, dit Anzelone.

— Et c'est bien cuit, ajouta Doucette.

La Relique s'écarta du coffre de sa voiture et se fit sérieux.

— Blanche, la cinquantaine, ça ressemble à un trauma-tisme par instrument contondant avec lacérations faciales, dit-il. Quelqu'un l'a travaillée comme il faut. Domicile en bordel. Effraction possible.

— Agression sexuelle ? demanda Ballard.

— La chemise de nuit est retroussée. Sexe à nu.

— Bon, j'entre. Qui d'entre vous, braves soldats, veut m'ac-compagner ?

Il n'y eut pas de volontaires immédiats.

— Deuce, c'est toi qu'as le plus gros numéro, fit remarquer Dvorek.

— Merde, dit Doucette.

Doucette était le petit jeune et en tant que tel, il avait le numéro d'immatriculation le plus élevé. Il prit le bandana qu'il avait autour du cou et se le noua en travers de la bouche et du nez.

— On dirait un putain de Crip, lui lança Anzelone.

— Pourquoi ? Parce que je suis noir ?

— Non, parce que tu portes un foulard bleu, lui renvoya Anzelone. S'il était rouge, je dirais que tu ressembles à un putain de Blood.

— Montre-lui le truc, pas plus, dit Dvorek. J'ai vraiment pas envie d'être là toute la nuit.

Doucette coupa court aux plaisanteries et se dirigea vers la porte ouverte, Ballard sur les talons.

— Comment ça se fait qu'on ait hérité de ce truc-là si tard ? voulut-elle savoir.

— Le voisin a reçu un appel de la nièce de la victime à New York, répondit Doucette. Il a une clé et la nièce lui a demandé d'aller voir parce que la dame ne répondait pas ni sur les réseaux sociaux ni aux appels téléphoniques depuis plusieurs jours. Le voisin ouvre la porte, se reçoit une bonne claque de puanteur dans la figure et nous appelle.

— À 1 heure du matin ?

— Non, bien plus tôt. Mais tous les services de nuit étaient coincés avec une histoire de cambriolage autour de Park La Brea qui a duré jusqu'à la fin de la veille. Personne n'y est allé et ça nous a été refilé à l'appel. On est venus dès qu'on a pu.

Elle acquiesça d'un hochement de tête. Cette histoire de périmètre autour d'un type suspecté de cambriolage lui semblait louche. Il était plus vraisemblable qu'on se soit repassé l'affaire de service en service parce que personne n'avait envie de se retrouver avec un mort qui a cuit et recuit dans une maison fermée.

— Où est le voisin maintenant ? demanda-t-elle.

— Il est rentré chez lui, répondit Doucette. Il doit être en train de prendre une douche et de se foutre du VapoRub dans les trous de nez. Il ne sera plus jamais le même.

— Faut lui prendre ses empreintes pour l'exclure de la liste des suspects même s'il dit n'être jamais entré dans la baraque.

— Bien reçu. Je fais monter la bagnole à empreintes.

Elle enfila ses gants qui claquèrent, suivit Doucette jusqu'au seuil de la bâtisse et entra. Le masque respiratoire ne lui servit presque à rien. L'odeur putride de la mort la frappa fort alors même qu'elle respirait par la bouche.

Doucette était grand et avait de larges épaules. Elle ne vit rien jusqu'à ce qu'arrivée au cœur de la maison, elle ait contourné le bonhomme. L'édifice saillant au flanc de la colline, la robe de lumières scintillantes qu'on découvrait par la baie vitrée qui montait jusqu'au plafond était à couper le souffle. Même à cette heure, la ville semblait vivante et pleine de grandioses possibilités.

— C'était allumé quand vous êtes entrés ? reprit Ballard.

— Non, tout était éteint, répondit Doucette.

Elle nota la réponse. Rien d'allumé pouvait signifier que l'intrusion s'était produite pendant la journée ou tard le soir, après que la propriétaire s'était couchée. Ballard savait que dans les trois quarts des cas, les effractions se passent de jour.

Doucette, qui lui aussi portait des gants, appuya sur un interrupteur près de la porte et un alignement de lampes s'alluma au plafond. De design loft ouvert, l'intérieur de la maison profitait du panorama qu'on découvrait de n'importe quel endroit du séjour, de la salle à manger ou de la cuisine. Cette vue spectaculaire était contrebalancée par trois grands tableaux représentant des lèvres de femme rouges accrochés au mur du fond.

Ballard remarqua du verre cassé sur le sol près de l'îlot de la cuisine, mais ne vit aucune fenêtre brisée.

— Des signes d'effraction? demanda-t-elle.

— Pas qu'on aurait vus, répondit Doucette. Y a des trucs cassés absolument partout, mais pas de fenêtres brisées, ni de point d'entrée manifeste.

— OK.

— Le corps est là-bas au bout.

Il entra dans un couloir en retrait du séjour et posa la main sur son bandana et sa bouche pour s'en faire un deuxième rempart contre l'odeur qui s'intensifiait.

Ballard le suivit. L'édifice était de type contemporain à un niveau. Elle se dit qu'il avait dû être construit dans des années cinquante où un seul étage suffisait. Tout ce qui se dressait dans les collines en comptait maintenant plusieurs, au maximum de ce que permettaient les codes d'urbanisme.

Ils longèrent des portes ouvertes donnant sur une chambre et une salle de bains, puis entrèrent dans une grande chambre où, lampe à abat-jour crevé et ampoule cassée par terre, tout était en désordre. Des vêtements traînaient n'importe comment sur le lit et un grand verre à pied qui avait contenu ce qui ressemblait à du vin rouge s'était brisé en deux sur le tapis blanc, le liquide s'y étant répandu en une grande éclaboussure.

— Là, reprit Doucette.

Il lui montra l'intérieur de la salle de bains du doigt et recula pour la laisser passer.

Ballard s'arrêta sur le seuil, mais n'entra pas. La victime était étendue par terre, visage tourné vers le plafond. Forte, elle avait les bras et les jambes écartées. Yeux ouverts, lèvre inférieure déchirée, haut de la joue droite entaillé, avec du tissu rose exposé. Un halo de sang séché provenant d'une blessure au crâne qu'on ne voyait pas lui entourait la tête sur le carrelage blanc.

Une chemise de nuit en flanelle ornée d'oiseaux de paradis était remontée sur ses cuisses et enroulée au-dessus de son abdomen jusque sous ses seins. Elle avait les pieds nus et à un mètre l'un de l'autre. Aucune blessure ou contusion n'était discernable sur son sexe.

Ballard se vit dans une glace qui montait du sol au plafond sur le mur opposé. Elle s'accroupit dans l'encadrement de la porte en gardant les mains sur les cuisses, puis elle examina le sol, à la recherche d'empreintes, de taches de sang et d'autres éléments de preuve. En dehors du halo rouge qui s'était répandu en une flaque autour de la tête de la morte et avait séché, seule une ligne brisée de petites traces de sang s'étirait par terre du corps jusqu'à la chambre à coucher.

— Deuce, dit-elle, va fermer la porte d'entrée.

— Euh… d'accord, répondit-il. Une raison particulière?

— Fais-le, c'est tout. Et après, tu cherches dans la cuisine.

— Pour y trouver quoi?

— Une écuelle posée par terre. Allez!

Il s'éloigna, Ballard l'entendant reprendre le couloir en sens inverse d'un pas lourd. Elle se leva, entra dans la salle de bains et, en se collant précautionneusement contre le mur, elle s'avança jusqu'à être assez près du corps pour s'accroupir à côté de lui à nouveau. Elle se pencha, posa une de ses mains gantées sur le carrelage pour ne pas perdre l'équilibre et chercha la blessure au crâne, mais les cheveux bruns de la morte étaient trop épais et bouclés pour qu'elle la repère.

Elle jeta un coup d'œil autour de la pièce. Un rebord en marbre couvert de nombreux flacons de sels de bain et de bougies entièrement consumées courait autour de la baignoire. Une serviette y était également posée. Ballard changea de position pour scruter l'intérieur de la baignoire. Celle-ci était vide, mais munie d'une rondelle en caoutchouc pour la rendre hermétique, et le bouchon de vidange était abaissé. Ballard tendit la main, fit couler de l'eau froide quelques secondes et ferma le robinet.

Puis elle se leva et s'approcha du bord de la baignoire. Elle avait fait couler assez d'eau pour couvrir le bouchon de vidange. Elle attendit et regarda.

— Votre écuelle ! lança Doucette qui était revenu.

Ballard se retourna.

— Tu as fermé la porte d'entrée ?

— C'est fait, répondit-il.

— Bon, cherche dans le coin. Je crois que c'est un chat. Petit. Va falloir appeler Animal Control[1].

— Quoi ?!

— C'est un animal qui a fait ça. Il avait faim. Ils commencent toujours par s'attaquer aux tissus mous.

— Vous vous foutez de moi, dites ?

Elle regarda de nouveau le fond de la baignoire. La moitié de l'eau qu'elle y avait fait couler avait disparu. La rondelle de caoutchouc fuyait un peu.

1. Équivalent américain de notre fourrière.

— Les blessures à la face n'ont pas saigné, lui répondit-elle. Elles ont été faites après la mort. C'est sa blessure à la nuque qui l'a tuée.

Doucette acquiesça d'un signe de tête.

— Quelqu'un est arrivé et lui a fendu le crâne par-derrière, dit-il.

— Non, dit-elle, c'est une mort accidentelle.

— Comment ça?

Elle lui montra les objets alignés sur le rebord de la baignoire.

— Vu l'état de décomposition du corps, je dirais que ça s'est produit il y a trois soirs de ça. Elle allume les lumières pour se préparer à aller au lit. La lampe par terre dans la chambre est probablement celle qu'elle avait laissée allumée. Elle arrive ici, remplit la baignoire, allume les bougies et prépare sa serviette de toilette. L'eau chaude couvre le carrelage de vapeur et elle glisse... quand elle se rappelle avoir laissé son verre de vin sur la table de nuit, ce n'est pas impossible. Ou alors quand elle a commencé à relever sa chemise de nuit pour pouvoir monter dans la baignoire.

— Et la lampe et le vin renversé? demanda Doucette.

— Le chat.

— Alors comme ça, juste à rester là, vous avez pigé tout ça? Elle ignora la question.

— Elle se trimballait un sacré poids, reprit-elle. Peut-être qu'en changeant brusquement de direction au moment où elle se déshabillait... « Ah zut, j'ai oublié mon vin », elle dérape et s'ouvre le crâne sur le rebord de la baignoire. Elle est morte, les bougies brûlent jusqu'au bout, l'eau s'écoule lentement par le drain.

L'explication n'eut droit qu'au silence de Doucette.

— Et un ou deux jours après, le chat a faim, conclut-elle. Il devient un peu fou et la trouve.

— Putain! s'écria Doucette.

— Appelle ton coéquipier, Deuce. Et retrouvez-moi ce chat.

— Mais minute… Si elle allait prendre un bain, pourquoi était-elle déjà en chemise de nuit? C'est après le bain qu'on se met en chemise de nuit, non?

— Va savoir. Peut-être qu'elle revenait du boulot ou d'un dîner en ville. Elle se met en chemise de nuit pour être à l'aise et regarder la télé… et tout d'un coup, elle décide de prendre un bain.

Elle lui montra le miroir.

— Et en plus, elle était obèse. Peut-être n'aimait-elle pas se voir nue dans la glace. Et donc, elle rentre chez elle, se met en chemise de nuit et la garde jusqu'au moment de prendre son bain.

Elle se tourna pour passer devant Doucette et sortir de la pièce.

— Trouvez-moi ce chat, répéta-t-elle.

CHAPITRE 2

À 3 heures du matin, Ballard avait terminé la partie investigation de la scène de mort et, de retour à la division d'Hollywood, travaillait à la salle des inspecteurs. Vaste, celle-ci abritait les postes de travail de quarante-huit inspecteurs dans la journée, mais était déserte après minuit, Ballard ayant alors tout loisir de choisir celui qu'elle voulait. Elle prit un bureau dans le coin le plus éloigné du bruit et des bavardages de la radio qui arrivaient du bureau du chef de veille, tout au bout du couloir de devant. Avec son un mètre soixante-dix, elle put s'asseoir et, tel le tirailleur dans son trou d'homme, disparaître derrière l'écran de son ordinateur et les demi-cloisons du poste de travail. Et se concentrer pour s'acquitter de ses rapports.

Celui concernant la violation de domicile sur laquelle elle avait enquêté pendant la nuit étant terminé, elle était maintenant prête à passer à celui de la morte dans la baignoire. Elle lui attribuerait la classification « cause à déterminer suite à autopsie ». Elle avait couvert toutes les bases, appelé un photographe de scène de crime et tout décrit, y compris le chat. Elle savait que cette qualification de « mort accidentelle » pourrait être contestée par la famille de la victime, voire par ses propres supérieurs hiérarchiques. Cela étant, elle avait confiance : l'autopsie ne mettant au jour absolument rien qui dise un acte criminel, la mort finirait par être déclarée accidentelle.

Elle était seule à travailler. Son coéquipier, John Jenkins, était en congé pour deuil et il n'y avait pas de remplaçants pour les inspecteurs en quart de nuit. Elle arrivait à la moitié de sa première nuit d'au moins une semaine de travail en solo. Tout dépendrait du moment où Jenkins reviendrait. Son épouse avait succombé à une mort aussi longue que pénible due à un cancer. Cela l'avait anéanti et Ballard lui avait dit de prendre tout le temps qu'il lui faudrait.

Elle ouvrit son carnet à la page contenant tous les détails de sa deuxième enquête et fit monter un formulaire de rapport d'incident à l'écran. Mais avant de s'y mettre, elle rentra le menton et remonta le col de son chemisier jusqu'à son nez. Elle avait l'impression d'avoir senti une légère odeur de mort et de décomposition, mais n'était pas certaine que celle-ci ait imprégné ses vêtements : peut-être ne s'agissait-il que d'un souvenir olfactif. Il n'empêche : cela voulait dire que l'idée de porter son tailleur une autre fois dans la semaine ne marcherait pas. Il allait finir au nettoyage à sec.

Elle avait baissé la tête lorsqu'elle entendit le claquement métal contre métal d'un meuble classeur qu'on referme. Elle passa la tête par-dessus la demi-cloison et regarda le bout de la salle où les classeurs à quatre tiroirs couraient tout le long du mur. Chaque binôme d'inspecteurs s'en voyait attribuer un pour ses rangements.

Mais elle ne reconnut pas l'homme qu'elle vit en train d'ouvrir un deuxième tiroir pour vérifier ce qu'il contenait, et elle connaissait tous les inspecteurs pour les avoir rencontrés dans les réunions qui, une fois par mois, l'obligeaient à venir au commissariat dans la journée. Le type qui ouvrait les meubles classeurs avait une moustache et des cheveux gris. Tout de suite elle sut qu'il n'était pas du commissariat. Elle scruta les alentours pour voir s'il y avait quelqu'un d'autre : à cette exception près, la salle était déserte.

L'homme ouvrit et referma encore un autre tiroir, Ballard profitant du bruit qu'il faisait pour se lever. Puis elle se baissa et, la rangée de postes de travail la masquant, elle gagna l'allée centrale qui allait lui permettre d'arriver dans le dos de l'intrus sans être vue.

Elle avait laissé sa veste de tailleur dans le carton rangé dans son coffre. Cela lui donnait libre accès au Glock dans son holster de hanche. Elle posa la main sur la crosse de l'arme et s'arrêta trois mètres derrière l'inconnu.

— Hé, qu'est-ce qui se passe ? lança-t-elle.

L'homme se figea. Puis lentement, il sortit les mains du tiroir qu'il examinait et les tint de façon à ce qu'elle les voie.

— C'est bien, dit-elle. Mais ça vous ennuierait de me dire qui vous êtes et ce que vous fabriquez ?

— Moi, c'est Bosch, répondit-il. Et je suis venu voir quelqu'un.

— Quoi ? Quelqu'un qui se cacherait dans ces dossiers ?

— Non. Autrefois, je travaillais ici. Je connais bien Money. Il m'a dit que je pouvais attendre dans la salle de repos le temps qu'ils m'amènent le bonhomme, et j'ai commencé à vadrouiller. J'aurais pas dû.

Elle redescendit du mode alerte maximum et ôta la main de son arme. Elle avait reconnu son nom et qu'il connaisse le surnom du commandant de veille la rassurait un peu. Mais elle avait encore des soupçons.

— Vous avez gardé une clé de votre ancien classeur ? lui demanda-t-elle.

— Non, répondit-il. Il n'était pas fermé.

Elle vit que le fermoir à poussoir en haut du meuble était effectivement en position ouverte alors que les trois quarts des inspecteurs gardaient leurs classeurs fermés.

— Vous auriez une pièce d'identité?

— Bien sûr, dit-il. Mais pour que vous le sachiez : je suis officier de police. J'ai une arme à la hanche gauche et vous allez la voir quand je vais tendre la main pour prendre ma carte d'identité. D'accord?

Elle remonta la main jusqu'à sa hanche.

— Merci de m'avoir avertie, dit-elle. Bon alors, on laisse tomber l'identification pour l'instant. Et on commence par sécuriser l'arme? Après, on...

— Enfin te voilà, Harry!

Ballard regarda à droite et vit le lieutenant Munroe, le chef de veille, entrer dans la salle. Élancé, il marchait encore les mains près du ceinturon tel le flic de rue alors même qu'il quittait rarement le périmètre du commissariat. Il avait aussi modifié son ceinturon pour n'y porter que son arme, ce qui était obligatoire. Tout le reste de l'équipement encombrant avait atterri dans un tiroir de son bureau. Munroe n'était pas aussi âgé que Bosch, mais portait la moustache qui semblait être de rigueur chez les flics arrivés dans le service dans les années soixante-dix et quatre-vingt.

Il vit Ballard et comprit sa posture.

— Ballard, dit-il, qu'est-ce qui se passe?

— Il est entré ici et il fouillait dans les meubles classeurs, répondit-elle. Je ne savais pas qui c'était.

— Laissez-le. Il est du bon côté. Il a travaillé aux Homicides ici même... À l'époque où on avait encore une « table des Homicides ».

Il se tourna vers Bosch.

— Harry, mais qu'est-ce que tu foutais, bordel? demanda-t-il.

Bosch haussa les épaules.

— Je jetais juste un coup d'œil dans mes tiroirs. Disons que je commençais à en avoir marre d'attendre.

— Eh bien, Dvorek est arrivé et nous attend à la salle d'appel. Et moi, j'ai besoin que tu lui causes tout de suite. J'aime pas beaucoup l'enlever de la rue. C'est un de mes meilleurs gars et je veux qu'il y retourne.

— Message compris, lui renvoya Bosch.

Il suivit Munroe jusqu'au couloir de devant qui conduisait au bureau de veille et à la salle de rédaction des rapports, où Dvorek attendait. Bosch se retourna vers Ballard et lui adressa un petit salut, Ballard se contentant de le regarder partir.

Après leur départ, elle gagna le meuble classeur dans lequel Bosch avait fouillé. Une carte d'identité professionnelle y était collée. Tout le monde le faisait pour bien marquer que le classeur appartenait à celui-ci ou à celui-là.

INSPECTEUR CESAR RIVERA

UNITÉ DES CRIMES SEXUELS

HOLLYWOOD

Elle en vérifia le contenu. Le tiroir n'était qu'à moitié plein et les dossiers étaient tombés vers l'avant, probablement au moment où Bosch les feuilletait. Elle les repoussa en arrière pour les redresser et regarda ce que Rivera avait inscrit sur les cavaliers. Il s'agissait essentiellement de noms de victimes et de numéros d'affaires. D'autres portaient les noms des rues principales du ressort de la division d'Hollywood et devaient contenir divers rapports sur des individus douteux.

Elle referma le tiroir et vérifia les deux du dessus — elle se rappelait avoir entendu Bosch en ouvrir au moins trois.

Comme le premier, ils contenaient des dossiers d'affaires essentiellement répertoriées par noms de victimes, types de crime sexuel et numéros d'affaire. Sur le devant du tiroir du haut, elle remarqua un trombone qu'on avait plié et tordu. Elle examina le bouton-poussoir dans le coin supérieur du meuble.

C'était un modèle de base, elle sut tout de suite qu'il aurait pu être facilement crocheté avec un trombone. La sécurité des rapports n'était pas une priorité. Aussi bien se trouvaient-ils à l'intérieur d'un commissariat hautement sécurisé.

Elle referma les tiroirs, poussa le bouton et retourna au bureau dont elle se servait, cette visite de Bosch en pleine nuit continuant de l'intriguer. Elle savait qu'il avait utilisé un trombone pour ouvrir le meuble et ça, ça indiquait qu'il avait plus qu'un vague intérêt pour le contenu de ces tiroirs. Son histoire de nostalgie qui l'aurait poussé à relire de vieux dossiers n'était qu'un mensonge.

Elle reprit sa tasse de café sur son bureau et gagna la salle de repos du premier pour la remplir à nouveau. La pièce était déserte, comme d'habitude. Elle remplit sa tasse et l'emporta au bureau de veille. Assis à son bureau, le lieutenant Munroe regardait un écran de déploiement, où l'on voyait une carte de la division et les marqueurs GPS des unités de patrouille en service. Il n'entendit Ballard que lorsqu'elle fut derrière lui.

— C'est calme? demanda-t-elle.

— Pour le moment, oui, répondit-il.

Elle lui montra un regroupement de trois GPS au même endroit.

— Qu'est-ce qui se passe, là?

— C'est le camion des Mariscos Reyes. J'y ai trois unités en code sept.

On faisait la pause déjeuner devant un *food-truck* au coin de Sunset Boulevard et de Western Avenue. Du coup, Ballard se rappela qu'elle n'avait pas encore pris la sienne et qu'elle commençait à avoir faim. Mais elle n'était pas certaine d'avoir envie de manger des fruits de mer.

— Bon alors, qu'est-ce que voulait Bosch?

— Il voulait parler à La Relique d'un corps découvert il y a neuf ans. Pour moi, il travaille encore sur l'affaire.

— Il a dit être flic. Mais pas chez nous, c'est ça?

— Non, il est de réserve dans la Valley… à San Fernando.

— C'est quoi, le rapport entre San Fernando et un meurtre chez nous?

— Je ne sais pas, Ballard. Vous auriez dû le lui demander quand il était là. Maintenant, il est parti.

— Ç'a été vite.

— La Relique se souvenait de rien.

— Dvorek est dehors?

Munroe lui montra le regroupement de trois voitures à l'écran.

— Oui, il est dehors, mais en code sept pour l'instant.

— Je pensais y aller, histoire de me payer deux ou trois tacos aux crevettes. Je vous rapporte quelque chose?

— Non, ça ira. Prenez une radio avec vous.

— Bien reçu.

En revenant au bureau D, elle s'arrêta à la salle de repos, vida le café dans l'évier et lava sa tasse. Puis elle sortit une radio du râtelier de chargement et se dirigea vers la porte de derrière pour reprendre son véhicule de service. Le petit froid du milieu de la nuit s'était invité, elle sortit sa veste de tailleur du coffre et l'enfila avant de quitter le parking.

La Relique était toujours garée devant le *food-truck* lorsqu'elle y arriva. Parce qu'il avait le droit d'être seul dans une voiture en sa qualité de sergent, Dvorek avait tendance à traîner avec les officiers en pause pour bavarder avec eux.

— Sally Ride, lança-t-il en la voyant étudier le menu porté sur une ardoise.

— Quoi de neuf? lui renvoya-t-elle.

— J'en suis à la moitié d'une autre nuit au paradis.

— Ouais.

Elle commanda un taco aux crevettes et l'arrosa copieusement d'une des sauces piquantes en vedette sur la table des condiments. Elle l'apporta à Dvorek qui finissait son repas, adossé à l'aile avant de sa voiture. Deux autres officiers de la patrouille mangeaient assis sur le capot de la leur, juste devant la sienne.

— Qu'esse-t'as pris ? lui demanda-t-il.

— Le taco aux crevettes. Je ne commande que les trucs de l'ardoise. Ça veut dire que c'est frais, non ? Ils ne savent pas ce qu'ils vont avoir avant de l'acheter à la jetée.

— Parce que tu le crois ?

— Vaudrait mieux.

Elle avala sa première bouchée. C'était bon et ça n'avait pas un goût douteux.

— C'est pas mauvais, dit-elle.

— Moi, j'ai pris le spécial poisson, dit-il. Ça risque de me faire dégager de la rue dès que ce sera passé dans les tuyaux du bas.

— J'avais pas besoin de savoir tout ça, sergent. Et… à propos de mecs qui débarquent de la rue, qu'est-ce qu'il te voulait, le dénommé Bosch ?

— Tu l'as vu ?

— Je l'ai surpris en train de farfouiller dans les casiers du bureau D.

— Ouais, il est un peu désespéré. Il cherche un angle d'attaque dans une affaire à laquelle il travaille.

— À Hollywood ? Je croyais qu'il travaillait pour la police de San Fernando.

— C'est bien ça. Mais c'est pour un truc privé. Une fille qui s'est fait tuer ici il y a neuf ans. C'est moi qui avais trouvé le corps, mais du diable si j'ai pu me rappeler grand-chose pour l'aider.

Elle avala une autre bouchée, hocha la tête et posa la question suivante la bouche pleine de crevettes et de tortilla.

— C'était qui, cette fille ?

— Une fugueuse. Daisy, qu'elle s'appelait. Elle avait quinze ans et faisait le trottoir. Triste histoire. Je la voyais souvent dans Hollywood Boulevard près de Western Avenue. Un soir, elle est montée dans la mauvaise voiture. J'ai retrouvé son corps dans une ruelle en retrait de Cahuenga Boulevard. Ça m'était arrivé par appel anonyme… Ça, je m'en souviens.

— C'était son nom de rue ?

— Non, c'était le vrai. Daisy Clayton.

— Cesar Rivera travaillait aux crimes sexuels à l'époque ?

— Cesar ? J'en suis pas sûr. Ça remonte quand même à neuf ans. C'est pas impossible.

— Bon, mais te rappelles-tu que Cesar aurait eu quoi que ce soit à voir avec cette affaire ? Parce que c'était dans son meuble classeur qu'il farfouillait, ce Bosch.

La Relique haussa les épaules.

— J'ai trouvé le corps et je l'ai signalé, Renée… c'est tout. Après ça, j'ai plus rien fait. Je me rappelle qu'ils m'ont expédié au bout de la ruelle pour y mettre du ruban jaune et empêcher les gens d'entrer dans le périmètre. J'avais pas encore un seul galon sur ma manche.

Les flics en tenue avaient droit à un galon tous les cinq ans de service. Neuf ans plus tôt, La Relique était quasiment un bleu. Ballard hocha la tête et posa sa dernière question.

— Bosch t'a-t-il demandé quoi que ce soit que je ne t'aurais pas demandé ?

— Oui, mais ça n'avait rien à voir avec elle. Il m'a posé des questions sur le copain de Daisy et a voulu savoir si je l'avais jamais vu dans la rue après le meurtre.

— Et c'était qui, ce petit copain ?

— Juste un autre fugueur. Je le connaissais sous son nom de graffiteur : « Accro ». Bosch m'a dit qu'il s'appelait Adam quelque chose. J'ai oublié. Mais la réponse est non : je ne l'ai jamais revu après. Les jeunes comme ça, ça va, ça vient.

— Et c'était juste ça… Un truc genre petit-copain-petite-copine?

— Ils étaient ensemble. Tu sais bien, pour se protéger. Une fille comme elle avait besoin d'un mec quand elle était dehors. Comme un mac, quoi. Elle faisait le trottoir, il surveillait ses arrières et ils se partageaient les bénefs. Sauf que ce soir-là, il a déconné et… Dommage pour elle.

Ballard acquiesça et se dit que Bosch voulait parler avec cet Adam/Accro qui devait en savoir plus sur les gens que connaissait et fréquentait Daisy Clayton, et l'endroit où elle était allée le dernier soir de sa vie.

Mais il aurait pu, lui aussi, être un suspect.

— T'avais jamais entendu parler de Bosch? reprit Dvorek.

— Si, répondit-elle. Il travaillait à la division y a des lustres.

— T'as vu les étoiles sur le trottoir de devant?

— Évidemment.

Il y avait là, devant le commissariat d'Hollywood, une série d'étoiles du souvenir gravées sur le trottoir en l'honneur des officiers tués en service.

— Oui, bon, y en a une pour le lieutenant Harvey Pounds. L'histoire qu'on raconte, c'est que c'était le lieutenant de Bosch quand il travaillait là-bas, et qu'il a été enlevé et a succombé à une crise cardiaque en se faisant torturer pour une affaire à laquelle travaillait Bosch.

Ballard n'en avait jamais entendu parler.

— Quelqu'un qui serait tombé pour ça?

— Ça dépend à qui on parle, lui répondit Dvorek. L'affaire est classée « résolue, autre », mais c'est encore un mystère de cette grande et vilaine ville. On dit que Bosch aurait fait quelque chose qui aurait tué le mec.

« Résolue, autre » désignait une affaire officiellement résolue, mais n'ayant donné lieu ni à arrestations ni à poursuites. En général parce que le suspect était mort ou en prison à vie pour un autre crime et que temps passé, frais et risque d'aller au tribunal pour une affaire qui n'aurait pas pour résultat une peine supplémentaire n'en valaient pas la peine.

— Et le dossier est aux Scellés, censément. « Hautes manips ».

Propre au parlé du LAPD, ces termes de « Hautes manips » désignaient une affaire impliquant des manœuvres politiques en interne. Du genre à faire déraper une carrière suite à une décision malavisée.

L'info sur Bosch était intéressante, mais hors de propos. Avant qu'elle ne trouve une autre question qui ramènerait Dvorek sur l'affaire Daisy Clayton, celui-ci reçut un appel radio du commandant de veille. Ballard entendit le lieutenant l'expédier à Beachwood Canyon pour y superviser une équipe appelée pour une querelle domestique.

— Faut que j'y aille, dit-il en faisant une boule de ses emballages de tacos en alu. À moins que tu veuilles m'accompagner en renfort.

Ce n'était qu'une plaisanterie, et elle le savait. La Relique n'avait pas besoin d'une inspectrice du quart de nuit en renfort.

— On se retrouve à l'écurie… À moins que ça parte de travers et que t'aies besoin de moi, dit-elle en espérant que ce ne soit pas le cas.

Les querelles de ménage se terminaient habituellement en bagarres du type « il-a-dit/elle-a-dit » où elle servait plus d'arbitre que d'inspectrice. Jusqu'aux blessures physiques manifestes qui ne disaient pas toujours toute l'histoire.

— Reçu cinq sur cinq, lui renvoya Dvorek.

CHAPITRE 3

Pour les inspecteurs de jour, tout était une question de circulation. Les trois quarts du temps, la majorité d'entre eux arrivaient avant 6 heures du matin de façon à pouvoir filer en milieu d'après-midi et ainsi éviter les embouteillages à l'aller et au retour. Ballard compta là-dessus lorsqu'elle décida de poser des questions à Cesar Rivera sur l'affaire Daisy Clayton. Elle passa le reste de son quart à l'attendre en sortant et étudiant les documents électroniques disponibles sur ce meurtre vieux de neuf ans.

Au LAPD, le « livre du meurtre » (un classeur bleu plein de photos et de rapports imprimés) était toujours la bible de toute enquête portant sur un homicide, mais le monde entier passant au numérique, la police avait suivi le mouvement. En se servant de son mot de passe, Ballard put accéder à la plupart des documents scannés aux archives. Les seules choses qui allaient lui manquer seraient les notes manuscrites que les inspecteurs avaient généralement l'habitude de porter au dos de ce « livre du meurtre ».

Le plus important fut qu'elle put lire la chronologie qui, à répertorier toutes les décisions prises par les inspecteurs assignés à l'affaire, en constitue toujours la colonne vertébrale.

Elle détermina aussitôt qu'officiellement classé « *cold case* », le meurtre avait été confié à l'unité des Affaires non résolues qui faisait alors partie de la division d'élite des Vols et Homicides basée au QG du centre-ville. Ballard, qui y avait travaillé un temps, y connaissait beaucoup d'inspecteurs et associés. À leur nombre figurait son ancien lieutenant qui l'avait plaquée contre un mur des toilettes et tenté de la violer lors d'une soirée de Noël de la brigade trois ans plus tôt. L'avoir repoussé et déposé plainte contre lui était, après enquête, ce qui lui avait valu d'atterrir au service de nuit de la division d'Hollywood. Sa plainte avait en effet été déclarée « sans fondement » parce que son coéquipier de l'époque ne l'avait pas soutenue bien qu'il eût assisté à l'altercation. L'administration avait alors décidé que pour le bien de tous les individus concernés, il valait mieux séparer Renée Ballard et le lieutenant Robert Olivas. Ce dernier était resté aux Vols et Homicides tandis que, message on ne peut plus clair, Ballard en était virée. Olivas s'en sortait sans une égratignure alors qu'elle passait d'une unité d'élite à un poste dont personne ne voulait parce que normalement réservé aux nuls et aux flingués.

Depuis quelques mois, Renée Ballard ne perdait rien d'une ironie qui voulait que le pays et l'industrie du divertissement d'Hollywood regorgent de scandales de harcèlement sexuel, voire pire. Le chef de police avait même créé un détachement spécial chargé de gérer l'avalanche de plaintes émanant des milieux du cinéma, certaines vieilles de plusieurs décennies. Mais bien sûr, ce détachement spécial était composé d'inspecteurs des Vols et Homicides et avait Olivas comme l'un de ses superviseurs.

Cette histoire n'était pas loin de son esprit lorsque sa curiosité pour Bosch et l'affaire à laquelle il travaillait la poussèrent à fouiller dans les archives électroniques du service. Techniquement parlant, elle n'enfreignait aucun règlement en consultant de vieux rapports, mais l'enquête avait été ôtée à Hollywood lorsque son équipe des Homicides avait été dissoute et placée sous la direction d'une unité Affaires non résolues faisant partie de la division des Vols et Homicides, domaine d'Olivas. Ballard savait qu'en cherchant des infos dans la base de données de ce service, elle laisserait une trace numérique dont celui-ci risquait d'avoir connaissance. Si cela se produisait, il pourrait alors se montrer malveillant et lancer une enquête interne sur ce qu'elle fabriquait en s'occupant d'une affaire des Vols et Homicides.

La menace était réelle, mais ne suffit pas à l'arrêter. Elle n'avait pas eu peur d'Olivas lorsqu'il l'avait suivie dans les toilettes. Elle l'avait repoussé, il était tombé dans une baignoire, elle n'avait plus peur de lui maintenant.

La chronologie était certes la partie la plus importante à étudier dans une enquête, mais elle commença par jeter un coup d'œil aux photos. Elle voulait voir Daisy Clayton vivante autant que morte.

En plus de celles de l'autopsie et de la scène de crime, le livre du meurtre contenait un cliché où l'on voyait la jeune fille poser dans ce que Ballard prit pour un uniforme d'école privée – à savoir un chemisier blanc avec au-dessus de son sein gauche les lettres SSA en monogramme. Cheveux blonds coupés mi-longs et maquillage masquant l'acné sur ses joues, elle souriait au photographe, un air distant déjà dans le regard. Au dos de la photo elle aussi scannée, on pouvait lire : « 5ᵉ, Saint-Stanislas Academy, Modesto ».

Ballard laissa les photos de la scène de crime pour plus tard, passa tout de suite à la chronologie et commença par les dernières mesures prises par les inspecteurs. Elle se rendit alors vite compte qu'en dehors des vérifications annuelles obligatoires, l'enquête avait très largement stagné pendant huit ans, jusqu'au jour où elle avait été confiée à une inspectrice des Affaires non résolues répondant au nom de Lucia Soto. Ballard ne la connaissait pas, mais avait entendu parler d'elle. Plus jeune inspectrice jamais assignée aux Vols et Homicides, cette Lucia Soto battait le record qu'elle avait elle-même détenu en ayant huit mois de moins qu'elle lorsqu'elle y avait été nommée.

— « Lucky Lucy », dit-elle tout haut.

Ballard était aussi au courant que Soto faisait maintenant partie du Détachement spécial anti-harcèlement sexuel d'Hollywood parce que les huiles de la police – les trois quarts d'entre eux blancs – savaient que mettre autant de femmes que possible dans cette unité constituait une manœuvre pleine de prudence. Soto, qui avait déjà une image et un surnom dans les médias à cause d'un acte d'héroïsme qui lui avait valu d'intégrer la brigade des Vols et Homicides, servait souvent de visage à ce détachement dans les conférences de presse et autres événements médiatiques.

Le savoir fit hésiter Ballard, qui établit rapidement une chronologie. Six mois plus tôt, Soto avait été assignée, ou exigé de l'être, à l'affaire toujours non résolue de Daisy Clayton. Et peu de temps après, elle avait été virée de l'unité des Affaires non résolues pour être mutée au Détachement spécial. Et voilà que Bosch se pointait au commissariat d'Hollywood pour poser des questions sur cette affaire et tenter de jeter un coup d'œil aux dossiers d'un inspecteur des crimes sexuels ?

Il y avait là un lien que Ballard ne connaissait toujours pas. Elle le trouva rapidement et commença à mieux comprendre ce qui se passait lorsqu'elle lança une nouvelle recherche dans la base de données du service, fit apparaître toutes les affaires où Bosch avait été le chef de l'enquête et porta son attention sur la dernière qu'il avait menée avant de quitter le LAPD. Il s'agissait de l'incendie volontaire d'un immeuble d'appartements qui avait fait plusieurs victimes, dont des enfants ayant inhalé de la fumée[1] : dans plusieurs rapports concernant cette affaire, la coéquipière de Bosch était une certaine Lucia Soto.

---

1. Voir *Mariachi Plaza* publié dans cette même collection.

Ballard avait enfin le lien – Soto avait pris l'affaire Clayton et d'une manière ou d'une autre y avait attiré son ancien coéquipier Harry Bosch alors même qu'il ne faisait plus partie du LAPD. Cela dit, Ballard n'en connaissait pas la raison, ce qui voulait dire que rien n'expliquait pourquoi Soto serait allée chercher de l'aide hors du LAPD, surtout après avoir été virée des Affaires non résolues pour intégrer le Détachement spécial.

Incapable de répondre à cette question pour l'instant, Ballard reprit les dossiers de l'affaire et en recommença l'examen du début. Daisy Clayton y était décrite comme une fugueuse chronique qui ne cessait de partir de chez elle, mais aussi des refuges et foyers temporaires où elle était placée par les Services de l'Enfance et de la Famille. Chaque fois qu'elle s'enfuyait, elle terminait dans les rues d'Hollywood, où elle retrouvait d'autres fugueurs dans des campements de sans-abri et autres squats d'immeubles abandonnés. Alcool et drogue obligent, elle finissait par y faire le trottoir.

Elle avait eu affaire à la police seize mois avant sa mort. S'étaient ensuivies plusieurs arrestations pour trafic de drogue, vagabondage et racolage. Étant donné son âge, ces premières arrestations n'avaient eu pour résultat que celui de la renvoyer chez sa mère, Elizabeth, ou dans les foyers des SEF. Mais rien ne semblait arrêter le cycle qui la renvoyait à la rue et la remettait sous l'influence d'Adam Sands, un ancien fugueur de dix-neuf ans avec lui aussi un passé de drogue et de conduites criminelles.

Sands avait été longuement interrogé par les premiers enquêteurs assignés à l'affaire, mais éliminé en tant que suspect potentiel lorsque son alibi avait été confirmé : il était détenu à la prison de la division d'Hollywood au moment où Daisy Clayton se faisait assassiner.

N'étant plus classé suspect, Sands avait alors été beaucoup interrogé sur les relations et les routines de la victime. Il prétendait n'avoir aucun renseignement sur l'individu qu'elle avait rencontré le soir de son assassinat. À l'entendre, elle avait l'habitude de traîner près d'un centre commercial d'Hollywood Boulevard où, non loin de Western Avenue, se trouvaient une supérette et un magasin de vins et spiritueux. Elle racolait les hommes lorsqu'ils quittaient le magasin, baisait avec eux dans leurs voitures après qu'ils avaient roulé un peu pour trouver une ruelle tranquille. Sands avait également révélé qu'il surveillait ses arrières pendant l'enquête, mais que ce soir-là il avait été appréhendé par les flics suite à un mandat d'arrestation lancé contre lui pour ne pas s'être présenté au tribunal, où il était convoqué pour un délit lié à la drogue.

Daisy avait été laissée seule dans le centre commercial et son corps découvert le lendemain soir dans une des ruelles où elle faisait ses passes. Elle était nue et tout indiquait une agression sexuelle violente suivie de tortures. Plus tard, son cadavre avait été nettoyé à la Javel et aucun de ses habits retrouvé. Les inspecteurs avaient déterminé qu'au moins vingt heures s'étaient écoulées entre le moment où elle avait été vue pour la dernière fois en train de racoler au centre commercial et celui où, la police recevant un appel anonyme signalant qu'un corps avait été jeté dans une benne à ordures en retrait de Cahuenga Boulevard, l'officier Dvorek avait été dépêché sur les lieux. Ce trou dans la chronologie n'avait jamais été expliqué, mais le blanchiment du corps disait clairement que Daisy avait été emmenée quelque part, violée et assassinée, et son corps soigneusement nettoyé de tout élément de preuve pouvant conduire à son assassin.

Le seul indice sur lequel les premiers enquêteurs s'étaient perdus en conjectures tout au long de leur enquête était une contusion trouvée sur le cadavre. Pour eux, ils en étaient convaincus, le rond de cinq centimètres de diamètre qu'elle avait sur le haut de la hanche droite était une marque laissée par l'assassin. À l'intérieur se trouvaient deux mots croisés formés avec les lettres

A, S et P disposées horizontalement et verticalement, le S étant au centre.

Alignées à l'envers sur le corps de la victime, ces lettres indiquaient donc qu'elles se lisaient correctement sur l'appareil ou l'outil qui avait été utilisé pour les y marquer. Le rond entourant ces mots en croix évoquait un serpent qui se mord la queue, mais le manque de netteté de la contusion ne permettait pas d'affirmer qu'il s'agissait bien de cela.

Nombre d'heures d'enquête avaient été passées à tenter d'élucider la signification de ces deux mots croisés, mais sans que jamais on n'arrive à une conclusion définitive. Étudiée à l'origine par deux inspecteurs de la division d'Hollywood, l'affaire avait ensuite été confiée à la division d'Olympic lorsque, les équipes régionales des Homicides ayant été consolidées, Hollywood avait perdu la sienne qui était très réputée. Les enquêteurs avaient pour noms King et Carswell, et Ballard ne connaissait ni l'un ni l'autre.

L'autopsie avait déterminé que la mort était survenue dix heures après que la victime avait été vue pour la dernière fois, et dix heures avant la découverte du corps.

Dans son rapport, le coroner déclarait qu'elle était due à un étranglement manuel et précisait que les marques laissées par les mains du tueur sur le cou de la victime indiquaient que Daisy Clayton avait été étranglée par-derrière, et ce n'était pas impossible, alors même qu'il la violait. Les blessures au vagin et à l'anus étaient de type pré et post-mortem. Les ongles de la victime avaient été arrachés après la mort, l'assassin s'efforçant ainsi, on le pensait, de ne laisser aucun élément de preuve biologique derrière lui.

Le corps montrait aussi des abrasions et des griffures post-mortem qui, aux yeux des enquêteurs, s'étaient produites lorsque l'assassin s'était efforcé de nettoyer la victime avec une brosse dure et de la Javel dont on avait retrouvé des traces dans tous ses orifices corporels, y compris sa bouche, sa gorge et ses oreilles. Le légiste avait conclu que le corps avait été plongé dans de la Javel pendant cette opération de nettoyage.

Ajoutée à l'heure de la mort, cette découverte avait amené les enquêteurs à se dire que Daisy avait été kidnappée dans la rue et emmenée dans une chambre d'hôtel ou un autre lieu où un bain de Javel pouvait être donné.

— C'est un type qui prépare ses coups, lança Ballard à haute voix.

Les conclusions tirées de l'aspect Javel de l'affaire avaient poussé les enquêteurs à consacrer les premiers jours de leur travail à visiter tous les motels et hôtels d'Hollywood offrant un accès direct à des chambres en retrait du parking. La photo d'école de Daisy avait été montrée aux employés de tous les quarts, les femmes de ménage étant interrogées sur de fortes odeurs de Javel qu'elles auraient pu sentir et toutes les poubelles fouillées au cas où il s'y serait trouvé des bouteilles et des flacons de Javel. Cela n'avait rien donné. Le lieu du meurtre n'avait jamais été déterminé et sans scène de crime l'affaire avait dès le début présenté un sérieux handicap. Au bout de six mois d'enquête, elle était devenue un « cold case » sans la moindre piste, ni non plus le moindre suspect en vue.

Ballard finit par revenir aux photos de scènes de crime et cette fois, elle les étudia très soigneusement malgré leur caractère lugubre. L'âge de la victime, les marques sur son corps et son cou indiquant la force écrasante de son assassin, le fait qu'elle avait fini par reposer nue sur un tas d'ordures dans une benne… Tout cela suscita son horreur et encore plus profondément en elle un sentiment de triste empathie pour cette gamine et ce qu'elle avait enduré. Ballard n'avait jamais été le genre d'inspecteur à laisser le boulot dans un tiroir à la fin de son service. Les affaires, elle les avait partout avec elle, son carburant n'étant autre que son empathie.

Avant d'être assignée au service de nuit, elle avait étudié les homicides à mobile sexuel afin d'entrer aux Vols et Homicides. Son coéquipier de l'époque, Ken Chastain, était un des premiers inspecteurs à avoir enquêté sur ce type de crimes. Ils avaient tous les deux suivi des cours sur ce sujet et été supervisés par un certain inspecteur David Lambkin longtemps considéré comme un expert dans ce domaine jusqu'à ce qu'il rende son tablier et quitte Los Angeles pour rallier le Pacific Northwest.

Les efforts déployés par Ballard avaient été largement mis sur la touche lorsqu'elle avait été transférée au quart de nuit, mais là, en reprenant le dossier Clayton, elle vit le prédateur sexuel qui se cachait derrière tous les mots et pièces du dossier, et qu'on ne l'ait toujours pas identifié au bout de neuf ans l'atteignait profondément. C'était ce même déchirement qui l'avait fait envisager de devenir flic pour traquer les hommes qui battent les femmes et les jettent telles des ordures dans les ruelles. Quoi que fasse Harry Bosch, elle voulait en être.

Des voix se faisant entendre, ces pensées la quittèrent. Elle leva les yeux de son ordinateur, regarda par-dessus la demi-cloison et vit deux inspecteurs ôter leurs vestes de costume et les étendre sur leurs fauteuils : on était prêt pour la nouvelle journée de travail.

L'un de ces inspecteurs était Cesar Rivera.

CHAPITRE 4

Ballard remballa ses affaires et quitta son poste de travail d'emprunt. Elle commença par passer à la salle des imprimantes afin d'y prendre les rapports qu'elle avait imprimés sur la machine commune après les avoir tapés un peu plus tôt. Le patron des inspecteurs était du genre vieille école et préférait qu'elle les lui remette sur papier avant de partir, alors même qu'elle les lui envoyait aussi par courrier électronique. Elle sépara celui portant sur la morte de celui sur la violation de domicile un peu plus tôt, les agrafa et les déposa dans la corbeille du lieutenant afin qu'il les trouve en arrivant. Puis elle gagna la section des crimes sexuels et se retrouva derrière Rivera au moment où il s'asseyait à son poste et se préparait pour sa journée de travail en vidant une topette de whisky format compagnie aérienne dans son mug de café. Elle ne laissa rien paraître de ce qu'elle avait vu lorsqu'elle lui parla.

— Salut, Cesar! lui lança-t-elle.

Rivera était un énième mec à moustache, la sienne presque blanche sur sa peau brune et assortie à une chevelure ondulante et un rien trop longue pour le règlement du LAPD, mais acceptable chez un vieux de la vieille. Il sursauta, un peu effrayé que sa petite routine matinale ait été découverte. Il pivota dans son fauteuil, mais se détendit en voyant que c'était Ballard. Il savait qu'elle ne ferait pas de vagues.

— Renée, dit-il. Quoi de neuf, ma fille ? Vous avez quelque chose pour moi ?

— Non, rien, répondit-elle. La nuit a été calme.

Elle se tenait à bonne distance de lui au cas où elle aurait encore pué la décomposition.

— Alors, quoi de neuf ? répéta-t-il.

— Je m'apprête à filer, répondit-elle, mais je me demandais... Vous ne connaîtriez pas un type qui a travaillé ici... Un certain Harry Bosch ? Il était aux Homicides.

Et de lui montrer le coin de la salle où se trouvait autrefois la brigade et qui était maintenant occupé par une équipe de l'Antigang.

— C'était avant que j'arrive, lui répondit-il. Non, je veux dire... Je sais qui c'est... Comme tout le monde, je pense. Mais non, je n'ai jamais bossé avec lui. Pourquoi ?

— Parce qu'il est passé ici ce matin.

— Quoi ? En plein service de cimetière[1] ?

— Oui, il a dit qu'il voulait parler avec Dvorek d'une vieille affaire d'homicide. Et comme je l'avais vu fouiller dans votre classeur...

Et elle lui montra l'alignement de meubles le long du mur. Rivera hocha la tête de confusion.

— Dans mon classeur ? répéta-t-il. Mais bordel !

— Depuis combien de temps êtes-vous à la division d'Hollywood, Cesar ?

— Depuis sept ans. Mais le rapport avec...

— Le nom de Daisy Clayton vous dit-il quelque chose ? Elle a été assassinée en 2009. Affaire toujours ouverte, classée mobile sexuel.

Il fit non de la tête.

---

1. Surnom donné au service de nuit.

— C'était avant que j'arrive. Moi, à l'époque, j'étais à Hollenbeck.

Il se leva, gagna la rangée de meubles classeurs et sortit un jeu de clés de sa poche pour ouvrir le tiroir du haut du sien.

— Il est fermé maintenant, dit-il. Il l'était quand je suis parti hier soir.

— C'est moi qui l'ai fermé après son départ, l'informa-t-elle sans lui signaler le trombone tordu qu'elle avait trouvé dans le tiroir.

— Il est pas à la retraite ? reprit Rivera. Comment est-il entré ici ? Il a gardé sa 999 en partant ?

Tous les officiers de police avaient droit à ce qu'on appelait une clé 999 qui permettait d'ouvrir les portes arrière de tous les commissariats de la ville. Elle servait de renfort aux clés d'identification électroniques qui avaient tendance à ne pas fonctionner et ne servaient à rien quand il y avait une panne d'électricité. Et la municipalité ne veillait pas vraiment à ce que les officiers qui partaient en retraite les lui rendent.

— Peut-être, mais il m'a dit que le lieutenant Munroe l'avait laissé entrer pour qu'il puisse attendre Dvorek à son retour de patrouille. Il a commencé à traîner à droite et à gauche et c'est là que je l'ai vu fouiller dans votre classeur. Je travaillais là-bas dans le coin et il ne m'avait pas vue.

— Et c'est lui qui a mentionné l'affaire Daisy ?

— Daisy Clayton… Non, en fait Dvorek m'a dit que c'était de ça que voulait lui parler Bosch. Dvorek avait été le premier arrivé sur la scène de crime.

— Et l'affaire revenait à Bosch ?

— Non, au début ç'a été celle de King et Carswell. Maintenant, elle est aux Affaires non résolues.

Rivera revint à son bureau, mais resta debout et prit sa tasse de café pour en descendre une bonne gorgée. Et écarta brusquement la tasse de ses lèvres.

— Mais merde, je le sais, ce qu'il faisait! s'exclama-t-il.

— Quoi? lui demanda-t-elle, de l'urgence dans la voix.

— Je suis arrivé ici juste au moment où ils réorganisaient tout et envoyaient les Homicides au West Bureau! Les crimes sexuels devenant plus importants, ils m'ont fait venir ici. Sandoval et moi on était en plus, pas du tout des remplaçants. On venait tous les deux d'Hollenbeck, vous voyez?

— OK, dit-elle.

— Bref, le lieutenant m'a assigné ce meuble-là et m'en a donné la clé. Mais quand j'ai ouvert le tiroir du haut, il était plein. Et tous les autres tiroirs aussi. Idem pour Sandoval... Il avait ses quatre tiroirs pleins.

— Pleins de quoi? De dossiers, vous voulez dire?

— Non, ils étaient pleins de fiches d'extorsion. Il y en avait des tas qui s'empilaient. Les gars des Homicides et les autres inspecteurs avaient décidé de garder les vieilles après le passage au numérique. Ils les avaient rangées dans les tiroirs pour qu'on ne les leur pique pas.

C'était de ce qu'on appelait officiellement les « fiches d'interpellation » que parlait Rivera. De format 10 x 15 cm, elles devaient être remplies par les officiers en patrouille lorsqu'ils faisaient des rencontres dans les rues. Le recto était un formulaire comprenant divers renseignements d'identité concernant l'individu interpellé tels que ses nom, date de naissance, adresse, affiliation à un gang, tatouages et associés connus. Le verso, lui, était vierge, et c'était là que les officiers pouvaient porter toutes sortes de renseignements supplémentaires sur celui-ci ou celui-là.

Les policiers avaient toujours des tas de ces fiches sur eux ou dans leur véhicule, Ballard gardant les siennes sous son pare-soleil quand elle était de patrouille à la Pacific Division. À la fin du service, elles étaient toutes remises au commandant de veille de la division, les renseignements qu'elles contenaient étant entrés par des employés civils dans une banque de données consultable. Lorsqu'il y avait correspondance avec un nom entré dans cette base, l'officier qui voulait en savoir plus trouvait tout un assortiment de faits, d'adresses et d'associés connus lui permettant de lancer son enquête.

L'American Civil Liberties Union s'était longtemps élevée contre l'utilisation de ces fiches par la police de L.A. dans la mesure où elles donnaient des renseignements sur des citoyens qui n'avaient commis aucun crime. À ses yeux, il s'agissait de fouilles et de saisies illégales, cette pratique des questions et réponses lui évoquant de l'extorsion de renseignements pure et simple. Le LAPD avait repoussé toutes les tentatives légales d'en interdire l'usage, de nombreux officiers de la base désignant alors ces fiches, et ce n'était pas très subtil comme insulte, sous le nom de fiches AUCLU.

— Pourquoi les gardaient-ils ? demanda-t-elle. Tous les renseignements qu'il y avait dessus étaient versés dans la base de données et c'était plus facile d'accès.

— Je ne sais pas, répondit Rivera. Ils n'ont pas fait ça comme ça à Hollenbeck.

— Et donc, qu'est-ce que vous avez fait ? Vous vous en êtes débarrassés ?

— Oui, Sandy et moi, on a vidé les tiroirs.

— Et vous les avez toutes jetées ?

— Non. Si j'ai appris une chose dans ce service, c'est qu'il vaut mieux ne pas être le mec qui se plante. On les a rangées dans des boîtes et emportées à la réserve. Aux autres de se démerder.

— Quelle réserve ? demanda-t-elle.

— Celle de l'autre côté du parking.

Elle hocha la tête. Elle savait que c'était du bâtiment à l'extrémité sud du parking qu'il parlait. Tout en rez-de-chaussée, il avait jadis servi de bureau aux services de la ville, mais avait été cédé au commissariat lorsque celui-ci avait eu besoin de plus d'espace. Il était maintenant assez peu utilisé. Un gymnase pour les officiers et une salle d'arts martiaux capitonnée avaient été installés dans deux de ses plus grandes salles, les bureaux de moindre importance étant vides ou servant de réserve à des pièces sans valeur pour les tribunaux.

— Et donc, ça remonte à sept ans? reprit-elle.

— *Grosso modo*, oui. On n'a pas tout déménagé d'un seul coup. J'en vidais un tiroir et quand il était à nouveau plein et que je devais prendre le suivant, je le vidais. C'est comme ça que ça s'est fait. Ça m'a pris à peu près un an.

— Mais qu'est-ce qui vous fait croire que c'était des fiches d'extorsion qu'il cherchait cette nuit?

Il haussa les épaules.

— Il devait y en avoir qui remontaient à l'époque du meurtre dont vous parlez, non?

— Mais les infos de ces fiches sont dans la base de données!

— Je suppose que oui. Mais qu'est-ce que vous voulez mettre comme intitulé pour lancer la recherche? Vous voyez ce que je veux dire? C'est là qu'il y a une faille. S'il voulait savoir qui traînait dans le coin d'Hollywood à l'époque du meurtre, comment s'y serait-il pris pour le trouver dans la base?

Elle fit oui de la tête alors même qu'elle savait qu'il y avait des tas de moyens d'obtenir des infos directement dans la base de données – ne serait-ce qu'en cherchant par lieux géographiques et cadre temporel. Elle songea que Rivera se trompait sur ce point, mais qu'il avait probablement raison pour Bosch. C'était un inspecteur de la vieille école. Il voulait fouiller dans ces fiches pour savoir à qui parlaient les flics de la patrouille d'Hollywood à l'époque du meurtre de Clayton.

— Bon, dit-elle. Je dégage. Passez une bonne journée. Et faites attention à vous.

— Oui. Vous aussi.

Elle quitta le bureau des inspecteurs et gagna le vestiaire des femmes au premier. Elle ôta son tailleur et se mit en sweat. Elle avait dans l'idée de gagner Venice, d'y déposer du linge sale, de reprendre sa chienne au chenil de nuit et d'emporter sa tente et un paddleboard à la plage. Dans l'après-midi, après s'être reposée et avoir réfléchi à un angle d'attaque, elle s'occuperait de Bosch.

**

Le soleil du matin lui fit mal aux yeux lorsqu'elle traversa le parking derrière le commissariat. Elle ouvrit son van et jeta son tailleur fripé sur le siège passager. Alors elle vit l'ancien bâtiment des services municipaux à l'extrémité sud du parking et décida de ne pas partir tout de suite.

Elle y entra avec sa carte-clé et y trouva deux ou trois autres citoyens nocturnes en train de faire de l'exercice avant de rentrer chez eux après l'heure de pointe. Elle leur fit un petit salut pour rire, puis descendit un couloir conduisant aux anciens bureaux de la ville maintenant convertis en réserves. La première pièce qu'elle vérifia contenait des objets recouvrés dans une de ses propres affaires. L'année précédente, elle avait arrêté un cambrioleur qui avait rempli une chambre de motel d'objets qu'il avait volés ou achetés avec l'argent et les cartes de crédit qu'il avait dérobées. Un an plus tard, l'affaire avait été jugée, mais l'essentiel de ces objets n'avait toujours pas été réclamé. Ils avaient été renvoyés au commissariat d'Hollywood où ils seraient conservés jusqu'au jour où la division organiserait sa journée portes ouvertes annuelle pour que les victimes aient une dernière chance de les récupérer.

La pièce suivante était bourrée de cartons remplis de vieux dossiers qui devaient être conservés pour diverses raisons. Ballard les vérifia, et en bougea plusieurs pour accéder à d'autres. Assez vite elle en ouvrit un couvert de poussière et rempli de fiches d'interpellation. Elle avait décroché le gros lot.

Vingt minutes plus tard, elle avait douze cartons alignés le long du couloir. En extrayant quelques fiches de chacun, elle détermina qu'elles couvraient une période allant de 2006, année où la numérisation avait débuté, à 2010, où la section des Homicides avait été sortie de la division d'Hollywood.

Selon son estimation, chacun de ces cartons contenait jusqu'à mille fiches. Il lui faudrait des heures entières pour les lire comme il faut. Elle se demanda ce que Bosch espérait faire, ou s'il avait dans l'idée de chercher une fiche précise ou celles d'un soir particulier – celui, peut-être, où Daisy Clayton avait été enlevée.

Elle n'aurait la réponse à cette question que lorsqu'elle la lui poserait.

Elle laissa un mot sur la rangée de cartons pour dire qu'ils lui étaient réservés. Puis elle regagna le parking et monta dans son van après avoir vérifié les courroies retenant ses planches à la galerie. Peu après avoir été assignée à la division d'Hollywood, des fuites laissant entendre qu'elle était impliquée dans une enquête en interne pour harcèlement sexuel, plusieurs de ses collègues avaient tenté de se venger d'elle. Parfois il ne s'agissait que d'intimidations, parfois ça allait plus loin. Un matin, à la fin de son quart, lorsqu'elle avait arrêté son van au portail électrique du commissariat, son paddleboard avait glissé en avant et s'était écrasé dessus, le nez en fibre de verre de la planche en étant fendu. Elle l'avait réparée elle-même et s'était mise à vérifier ses courroies tous les matins après son quart.

Elle descendit La Brea Avenue jusqu'à la 110 et prit vers l'ouest et la plage. Elle attendit jusqu'à un peu plus de 8 heures pour appeler le numéro des Vols et Homicides qu'elle avait encore dans son téléphone. Un employé ayant décroché, elle lui demanda de lui passer Lucy Soto. Elle avait prononcé son nom avec une familiarité laissant entendre qu'il s'agissait d'un appel de flic à flic. Le transfert se fit sans question.

— Inspectrice Soto.

— Inspectrice Ballard, division d'Hollywood.

Il y eut une pause avant que Soto ne réponde.

— Je sais qui vous êtes, dit-elle. En quoi puis-je vous être utile, inspecteur Ballard?

Ballard avait l'habitude que des inspecteurs qu'elle ne connaissait pas personnellement aient entendu parler d'elle. Ou bien on l'admirait pour sa persévérance ou bien l'on pensait que ce qu'elle avait fait leur rendait le boulot plus difficile. Elle devait à chaque coup savoir si c'était l'un ou l'autre et la réponse de Soto ne lui disait rien du camp dans lequel elle était. Qu'elle ait répété son nom tout haut pouvait être une manœuvre destinée à faire comprendre à quelqu'un du genre coéquipier ou superviseur du Détachement spécial à qui elle parlait.

Incapable de le savoir, Ballard se contenta de poursuivre.

— Je suis au quart de nuit, dit-elle. Des fois ça me tient éveillée, d'autres pas vraiment. Mon lieute aime bien que j'aie une affaire, disons, « de hobby » pour m'occuper.

— Je ne comprends pas, lui renvoya Soto. C'est quoi, le rapport avec moi? Et comme je suis en plein…

— Oui, je sais que vous êtes occupée. Vous êtes au Détachement spécial anti-harcèlement et c'est pour ça que je vous appelle. Un de vos *cold cases*… auquel vous ne travaillez pas à cause de ce détachement… Je me demandais si je ne pourrais pas m'y frotter.

— De quelle affaire parlez-vous?

— De l'affaire Daisy Clayton. Une gamine de quinze ans assassinée ici…

— Oui, je sais. Pourquoi ça vous intéresse?

— À l'époque, ç'a été un gros truc ici, et j'ai entendu des costumes-cravates en parler. Du coup, j'ai sorti ce que je pouvais là-dessus et ça a piqué ma curiosité. Et comme j'avais l'impression qu'avec ce truc du Détachement spécial vous n'y bossiez pas vraiment…

— Et vous voulez vous y frotter.

— Je ne promets rien mais, oui, j'aimerais bien y travailler un peu. Je vous tiendrais dans la boucle puisque l'affaire est toujours à vous. Je ferais juste du boulot de terrain…

Elle était arrivée sur l'autoroute, mais n'avançait pas. Avoir fouillé dans les cartons de la réserve l'avait mise en plein dans les embouteillages de l'heure de pointe. Elle savait que la brise du matin serait elle aussi au maximum sur la côte. Elle pagaierait contre elle et il y aurait du clapot. Elle était en train de louper sa fenêtre de tir.

— Ça remonte à neuf ans, reprit Soto. Je ne suis pas très sûre que le terrain nous donne quoi que ce soit. Surtout en quart de nuit. Vous allez faire du surplace.

— Eh bien oui, peut-être. Mais ce surplace, ce sera le mien. Ça vous va ou pas?

S'ensuivit une deuxième pause, et longue. Assez pour donner le temps à Ballard de faire avancer son van d'un mètre cinquante.

— Y a quelque chose que vous devez savoir, dit enfin Soto. Il y a quelqu'un d'autre qui s'y intéresse. Quelqu'un qui n'est pas d'ici.

— Ah bon? lança Ballard. Et c'est qui?

— Mon ancien coéquipier. Il s'appelle Harry Bosch. Il est à la retraite mais il… il a besoin de ce boulot.

— Encore un de ceux-là, hein? OK. Autre chose que je devrais savoir?

— Non. Mais il connaît la mère de la victime. Et c'est pour elle qu'il le fait. Il est comme un chien avec un os.

— C'est bon à savoir.

Ballard commençait à avoir une meilleure idée du paysage général. C'était d'ailleurs le but véritable de son appel. Avoir la permission de travailler à l'affaire était le moindre de ses soucis.

— Si je trouve quoi que ce soit, je vous le donne, enchaîna-t-elle. Et je vais vous laisser reprendre vos réflexions.

Elle crut entendre un petit rire étouffé.

— Hé, Ballard? ajouta calmement Soto. Je vous ai dit que je savais qui vous étiez. Je sais aussi qui est Olivas. Non parce que, c'est avec lui que je travaille. Et je veux que vous sachiez que j'apprécie ce que vous avez fait, et sais qu'il y a eu un prix à payer. Je voulais juste vous le dire.

Ballard hocha la tête pour elle-même.

— Ça aussi, c'est bon à savoir. On se tient au courant.

BOSCH

CHAPITRE 5

Du tribunal de San Fernando, il n'y avait qu'un bloc à parcourir pour retourner à la vieille prison où Bosch classait ses dossiers. Il couvrit rapidement cette distance d'un pas élastique : enfin il tenait son mandat de perquisition. Le juge Atticus Finch Landry avait lu sa demande dans son bureau et ne lui avait posé que quelques questions de pure forme avant de la lui signer. Bosch avait maintenant toute autorité pour exécuter la fouille et, il l'espérait, trouver la balle qui le conduirait à une arrestation et au bouclage d'une énième affaire.

Il prit le raccourci par la cour des Travaux publics de la ville pour arriver à la porte de derrière. Il sortit la clé du cadenas en se dirigeant vers l'ancienne cellule de dégrisement où les dossiers des affaires en cours étaient conservés sur des étagères en acier. Il s'aperçut qu'il avait laissé le cadenas ouvert et s'engueula en silence. Aussi bien pour le service que pour lui, c'était là une violation du protocole : les dossiers devaient être tenus sous clé vingt-quatre heures sur vingt-quatre. Et Bosch aimait aussi savoir son bureau en sécurité, même pour quarante minutes, le temps d'aller chercher un mandat de perquisition au tribunal d'à côté.

Il passa derrière son bureau de fortune – une vieille porte en bois posée entre deux piles de boîtes classeurs – et s'assit. Et dans l'instant découvrit le trombone tordu posé sur son ordinateur fermé.

Il le regarda fixement. Ce n'était pas lui qui l'y avait mis.

— Vous avez oublié ça.

Il leva la tête. La femme – l'inspectrice – de la nuit précédente au commissariat d'Hollywood s'était assise à califourchon sur le banc installé entre les rayons pleins de dossiers. Elle n'était pas dans son champ de vision lorsqu'il était entré dans la cellule. Il jeta un coup d'œil à la porte ouverte où le cadenas pendait au bout de sa chaîne.

— Ballard, c'est ça ? dit-il. Ça fait du bien de savoir que je ne suis pas encore fou. Je croyais avoir fermé derrière moi.

— Je me suis permis d'entrer, dit-elle. Crochetage de serrure première année.

— C'est un bon talent à avoir, dit-il. Sauf que là, je suis assez occupé. Je viens d'hériter d'un mandat de perquise que j'ai encore à exécuter sans que mon suspect ne s'en aperçoive. Qu'est-ce que vous voulez, inspecteur Ballard ?

— En être.

— De… ?

— De l'enquête sur l'affaire Daisy Clayton.

Bosch l'étudia un instant. Elle était séduisante. Milieu de la trentaine, cheveux bruns avec mèches plus claires lui tombant aux épaules, corps mince et athlétique. Elle n'était pas en tenue. La veille, elle portait un tailleur qui lui avait donné un air plus redoutable – un must dans un LAPD où, il le savait, les inspectrices étaient souvent traitées comme des secrétaires.

Elle était aussi très bronzée, ce qui lui parut étrange pour quelqu'un de service de cimetière. Mais ce qui l'impressionnait le plus était bien qu'à peine douze heures après qu'elle l'eut surpris en train de fouiller dans les meubles classeurs de la salle des inspecteurs, elle l'ait déjà retrouvé et sache ce qu'il faisait.

— J'ai parlé avec votre ancienne coéquipière, Lucy, reprit-elle. Elle m'a donné sa bénédiction. Mais après tout, c'est vrai que c'est une affaire du ressort du commissariat d'Hollywood.

— C'était, la corrigea-t-il. Avant que les Vols et Homicides ne s'en emparent. Ils ont leur habilitation maintenant. C'est fini pour Hollywood.

— Et vous là-dedans ? Vous n'êtes plus au LAPD et il ne me semble pas qu'il y ait le moindre lien avec la ville de San Fernando dans le livre du meurtre.

En sa capacité d'officier de réserve du SFPD depuis trois ans, meurtres, viols et agressions, Bosch avait surtout travaillé à élucider tout un tas de *cold cases* en souffrance.

— On me donne beaucoup de liberté ici, répondit-il. Je travaille à leurs affaires, mais aussi aux miennes, et celle de Daisy Clayton en fait partie. On pourrait dire que j'y ai un intérêt personnel. Voilà, c'est ça, mon habilitation.

— Et moi, j'ai douze cartons de fiches d'extorsion au commissariat, lui renvoya-t-elle.

Il hocha la tête. Il était encore plus impressionné. Dieu sait comment, elle avait réussi à comprendre ce qu'il était venu faire à Hollywood. Il l'étudiait encore lorsqu'il décida que ce n'était pas du tout une histoire de bronzage. Sa peau disait un mélange des origines. Il se dit qu'elle devait être mi-blanche, mi-polynésienne.

— Et je me disais qu'à nous deux, on devrait pouvoir se faire ces fiches en deux ou trois nuits.

Tel était le marché : elle voulait être de l'enquête et lui donnerait ce qu'il cherchait en échange.

— C'est pas gagné, dit-il. En fait, je suis au point mort dans cette affaire et je me disais qu'il y aurait peut-être quelque chose dans ces fiches.

— Surprenant, ça, lui renvoya-t-elle. J'ai entendu dire que vous n'êtes pas du genre à renoncer. Votre ancienne coéquipière vous voit plutôt en chien avec un os.

Ne sachant pas trop comment répondre à cette remarque, il haussa les épaules.

Ballard se leva et s'approcha de lui dans l'allée entre les étagères.

— Y a des fois où ça n'avance pas, et y en a d'autres où ça fonce, reprit-elle. Je commence à éplucher ces fiches dès ce soir. Entre les appels. Quelque chose de particulier que je devrais y chercher?

Il marqua une pause, mais il savait qu'il devait prendre une décision. Lui faire confiance ou la tenir à l'écart.

— Des fourgonnettes, répondit-il. Cherchez des fourgonnettes, et peut-être des types qui trimballent des produits chimiques.

— Pour la transporter, elle.

— Pour tout le truc.

— Dans le livre du meurtre, il est dit que le type l'a amenée chez lui ou dans un motel. Un endroit avec une baignoire. Pour la javellisation.

— Non, dit-il en hochant la tête, il ne s'est pas servi d'une baignoire.

Elle le dévisagea et attendit sans lui poser la question évidente : comment le savait-il?

— Bon d'accord, finit-il par dire, venez avec moi.

Il se leva, la fit sortir de la cellule et la ramena à la porte donnant sur la cour des Travaux publics.

— Vous avez consulté le dossier et vu les photos, c'est ça? demanda-t-il.

— Oui. Tout ce qui a été numérisé.

Ils entrèrent dans la cour, un grand carré à ciel ouvert entouré de murs. Dans celui du fond se trouvaient quatre renfoncements délimités par des râteliers à outils et des établis où le matériel et les véhicules municipaux étaient entretenus et réparés. Il la conduisit jusqu'à l'un d'entre eux.

— Vous avez vu la marque sur le corps?

— L'A-S-P?

— Voilà. Mais ils se sont trompés sur sa signification. « Ils », c'est-à-dire les premiers inspecteurs. Ils sont partis en vrille et c'était complètement faux.

Il gagna l'établi et tendit la main vers une étagère sur laquelle était posé un grand baquet en plastique translucide surmonté d'un couvercle bleu à y clipser. Il le descendit et le lui passa.

— Contenance : cent litres, dit-il. Daisy faisait un mètre soixante et pesait quarante-sept kilos. Petite donc. Il l'a plongée dans un de ces trucs, et y a versé la Javel au fur et à mesure qu'il en avait besoin. Il ne s'est pas servi d'une baignoire.

Elle étudia le baquet. L'explication de Bosch était plausible, mais pas concluante.

— En théorie, oui, dit-elle.

— Ce n'est pas une hypothèse, lui renvoya-t-il.

Il posa le baquet par terre de façon à pouvoir en ôter le couvercle. Puis il le souleva et l'inclina pour qu'elle puisse voir dedans. Il tendit la main à l'intérieur et lui montra le sceau du fabricant estampillé au fond dans le plastique. On y lisait les lettres A-S-P à l'horizontale et à la verticale à l'intérieur d'un cercle de cinq centimètres de diamètre.

— A, S, P, dit-il. Pour American Storage Products ou American Soft Plastics. Même société, sous deux noms différents. C'est dans un de ces trucs que l'assassin l'a plongée. Pas besoin de baignoire ou de motel. Juste ça et une fourgonnette.

Elle mit la main dans le récipient et passa un doigt sur le sceau du fabricant. Il sentit qu'elle tirait la même conclusion que lui. Le logo avait été estampillé dans le plastique côté extérieur, créant ainsi une impression en relief à l'intérieur. À avoir appuyé dessus, la peau de Daisy ne pouvait qu'en avoir été marquée.

Ballard ressortit son bras du baquet et regarda Bosch.

— Comment l'avez-vous compris? lui demanda-t-elle.

— J'ai réfléchi comme lui.

— À mon tour de réfléchir... Pas moyen de remonter la trace de ces baquets?

— Ils sont fabriqués à Gardena et expédiés à des grossistes absolument partout. Ils font même des ventes directes à des comptes commerciaux, mais côté ventes aux particuliers, que dalle. On peut s'en acheter dans tous les Target et Walmart du pays.

— Ah merde!

— Ouais.

Il reclipsa le couvercle et s'apprêta à remettre le baquet sur l'étagère.

— Je peux le prendre? demanda-t-elle.

Il se tourna vers elle. Il savait pouvoir le remplacer et qu'elle pouvait, elle, facilement s'en procurer un. Il se dit que c'était une manœuvre destinée à l'impliquer encore plus dans un partenariat. Lui donner quelque chose signifiait qu'ils travaillaient ensemble.

Il le lui tendit.

— Il est tout à vous, dit-il.

— Merci.

Elle regarda la cour des Travaux publics. Le portail était ouvert.

— OK, dit-elle. Alors j'attaque les fiches dès ce soir.

Il acquiesça d'un signe de tête.

— Où étaient-elles?

— Dans les réserves, répondit-elle. Personne ne voulait les jeter.

— C'est ce que je me suis dit. C'était malin.

— Qu'est-ce que vous auriez fait si vous les aviez trouvées dans les meubles classeurs?

— Je ne sais pas. J'aurais probablement demandé à Money si je pouvais rester pour y jeter un œil.

— Et vous auriez juste regardé celles du jour ou de la semaine du meurtre?… Du mois?

— Non, toutes. Tout ce qu'il y avait encore. Qui peut dire que ce type ne s'était pas déjà fait interpeller deux ans avant? Ou un an après?

Elle acquiesça.

— On soulève toutes les pierres. Je comprends, dit-elle.

— Ça vous fait changer d'avis? C'est un énorme boulot.

— Mais non.

— Parfait.

— Bon, je vais y aller. J'irai peut-être même un peu plus tôt au boulot pour commencer.

— Bonne chasse. Je passe si je peux. Mais vu que j'ai un mandat de perquise à exécuter…

— C'est vrai.

— Autrement, appelez-moi si vous trouvez quelque chose.

Il glissa la main dans sa poche et en sortit une carte de visite professionnelle avec son numéro de portable.

— Bien reçu.

Elle s'en alla en prenant le baquet par les deux poignées adéquates et le tenant devant elle. Il la regardait lorsqu'elle fit un joli demi-tour et revint vers lui.

— Lucy Soto m'a dit que vous connaissez la mère de Daisy. Ça serait pas ça, l'habilitation que vous m'avez dit avoir?

— On pourrait dire ça comme ça, oui, répondit-il.

— Où est-elle? Si jamais je voulais lui parler?

— Chez moi. Vous pouvez lui parler quand vous voulez.

— Vous vivez avec elle?

— Elle est chez moi. C'est temporaire. 8620 Woodrow Wilson Drive.

— OK.

Elle fit à nouveau demi-tour et s'éloigna tandis qu'il l'observait. Cette fois, elle ne se retourna pas.

CHAPITRE 6

Bosch regagna la prison pour y prendre son mandat et fermer, au cadenas, la cellule des affaires non résolues. Puis il traversa la 1re Rue et entra dans la salle des inspecteurs du SFPD par la porte latérale du parking. Il y trouva deux inspecteurs de l'unité à leurs postes de travail. Bella Lourdes était l'inspectrice la plus souvent mise en tandem avec lui lorsque ses enquêtes l'obligeaient à partir sur le terrain. Elle avait des airs doux et maternels qui masquaient ses talents et sa ténacité. Oscar Luzon était plus âgé, mais n'avait été transféré à l'unité que récemment. Il avait de plus en plus une espèce d'épaisseur sédentaire et préférait porter son badge au bout d'une chaîne autour du cou comme un flic des Stups plutôt qu'à sa ceinture. Pour ne pas qu'on la rate. Danny Sisto, le troisième membre de l'équipe, n'était pas là.

Bosch jeta un coup d'œil au bureau du capitaine Trevino. La porte était ouverte et le patron à son poste. Trevino leva les yeux de sa paperasse et le regarda.

— Comment ça s'est passé ? demanda-t-il.

— Signé, scellé, présenté, répondit Bosch en levant son mandat pour le prouver. Vous voulez rassembler tout le monde dans la salle de crise pour qu'on parle de la manière de s'y prendre ?

— Oui. Ramenez-nous Bella et Oscar. Sisto est à une scène de crime et ne pourra pas arriver à temps. Je vais prendre quelqu'un de la patrouille.

— Et côté LAPD ?

— Commençons par décider comment on va faire et après, j'appelle Foothill en la jouant conversation de capitaine à capitaine.

Il parlait encore lorsqu'il décrocha son téléphone pour appeler le bureau de veille. Bosch ressortit et agita son mandat pour faire signe à Bella et à Luzon de rejoindre la salle de crise. Il y entra, prit un bloc-notes grand format sur la pile de fournitures et s'assit à un bout de la table de réunion ovale. Ce qu'on appelait la « salle de crise » était en fait à usages multiples. Elle servait de salle de formation, de lieu où déjeuner, de poste de commandement d'urgence et de temps à autre de pièce où élaborer des stratégies d'enquête et parler tactique à toute l'équipe des inspecteurs... soit cinq personnes en tout.

Une fois assis, Bosch tourna la première page du mandat afin d'y lire la cause raisonnable qu'il avait concoctée. Le meurtre remontait à quatorze ans. La victime était un certain Cristobal Vega, cinquante-deux ans, tué d'une balle dans la nuque alors qu'il promenait son chien dans sa rue en remontant vers Pioneer Park. Ex-membre de la Varrio SanFer 13, un des gangs les plus anciens et violents de la San Fernando Valley, il y avait ordonné des exécutions.

Sa mort avait été un véritable choc dans la toute petite ville de San Fernando : très connu dans la communauté, l'homme y avait adopté une stature de parrain en arbitrant les disputes entre voisinages, faisant don de grosses sommes aux églises et aux écoles du coin, et allant même jusqu'à faire livrer des paniers de nourriture aux nécessiteux pendant les vacances.

Ses airs de bon gars masquaient plus de trente ans de gangstérisme. Notoirement violent au sein de la VSF, il était connu sous le sobriquet d'Uncle Murda[1]. Il ne se déplaçait qu'accompagné de deux gardes du corps et s'éloignait rarement des territoires de la San Fer. Il faisait en effet l'objet d'un contrat de la part de tous les gangs alentour à cause de sa position de chef et d'organisateur de descentes ultra-violentes dans des territoires qui ne lui appartenaient pas. Les Vineland Boyz voulaient sa tête. Et les Pacas aussi. Et encore les Pacoima Flats. Et... *et cetera, et cetera.*

L'assassinat d'Uncle Murda était d'autant plus surprenant que celui-ci s'était fait surprendre alors qu'il se trouvait seul dans la rue. Il avait une arme de poing glissée dans la ceinture de son sweat et, semblait-il, jugé sûr de sortir de son domicile fortifié et d'emmener son chien se balader dans le parc un peu après l'aube. Il n'y était jamais arrivé. Il avait été retrouvé face contre terre sur le trottoir à une rue du parc. Son meurtrier s'était approché de lui si furtivement qu'il n'avait même pas eu le temps de sortir son arme de sa ceinture.

Aussi voyou et tueur que fût Vega lui-même, l'enquête du SFPD avait été très intense au début. Mais aucun témoin de la fusillade n'ayant été retrouvé, le seul élément de preuve récupéré avait été la balle de calibre 38 ôtée de son cerveau à l'autopsie. Aucun des gangs concurrents du coin n'avait revendiqué le meurtre et les graffitis fêtant, ou pleurant, la fin de Vega n'avaient pas offert la moindre piste permettant de savoir lequel d'entre eux avait perpétré l'assassinat.

L'affaire était devenue un *cold case* et les inspecteurs chargés de vérifier la progression de l'enquête une année après l'autre n'étaient guère enthousiastes. Il s'agissait très clairement d'un meurtre où la mort de la victime n'était pas considérée comme une grosse perte pour la société. Le monde se débrouillait fort bien sans Uncle Murda.

1. Tonton le meurtre.

Mais lorsqu'il ouvrit les dossiers de l'affaire en reprenant ce qu'il lui restait de *cold cases* à traiter, Bosch tenta une autre approche. Il avait toujours travaillé en ayant pour axiome qu'ici-bas tout le monde compte ou personne. Penser ainsi l'obligeait à donner le maximum pour la victime, quelle qu'elle soit. Qu'Uncle Murda ait eu droit à ce sobriquet à cause de la façon dont il était toujours prêt à exécuter les opérations meurtrières de la VSF ne l'avait pas empêché de vouloir trouver son assassin. Pour lui, personne ne devait pouvoir s'amener dans le dos de quelqu'un sur un trottoir au petit matin, lui coller une balle dans le crâne et disparaître dans les profondeurs du temps. Il y avait donc toujours un assassin dans la nature. Il pouvait avoir tué à nouveau depuis, et était capable de recommencer. Bosch allait s'occuper de lui.

L'heure du décès avait été déterminée d'après plusieurs facteurs. À entendre son épouse, Vega s'était levé à 6 heures et avait emmené promener son chien une vingtaine de minutes plus tard. Le coroner, lui, n'avait pu la ramener qu'à une centaine de minutes entre cet instant et 8 heures du matin, moment où le cadavre avait été découvert par quelqu'un qui habitait près du parc. Malgré deux enquêtes de voisinage, pas un seul habitant n'avait dit avoir entendu le coup de feu – d'où l'idée que le tireur avait peut-être muni son arme d'un silencieux... ou alors que personne dans le coin n'avait envie de coopérer avec la police.

Si les enquêtes portant sur des affaires remontant à des années présentaient bien des handicaps – perte de preuves, de témoins et d'analyses de scène de crime –, l'élément temps pouvait avoir des avantages et Bosch cherchait toujours à en tirer profit.

Dans cette affaire, beaucoup de choses s'étaient produites pendant les quatorze ans qui s'étaient écoulés depuis le meurtre. Pas mal de membres de la VSF et des gangs rivaux avaient terminé en prison pour divers crimes, dont le meurtre. Certains s'étaient réformés et avaient coupé tous les liens avec le milieu.

C'était sur eux que Bosch se concentrait en allant fouiller dans les bases de données et en parlant à des officiers de l'Antigang du SFPD et des divisions voisines du LAPD afin de dresser deux listes de ces gangsters : ceux en prison et ceux qui s'étaient retirés des voitures.

Les années précédentes avaient vu Bosch aller voir de nombreux prisonniers et se rendre aux domiciles et aux bureaux de toutes sortes d'individus qui n'étaient plus affiliés à des gangs. Chacun de ces entretiens était calibré selon le statut du bonhomme, mais chaque fois, mine de rien, les questions posées dérivaient vers l'assassinat toujours non résolu de Cristobal Vega.

Les trois quarts de ces conversations aboutissaient à des impasses. Ou bien l'individu s'en tenait à la loi du silence, ou bien il ne savait rien du meurtre de Vega. Mais pour finir, un bout de renseignement ajouté à un autre, une mosaïque s'était formée. Dès qu'il entendait plus de trois membres d'un même gang nier avoir pris part à l'affaire, il éliminait le gang de la liste des suspects. C'est ainsi qu'il avait rayé tous les rivaux de la SanFer. Ce n'était certes pas concluant, mais cela lui avait permis de se concentrer sur les membres mêmes du gang de Vega.

Et un jour, il avait décroché le gros lot dans le parking d'un magasin de chaussures en solde d'Alhambra, à l'est de Los Angeles. C'était là qu'un certain Martin Perez, un ancien de la SanFer, travaillait comme chef d'inventaire, bien loin des territoires qu'il avait foulés jadis. Âgé de quarante et un ans, il avait lâché son gang douze ans plus tôt. Bien que répertorié dans les listings de l'Antigang comme dur à cuire de la SanFer depuis l'âge de seize ans, il avait renoncé à cette existence avec plusieurs arrestations à son casier, mais sans aucune condamnation. Il n'avait jamais fait de prison, même si de temps en temps il avait passé quelques jours dans des cellules de commissariat.

Son dossier contenait des photos en couleur des tatouages qu'il avait sur les trois quarts du corps lorsqu'il était encore actif dans le gang. Parmi eux figurait un « RIP UNCLE MURDA » autour de son cou. Bosch l'avait aussitôt mis tout en haut de la liste des gens qu'il voulait voir.

Il avait surveillé le parking du magasin de chaussures et repéré Perez en train d'en sortir pour aller en griller une à sa pause de 3 heures. Avec ses jumelles, Bosch avait pu confirmer qu'il avait toujours son tatouage autour du cou. Il avait noté l'heure de la pause et était reparti en voiture.

Et le lendemain, il était revenu juste un peu avant. Il s'était mis en jean et chemise de travail avec des taches et avait un paquet de Marlboro rouge dans sa poche de poitrine. Apercevant Perez derrière le magasin, il l'avait rejoint et, une cigarette à la main, lui avait demandé du feu. Perez ayant sorti un briquet, Bosch s'était penché vers lui pour allumer sa clope.

Puis il s'était redressé et voyant de près son tatouage, il lui avait demandé comment était mort Uncle Murda. Perez lui avait répondu que Murda était un bon gars qui s'était fait piéger par ses propres troupes.

— Et pourquoi? lui avait demandé Bosch.

— Parce qu'il était devenu trop gourmand.

Bosch n'avait pas poussé plus loin. Il avait fini sa cigarette – sa première depuis des années –, remercié Perez et s'était éloigné.

Le soir même, il frappait à la porte de son appartement, accompagné de Bella Lourdes. Cette fois, il s'était identifié, de même que Lourdes, et avait informé Perez qu'il avait un problème. Il avait sorti son portable et lui avait fait écouter un bout de la conversation qu'ils avaient eue en fumant derrière le magasin de chaussures. Il lui avait ensuite expliqué qu'il avait donc eu connaissance du meurtre d'un membre de gang, mais en avait délibérément tenu les autorités à l'écart. Conséquence, il y avait eu entrave à la justice – ce qui était un crime –, en plus de complot d'assassinat, toutes charges auxquelles il allait devoir répondre à moins qu'il ne soit d'accord pour coopérer avec la police.

Perez avait choisi de coopérer, mais refusé de passer au commissariat du SFPD de peur d'être repéré par quelqu'un qu'il aurait jadis fréquenté dans le quartier. Bosch avait alors appelé un vieux copain qui travaillait aux Homicides des services du shérif de Whittier et s'était arrangé pour lui emprunter une salle d'interrogatoire pendant quelques heures.

Menacer Perez de ce genre de charges n'était qu'un gros coup de bluff, mais ça avait marché. Perez avait une peur mortelle des prisons du comté de Los Angeles et de tout le système pénitentiaire de Californie. À ses yeux, toutes ces prisons étaient bourrées de membres d'une Eme – la mafia mexicaine – très fortement alliée à la VSF et connue pour ses assassinats sanguinaires de tout individu qui cafte ou est perçu comme vulnérable aux pressions de forces de l'ordre essayant de le retourner. Qu'il parle ou ne parle pas, Perez était sûr d'être condamné à mort. Il avait donc choisi de tout mettre sur la table dans l'espoir de convaincre Bosch et Lourdes que ce n'était pas lui l'assassin, mais qu'il savait qui c'était.

L'histoire qu'il avait racontée était aussi vieille que le meurtre lui-même. Vega s'était hissé à une position de pouvoir absolu et, le pouvoir absolu corrompant absolument, il s'était mis à prendre plus que sa part des revenus générés par les entreprises criminelles de la SanFer. Il était aussi connu pour obliger des jeunes femmes fréquentant des membres inférieurs du gang à des relations sexuelles non consenties. Bon nombre de ces *vatos*[1] le méprisaient. Un certain Tranquillo Cortez avait alors comploté contre lui. À entendre Perez, c'était le neveu de la femme

1. « Voleurs », en espagnol.

de Vega et la vénalité et les infidélités affichées du bonhomme le rendaient fou.

Perez faisait partie de la clique Cortez du gang et avait eu connaissance d'une partie du plan, mais disait toujours ne pas avoir été là lorsque Cortez avait tué Vega. Le SFPD avait longtemps considéré ce meurtre comme parfait dans la mesure où hormis une balle, aucun élément de preuve n'avait été retrouvé. C'était donc là que Bosch et Lourdes avaient mis la pression sur Perez en lui posant quantité de questions sur l'arme, son propriétaire et l'endroit où elle se trouvait.

Perez affirmait que c'était celle de Cortez, mais qu'il ne savait rien sur la manière dont celui-ci en était devenu propriétaire. Quant à ce qu'il en était advenu après le meurtre, il n'en avait aucune idée parce qu'il s'était alors vite séparé du gang et avait quitté la Valley. Cela dit, il avait quand même fourni un renseignement qui avait recentré toute l'attention de Bosch : il avait affirmé que Cortez avait muni son arme d'un silencieux de fortune – et cela cadrait avec une des conclusions de la première enquête.

Bosch avait attaqué là-dessus et lui avait demandé comment Cortez s'y était pris pour fabriquer son silencieux. Perez avait répondu qu'à l'époque, Cortez travaillait dans un magasin de silencieux de voiture appartenant à un de ses oncles et qu'il avait confectionné le sien avec les tuyaux et matériaux de suppression du bruit qu'on trouve dans les échappements de motos. Il avait fait ça après la fermeture et à l'insu de son oncle. Perez avait aussi reconnu que deux autres membres de gang et lui-même étaient avec Cortez lorsqu'il avait testé son engin en le fixant au bout de son arme et tirant deux coups de feu dans le mur du fond du magasin.

Après cet interrogatoire, la priorité de l'enquête avait été de vérifier autant de choses que possible dans son histoire. Lourdes avait réussi à trouver le lien entre Cortez et l'épouse de Vega : c'était la sœur de son père. Elle avait aussi déterminé que Cortez était monté dans la hiérarchie du gang ces quatorze dernières années et qu'il était maintenant de ceux qui ordonnent les contrats comme l'avait été l'individu qu'on le soupçonnait d'avoir assassiné. Pendant ce temps-là, Bosch, lui, confirmait que la Pacoima Tire and Muffler[1], sise dans San Fernando Road, avait bien été la propriété d'Helio Cortez, l'oncle du suspect, et que le nom du nouveau propriétaire n'apparaissait dans aucune fiche de renseignement des Antigangs de San Fernando et Los Angeles. D'autres détails ayant été validés, l'ensemble avait donné une cause probable suffisante à Bosch pour aller voir un juge et obtenir un mandat de perquisition.

Maintenant qu'il l'avait en main, l'heure était venue de faire avancer les choses.

Lourdes et Luzon furent les premiers à entrer dans la salle de crise. Ils y furent bientôt suivis par Trevino, puis par le sergent Irwin Rosenberg, un commandant de veille de jour. Le protocole voulait que tous les mandats de perquisition soient donnés en présence d'un policier en tenue et c'était Rosenberg qui, en tant que flic chevronné de la patrouille avec beaucoup de savoir-faire, allait coordonner cette partie-là de l'affaire. Tout le monde s'assit autour de la table.

— Quoi ? Pas de doughnuts ? lança Rosenberg.

La table était l'endroit où finissait toute la nourriture que leur donnaient les citoyens. Tous les matins ou presque s'y entassaient des doughnuts ou des burritos pour le petit déjeuner. La déception de Rosenberg fut partagée par tous.

— Bon, mettons ce truc en route, dit Trevino. Harry ? Qu'est-ce qu'on a ? Il faudrait rencarder Irwin.

— Il s'agit de l'affaire Cristobal Vega, dit Bosch. L'assassinat d'Uncle Murda il y a quatorze ans. On a un

1. La Société du pneu et du silencieux de Pacoima.

mandat qui nous autorise à entrer dans la Pacoima Tire &
Muffler de San Fernando Road et à y chercher des balles
tirées dans le mur du fond du grand garage. Comme c'est à
L.A., on va se coordonner avec le LAPD. On veut faire ça le
plus discrètement possible de façon que ça ne revienne pas
aux oreilles de notre suspect ou de tout autre membre de la
SanFer. On veut tenir ça aussi secret qu'on pourra jusqu'à ce
qu'on arrête quelqu'un.

— Ça ne va pas être possible avec les SanFers, fit remarquer
Rosenberg. Ils ont des yeux partout.

Bosch acquiesça.

— Ça, on le sait, dit-il. Bella travaille à une histoire pour
nous couvrir. On a juste besoin de deux ou trois jours. Si on
trouve des balles, j'ai des copains au labo qui me feront vite une
comparaison avec celle qui a tué Vega. S'il y a correspondance,
on pourra s'attaquer à notre suspect.

— Et c'est qui? demanda Rosenberg.

Bosch hésita. Il faisait confiance à Rosenberg, mais parler de
suspects n'était pas la bonne façon de gérer un dossier – surtout
quand il y avait un informateur dans le coup.

— On oublie, ajouta vite Rosenberg. J'ai pas besoin de le
savoir. Et donc, vous voulez vous en tenir à une voiture et deux
flics en tenue?

— Au maximum, répondit Bosch.

— Pas de problème. On a le nouveau 4x4 qui vient d'arriver
dans la cour. Y a toujours les autocollants. On pourrait s'en
servir. Ça permettrait de ne pas avertir tout le monde qu'on est
du SFPD. Ça pourrait aider.

Bosch acquiesça. Il l'avait vu dans la cour des Travaux publics,
près de l'ancienne prison. Il était arrivé de chez le fabricant
peint en noir et blanc, mais les identifiants du SFPD n'avaient
pas encore été posés sur les portes et le hayon arrière. Il pouvait se mêler aux véhicules du LAPD et masquer le fait que la

perquisition faisait partie d'une enquête du SFPD, son objet en étant de ce fait encore plus éloigné de la VSF.

— Au cas où on devrait embarquer tout le mur, on aura une équipe des Travaux publics avec nous, reprit Bosch. Ils se serviront d'une camionnette banalisée.

— Et c'est quoi, notre couverture? demanda Luzon.

— Cambriolage, répondit Lourdes. Si on nous demande quoi que ce soit, on répond que quelqu'un s'est introduit dans le garage pendant la nuit et que c'est donc une scène de crime. Ça devrait le faire. Le garage n'appartient plus à l'oncle du suspect. Pour ce qu'on en sait, le nouveau propriétaire est clean, et on s'attend à ce qu'il coopère complètement avec et la fouille et l'histoire.

— Parfait, dit Trevino. Et c'est pour quand?

— Demain matin, répondit Bosch. Juste à l'ouverture, à 7 heures. Avec un peu de chance on devrait en ressortir avant que les trois quarts des gangsters du coin n'ouvrent les yeux.

— OK, dit Trevino. On se retrouve tous ici à 6 heures pour être à Pacoima à l'ouverture.

La réunion se terminant, Bosch suivit Lourdes à son poste de travail.

— Hé, lança-t-il, j'ai eu de la visite dans ma cellule tout à l'heure. C'est toi qui me l'as envoyée?

Lourdes hocha la tête.

— Non, dit-elle, personne n'est passé ici. J'ai rédigé des rapports toute la journée.

Il acquiesça, et se demanda comment Ballard avait su où le trouver. Ce devait être Soto qui l'avait renseignée.

Il savait qu'il le découvrirait bien assez tôt.

CHAPITRE 7

Bosch rentra tôt chez lui. Il sentit une odeur de nourriture dès qu'il ouvrit la porte, et trouva Elizabeth Clayton à la cuisine. Elle faisait sauter du poulet au beurre et à l'ail.

— Hé mais, ça sent bon! lança-t-il.

— Je voulais vous préparer quelque chose.

Ils s'étreignirent gauchement alors qu'elle se tenait devant la cuisinière. Lorsque Bosch l'avait rencontrée pour la première fois, c'était une droguée qui tentait d'enterrer le meurtre de sa fille sous une montagne de comprimés. Elle avait le crâne rasé, pesait quarante kilos et n'aurait pas hésité à échanger son corps contre trente milligrammes d'oxycodone pour oublier et ne plus culpabiliser.

Sept mois plus tard, elle était clean, avait pris dix kilos et ses cheveux blond-roux étaient maintenant assez longs pour encadrer le joli visage qui avait reparu avec son rétablissement. Mais la culpabilité et les souvenirs étaient toujours là, au bord des ténèbres, et tous les jours ils la menaçaient.

— Génial, dit-il. Je me nettoie un peu d'abord, d'accord?

— Ça prendra une demi-heure. Il faut que je fasse cuire les nouilles.

Il descendit le couloir, dépassa la chambre d'Elizabeth et entra dans la sienne. Il ôta ses habits de travail et passa sous la douche. Et là, tandis que l'eau lui tombait en cascade sur la tête, il pensa affaires et victimes. La femme qui lui préparait son dîner subissait les retombées d'un meurtre, sa fille lui ayant été enlevée d'une manière bien trop horrible pour être regardée en face. Bosch pensait l'avoir sauvée l'année précédente. Il l'avait aidée à surmonter son addiction et maintenant elle était en bonne santé. Sauf que c'était cette addiction même qui l'avait protégée de la réalité et empêchée de la voir. Il lui avait promis de résoudre le meurtre de sa fille, mais découvrait maintenant qu'il ne pouvait pas lui parler de son enquête sans déclencher le genre de douleurs qu'elle avait vaincues en se droguant. En fait, il se demandait s'il l'avait même seulement aidée.

Sa douche prise, il se rasa : il savait qu'il pouvait se passer deux ou trois jours avant qu'il en ait à nouveau l'occasion. Il finissait le travail lorsqu'il entendit Elizabeth l'inviter à passer à table.

Depuis ces quelques mois qu'elle avait emménagé chez lui, il avait rendu la salle à manger à son usage légitime. Il avait installé son ordinateur et les dossiers sur lesquels il travaillait dans sa chambre, où il avait une table pliante toute montée. D'après lui, il ne fallait pas qu'Elizabeth soit constamment rappelée à la réalité des meurtres, surtout quand il n'était pas là.

Elle avait mis deux sets de table face à face et la nourriture dans une assiette entre eux deux. Elle le servit. Il n'y avait que deux verres d'eau. Pas d'alcool.

— Ça m'a l'air génial, dit-il.

— Espérons que ça ait bon goût.

Ils mangèrent en silence pendant quelques instants et Bosch la complimenta. Le poulet avait un petit goût d'ail qui tapait fort et était excellent quand ça descendait dans le gosier. Il savait que ça lui remonterait plus tard, mais n'en dit rien.

— Comment ça s'est passé au groupe ? demanda-t-il.

— Mark Twain a laissé tomber.

Elle donnait toujours aux gens de sa séance de thérapie de groupe quotidienne les noms des personnages célèbres qu'ils lui rappelaient. Mark Twain avait les cheveux blancs et une moustache broussailleuse. Il y avait aussi une Cher, un Albert (comme Albert Einstein), un O.J. Simpson, une Lady Gaga et un Gandhi, qu'elle appelait aussi Ben, comme Ben Kingsley, l'acteur qui avait décroché un Oscar en l'incarnant à l'écran.

— Pour de bon ? demanda-t-il.

— On dirait bien. Il a rechuté et a recommencé.

— C'est vraiment dommage.

— Oui, j'aimais bien ses histoires. Elles étaient drôles.

Ce fut à nouveau le silence entre eux. Il essaya de trouver quelque chose à dire ou une question à poser. Le côté gênant de leur relation en était devenu un élément majeur. Il savait depuis longtemps que lui avoir proposé une chambre chez lui était une erreur. Il n'était même pas très sûr de savoir ce qu'il avait cru devoir en sortir. Elle lui rappelait sa première épouse, Eleanor, mais cette ressemblance n'était que physique. Elizabeth Clayton était une femme très abîmée, avec de très sombres souvenirs à travailler et un chemin bien difficile à parcourir.

Il ne s'était agi que d'une invitation temporaire – « jusqu'à ce que vous vous remettiez d'aplomb ». Il avait alors converti une grande réserve en retrait du couloir en petite chambre à coucher et l'avait équipée de meubles Ikea. Mais cela faisait déjà six mois et il n'était plus certain qu'à nouveau seule, elle se remette jamais sur ses pieds, voire qu'elle en soit même seulement capable. L'appel de la drogue était toujours là et le souvenir de sa fille une espèce de fantôme malveillant qui la suivait partout. Et elle n'avait nulle part où aller, sauf peut-être retourner à Modesto où elle avait vécu jusqu'au moment où le monde s'était écroulé autour d'elle lorsqu'elle avait reçu un appel du LAPD à minuit.

En attendant, il s'était, lui, aliéné sa fille, qu'il n'avait pas consultée avant de lancer son invitation. Elle était en fac et revenait déjà le voir de moins en moins, mais lorsqu'en plus elle avait découvert Elizabeth Clayton chez son père, elle avait complètement cessé de lui rendre visite. Il ne la voyait plus maintenant que lorsqu'il descendait dans le comté de Ventura pour y avaler à toute vitesse un petit déjeuner ou dîner avec elle. Lors de sa dernière visite, elle lui avait annoncé qu'elle prévoyait de passer l'été dans la maison qu'elle louait avec trois autres étudiantes près du campus. Il y avait vu une réaction directe à la présence d'Elizabeth chez lui.

— Ce soir je travaille, dit-il.

— Vous ne m'aviez pas dit que vous aviez une histoire de mandat de perquisition demain matin ?

— Si, si, mais il y a autre chose. C'est pour Daisy.

Il n'ajouta rien jusqu'à ce qu'il puisse jauger sa réaction. Quelques instants passèrent, mais elle n'essaya pas de changer de sujet.

— Il y a une inspectrice d'Hollywood qui s'intéresse à l'affaire, reprit-il. Elle est venue me voir aujourd'hui et m'a posé des questions. Elle est de dernière séance et va y travailler dans son temps libre.

— « De dernière séance » ? répéta-t-elle.

— C'est comme ça qu'ils appellent le quart de nuit à la division d'Hollywood à cause de tous les trucs de dingues qui se passent la nuit, un vrai cinéma. Bref, elle a retrouvé de vieux rapports que je cherchais : des fiches où les officiers de la patrouille portent les noms de ceux qu'ils interpellent ou soupçonnent.

— Daisy en aurait fait partie ?

— Probablement, mais ce n'est pas pour ça que je veux voir ces fiches. Je veux savoir qui traînait dans les rues d'Hollywood à l'époque. Ça pourrait nous donner une piste.

— OK.

— Mais bon, il y en a douze cartons. On va faire ce qu'on peut ce soir et après, j'aurai mon mandat de perquise le matin. Ça pourrait nous prendre plusieurs soirs.

— OK. J'espère que vous trouverez quelque chose.

— L'inspectrice… elle s'appelle Renée Ballard… m'a posé des questions sur vous. Elle m'a dit qu'elle pourrait avoir besoin de vous voir. Ça serait possible ?

— Bien sûr. Je ne sais vraiment rien qui pourrait lui être utile, mais parler de Daisy, j'y suis prête.

Il acquiesça. C'était plus qu'ils n'avaient jamais dit de l'affaire depuis des semaines et il craignit que ça la fasse repartir dans une grande spirale de dépression s'il poussait plus loin.

Il consulta sa montre. Il n'était pas tout à fait 8 heures.

— Je vais peut-être aller me faire un petit somme avant de descendre là-bas, dit-il. Ça ira ?

— Oui, et vous devriez. Je vais ranger tout ça en essayant de ne pas faire de bruit.

— Vous inquiétez pas pour ça. Je ne suis pas certain de pouvoir dormir. Je veux juste me reposer.

Un quart d'heure plus tard, allongé sur le dos, il regardait le plafond de sa chambre. Il entendit l'eau couler dans la cuisine et des assiettes qu'on empilait dans le vaisselier à côté de l'évier.

Il avait mis le réveil, mais il savait qu'il n'arriverait pas à dormir.

BALLARD

Ballard arriva à la division d'Hollywood à 11 heures, soit trois heures avant le début de son service, afin de travailler sur les fiches. Elle commença par entrer dans le bâtiment principal, s'empara de la radio du quart de nuit et traversa le parking pour gagner la dépendance où elle avait laissé les cartons alignés dans le couloir. Il n'y avait personne ni au gymnase ni dans la salle des arts martiaux. Elle trouva un endroit où se mettre dans une des réserves où étaient encore rangés des bureaux en bois remontant à avant la dernière rénovation de l'édifice. Malgré ce que Bosch lui avait dit plus tôt, elle fut tentée de s'attaquer tout de suite aux fiches d'interpellation établies à l'époque où Daisy Clayton avait été assassinée. Peut-être aurait-elle la chance de voir un suspect sortir d'une de ces fiches. Mais elle savait que le plan de Bosch était le meilleur. Pour être exhaustive, elle devait commencer par le début et avancer chronologiquement.

Le premier carton contenait des fiches remontant au mois de janvier 2009, soit trois ans pleins avant le meurtre. Elle le posa par terre à côté du bureau qu'elle avait choisi et se mit à en extraire des piles de dix centimètres d'épaisseur. À chaque fiche, elle jetait un petit coup d'œil au recto et au verso, en faisant attention au lieu et à l'heure de l'interpellation et vérifiant si l'interpellé était un homme avant de s'intéresser à d'autres détails si cela semblait justifié.

Il lui fallut deux heures pour venir à bout du premier carton. Sur toutes les fiches qu'elle avait examinées, elle en avait mis trois de côté pour en discuter avec Bosch, et gardé une rien que pour elle. Ce faisant, elle s'était confortée dans l'idée qu'elle avait depuis longtemps qu'Hollywood était bien la destination finale de tous les monstres et autres perdants de la société. Fiche après fiche, tout n'était qu'interpellations d'individus qui traînaient dans les rues sans autre but que celui de chercher toutes les occasions sinistres qui pouvaient se présenter. Beaucoup étaient des inconnus qui essayaient d'acheter de la drogue ou de tirer un coup, les interpellations de la police ayant pour fonction de les en dissuader. Les autres étaient des habitants du coin qui, prédateurs ou proies, se baladaient dans les rues d'Hollywood sans intention visible de changer de situation.

En travaillant ainsi, elle commença à en savoir un peu plus sur les flics qui menaient ces interpellations. Certains se montraient verbeux, d'autres sérieusement handicapés côté grammaire, d'autres encore avaient recours à des codes tel qu'« Adam Henry[1] » pour décrire les citoyens qu'ils interrogeaient. D'autres enfin n'aimaient pas remplir ces fiches et s'en tenaient au strict minimum. Et il y avait ceux qui gardaient leur sens de l'humour malgré les circonstances dans lesquelles ils travaillaient et l'opinion de l'humanité que cela leur donnait.

C'était sur le côté vierge de la fiche que se trouvaient les renseignements les plus révélateurs et Ballard se mit à lire ces mini rapports avec un intérêt quasi anthropologique pour ce qu'ils disaient d'Hollywood et de la société en général. Elle s'en était gardé une pour la seule raison qu'elle aimait bien ce qu'y avait noté l'officier.

---

1. « Connard » en argot de flic.

Sujet du genre amarante humaine
Va où le vent le pousse
Disparaîtra demain
Sans que personne le regrette

Le nom de l'officier porté sur la fiche était T. Farmer. Ballard se retrouva vite à chercher ses fiches rien que pour le plaisir de lire ses rapports élégiaques sur la vie dans les rues.

Les trois qu'elle avait mises de côté pour suivi concernaient des Blancs qualifiés de « touristes » par les officiers qui avaient procédé à leur interpellation. Cela signifiait qu'ils étaient venus chercher quelque chose à Hollywood – pour ces trois-là en particulier, très probablement de la baise. Parce qu'ils n'avaient commis aucun crime avant d'être interpellés et interrogés, les officiers s'étaient montrés circonspects dans leurs rapports. Mais lieu, heure et teneur de leurs réponses… Il était clair que pour eux, ils cherchaient des prostituées. Le premier était à pied, le deuxième en voiture et le troisième dans un véhicule qualifié de « camionnette d'ouvrier ». Ballard se promit de passer leurs noms et leurs plaques d'immatriculation à l'ordinateur central et dans les bases de données des forces de l'ordre pour voir s'ils avaient un passé ou un présent qui justifie une attention plus précise.

Elle était à la moitié du deuxième carton lorsque sa radio s'activa : il était exactement minuit, et c'était le lieutenant Munroe.

— Ballard, dit-il, je ne vous ai pas vue à l'appel.

Elle n'était pas obligée d'y assister, mais le faisait si souvent qu'on remarquait quand elle n'était pas là.

— Je m'excuse, mais je travaille sur un truc et j'ai oublié l'heure. Quelque chose que je devrais savoir ?

— Non, tout est calme. Mais votre petit copain d'hier soir est ici. Je le renvoie ?

Elle marqua une pause avant de répondre. Ce devait être Bosch. Elle savait que se plaindre que Munroe l'ait appelé son « petit copain » serait perdre son temps et lui coûterait plus qu'elle n'y gagnerait.

Elle enclencha le micro.

— Je ne suis pas à la salle des inspecteurs. Retenez-moi mon « petit ami » chez vous. Je vais venir le chercher.

— Bien reçu.

— Hé, lieute… On a un officier de la patrouille d'Hollywood qui s'appellerait T. Farmer?

S'il était toujours dans la division, il devait être de jour. Elle connaissait tous les officiers du quart de nuit.

Munroe mit quelques instants à répondre.

— Non, plus maintenant. Il a été mis FDS juste avant votre arrivée.

FDS ou « Fin de service ». Brusquement, elle se rappela que trois ans plus tôt, lorsqu'elle avait été réassignée à Hollywood, toute la division pleurait la mort d'un de ses officiers. Suicide. Elle se rendit alors compte que c'était Farmer.

Elle en reçut comme un coup invisible à l'estomac. Elle réenclencha le micro.

— Bien reçu, dit-elle.

CHAPITRE 9

Ballard décida de garder cet examen des fiches d'interpellation proche de l'endroit où elles se trouvaient. Elle conduisit
Bosch à la réserve et l'installa dans un des anciens bureaux où il
y avait moins de chances que d'autres policiers d'Hollywood le
voient travailler avec elle et se mettent à poser des questions. Elle
appela le lieutenant Munroe au numéro privé du commandant
de veille et lui dit où la trouver si c'était nécessaire.

Bosch et elle décidèrent de se partager les fiches plutôt que
Bosch passe derrière celles qu'elle avait déjà examinées. C'était le
premier signe de confiance entre eux – on s'en remettait au juge-
ment de l'autre. Sans parler du fait que cela accélérait le processus.

Elle s'installa à un bureau perpendiculaire à celui de Bosch,
ce qui lui permit de le voir en face alors que lui devait tourner
la tête pour la regarder et être ainsi bien plus visible s'il essayait
de l'observer. Au début, elle lui jeta des coups d'œil subreptices
et découvrit qu'il travaillait différemment d'elle. La vitesse à
laquelle il mettait telle ou telle autre fiche de côté était bien
supérieure à la sienne. À un moment donné, il remarqua qu'elle
le regardait.

— Vous inquiétez pas, dit-il sans lever les yeux de ce qu'il
faisait. J'y vais en deux étapes. D'abord le grand filet et après,
le petit.

Un peu gênée qu'il l'ait prise en défaut, elle se contenta de hocher la tête.

Elle commença elle aussi à y aller en deux étapes et cessa de le surveiller en comprenant que cela ne faisait que ralentir son propre travail. Après un long moment de silence, et avoir jeté un gros tas de fiches dans le tas des sans intérêt, elle reprit la parole.

— Je peux vous poser une question ? lança-t-elle.

— Qu'est-ce qui se passerait si je disais non ? lui renvoya-t-il. Vous la poseriez quand même.

— Comment se fait-il que la mère de Daisy ait fini par habiter chez vous ?

— C'est une longue histoire, mais en gros elle avait besoin d'un endroit où loger. Et j'avais une pièce de libre.

— Et donc, ça n'a rien de sentimental ?

— Non.

— Mais vous avez laissé une inconnue entrer chez vous.

— En quelque sorte. J'ai fait sa connaissance au cours d'une autre affaire. Je l'ai aidée à se sortir d'une sale histoire et c'est là que j'ai découvert l'existence de Daisy. Je lui ai dit que j'allais jeter un coup d'œil au dossier et qu'elle pouvait s'installer dans cette pièce pendant que j'enquêterais. Elle est originaire de Modesto. Si on arrive à boucler ce truc, je pense qu'elle y retournera et je récupérerai sa chambre.

— Vous ne pourriez pas faire ça si vous étiez au LAPD.

— Y a des tas de choses que je ne pourrais pas faire si j'y étais encore. Mais je n'y suis plus.

Ils retournèrent tous les deux à leurs fiches, mais presque aussitôt elle reprit la parole.

— Je veux toujours lui parler, dit-elle.

— Je le lui ai dit. Quand vous voudrez.

Une demi-heure plus tard, ils venaient à bout de toutes les fiches qu'ils avaient dans leurs cartons respectifs. Bosch alla en chercher un autre pour Ballard et renouvela le processus pour lui-même.

— Jusqu'à quand pouvez-vous continuer ? lui demanda-t-elle.

— Vous voulez dire cette nuit ? Jusqu'à 5 h 30. J'ai un truc à 6 heures dans la Valley et ça pourrait prendre les trois quarts de ma journée. Si c'est le cas, je reviendrai demain.

— Et vous dormez quand ?

— Quand je peux.

Ils en étaient à dix minutes d'examen de leur nouveau carton quand la radio de Ballard se manifesta. Elle répondit, Munroe l'informant qu'il avait besoin d'un inspecteur pour le cambriolage d'un bâtiment occupé dans Sunset Boulevard.

Elle regarda son tas de fiches.

— Vous êtes sûr qu'il y a besoin d'un inspecteur, lieutenant ? lui renvoya-t-elle.

— C'est ce qu'ils demandent. Vous êtes au milieu de quelque chose ?

— Non, j'arrive.

— OK. Tenez-moi au courant de ce que vous trouverez là-bas.

Elle se leva et regarda Bosch.

— Faut que j'y aille et je peux pas vous laisser là, dit-elle.

— Vous êtes sûre ? Je peux rester et continuer à abattre du boulot.

— Non, vous n'êtes pas du LAPD. Je ne peux pas vous laisser sans supervision. Je me ferais taper sur les doigts si quelqu'un débarquait et vous trouvait ici.

— Comme vous voulez. Alors qu'est-ce que je fais ? Je pars avec vous ?

Elle réfléchit. Ça pouvait marcher.

— Vous pouvez, dit-elle. Prenez-en un paquet avec vous et vous pourrez rester dans la voiture pendant que je verrai de quoi il retourne. Espérons que ça ne sera pas trop long.

Bosch se pencha vers le carton à côté de son bureau et en sortit un bon paquet de fiches à deux mains.

— Allons-y, dit-il.

Le lieu du cambriolage était à moins de cinq minutes du commissariat. L'adresse disait quelque chose à Ballard, mais elle ne la remit pas avant qu'ils n'y arrivent et s'aperçoivent qu'il s'agissait d'un club de strip-tease, le Sirens. Et il était encore ouvert, ce qui rendait l'affaire passablement déconcertante.

Un véhicule de la patrouille bloquait la zone réservée au voiturier. Ballard se gara juste derrière. Elle savait que deux unités avaient déjà répondu à l'appel et pensa que l'autre voiture se trouvait dans la ruelle derrière le commissariat.

— Voilà qui devrait être intéressant, lança Bosch.

— C'est pas pour vous, lui renvoya-t-elle. Vous, vous attendez ici.

— Oui, m'dame, dit-il.

— J'espère que c'est que des conneries et que je vais revenir tout de suite. Commencez à penser à un petit code sept.

— Vous avez faim ?

— Pas maintenant, mais je vais avoir besoin d'une pause déjeuner.

Elle attrapa la radio sur le chargeur de la console et descendit de voiture.

— Qu'est-ce qu'il y a d'ouvert ?

— Pratiquement rien.

Elle referma la portière et se dirigea vers l'entrée du Sirens.

Le vestibule était faiblement éclairé en rouge. Comptoir de paiement avec videur et caissier, couloir délimité par une corde en velours conduisant à une arche menant à la salle. Elle vit trois petites pistes de danse se dessiner en rouge sous des verrières d'atrium imitation Tiffany. Des femmes à divers degrés de nudité y évoluaient, mais les clients étaient rares. Elle consulta sa montre. 2 h 40 du matin et le bar resterait ouvert jusqu'à 4 heures. Elle montra son badge au videur.

— Où sont les policiers? lui demanda-t-elle.

— Je vous accompagne derrière.

Il ouvrit une porte assortie aux murs tendus de velours rouge à motif cachemire et lui fit suivre un couloir sombre conduisant à la porte ouverte d'un bureau bien éclairé. Puis il regagna son poste.

Trois officiers s'entassaient dans la pièce, devant un bureau où un homme avait pris place. Ballard salua tout le monde d'un hochement de tête. Il y avait là, en tenue, Dvorek qui dirigeait l'opération, Herrera et Dyson qu'elle connaissait bien parce qu'elles formaient une équipe féminine et que les femmes assignées au quart de nuit se prenaient souvent des codes sept ensemble. Herrera était la plus âgée du groupe avec quatre galons sur ses manches. Sa coéquipière n'en avait qu'un. Elles portaient toutes les deux les cheveux courts pour éviter de se les faire attraper et tirer par des suspects. Ballard savait que tous les jours ou presque elles s'entraînaient au gymnase après le service et leurs épaules montraient le résultat. Elles n'avaient peur de rien quand il y avait affrontement, la rumeur disant même que Dyson aimait assez les provoquer.

— Content que vous ayez pu venir, inspecteur Ballard, lança Dvorek. Je vous présente M. Peralta, le directeur de ce bel établissement. C'est lui qui a requis vos services.

Ballard regarda le type assis au bureau. La cinquantaine, en surpoids, cheveux longs ramenés en arrière, favoris à bords nets. Il portait un gilet d'un violet bien criard par-dessus une chemise à col noir. Sur le mur derrière son bureau, une affiche encadrée montrait une femme nue se servant d'un poteau de danse pour très stratégiquement couvrir son sexe, mais pas assez pour cacher ses poils pubiens en forme de petit cœur. Sur sa droite un moniteur pour les seize caméras braquées sur les scènes, les bars et les sorties du club. Ballard se vit dans l'un des carrés filmés par une caméra au-dessus de son épaule droite.

— Que puis-je faire pour vous, monsieur? demanda-t-elle.

— Un vrai rêve devenu réalité! s'écria Peralta. Je ne m'étais pas rendu compte qu'il n'y avait presque que des femmes au LAPD! Vous voulez un boulot à mi-temps?

— Monsieur, avez-vous un problème qui exige l'implication de la police, oui ou non?

— Oui, j'en ai un… Quelqu'un va entrer ici par effraction.

— « Va entrer ici par effraction »? répéta-t-elle. Pourquoi quelqu'un voudrait-il entrer par effraction alors qu'il pourrait passer par la porte d'entrée?

— Ça, c'est à vous de me le dire. Tout ce que je vous dis, moi, c'est que c'est en train de se produire. Regardez ça.

Il tourna le moniteur vers elle et ouvrit un tiroir où se trouvait un clavier d'ordinateur. Il appuya sur quelques touches et les images des caméras furent remplacées par un schéma des lieux.

— Toutes les entrées du bâtiment sont sous surveillance et y a quelqu'un sur le toit qui déconne avec les vasistas. C'est par là qu'ils vont entrer.

Ballard se pencha pour mieux voir l'écran. Il y avait des fissures sur deux vasistas, juste au-dessus des scènes.

— Quand cela s'est-il produit? demanda-t-elle.

— Cette nuit. Disons, y a une heure.

— Pourquoi voudrait-on entrer chez vous?

— Vous plaisantez? Ça rapporte gros, ce club, et il est pas question que je sorte d'ici à 4 h 30 du matin avec un sac de liquide sous le bras! Je suis pas con à ce point. Tout termine dans le coffre et après, disons une ou deux fois par semaine… et en plein jour… je viens faire les comptes et j'ai deux mecs avec qui vaut mieux pas plaisanter qui me protègent d'un bout à l'autre.

— Où est ce coffre?

— Sous vos pieds.

Ballard regarda par terre, les policiers se rangeant le long des murs de la pièce. Le plancher s'ornait d'une figure découpée dans le bois, un anneau permettant d'ouvrir la trappe qu'elle dessinait.

— Et ce coffre est démontable ? reprit Ballard.

— Non. Il est scellé dans le ciment. Il faudrait qu'ils y aillent à la perceuse… À moins qu'ils n'en connaissent la combinaison et ça, il n'y a que trois personnes qui l'ont.

— Et y a combien là-dedans ?

— Comme j'ai fait les comptes et les transferts après le week-end, ce soir y aura pas grand-chose. Dans les douze mille en ce moment même et on devrait monter à seize quand je fermerai tout à l'heure.

Ballard évalua la situation, leva les yeux, vit le regard de Dvorek et hocha la tête.

— Bon, dit-elle, on va faire le tour des lieux. Y a des caméras sur le toit ?

— Non, répondit Peralta. Y a rien là-haut.

— Des accès ?

— Aucun de l'intérieur. Et dehors, il faut une échelle.

— Bien. Je reviens après avoir vu tout ça. Où est la porte qui donne sur la ruelle ?

— Marv va vous y conduire.

Peralta passa la main sous son bureau et appuya sur un bouton pour appeler le videur, le grand costaud arrivant bientôt de sa corde en velours.

— Marv ? Emmène-les derrière, lui ordonna Peralta. Dans la ruelle.

Quelques minutes plus tard, Ballard s'y tenait et regardait le haut du club. Sans rien à côté, l'immeuble avait un toit plat à environ six mètres de hauteur. Aucun accès possible de nulle part et il n'y avait ni échelles ni aucun autre moyen visible d'y monter. Ballard regarda derrière elle. De l'autre côté de la ruelle, des barrières en bois et ciment entouraient un quartier résidentiel.

— Quelqu'un aurait une torche ? demanda-t-elle.

Dyson ôta sa Pelican de son ceinturon et la lui tendit. Elle était petite, mais éclairait fort. Ballard longea le bâtiment en levant la tête pour repérer des accès possibles. Elle en découvrit un à l'ouest, un enclos en parpaings où ranger des bennes à ordures de la ville. D'environ deux mètres de haut, il se trouvait juste à la gueule du tuyau de descente d'une gouttière courant le long du toit. Elle éclaira le tuyau et vit qu'il était fixé au mur à l'aide de colliers disposés tous les cinquante à soixante centimètres.

Dvorek arriva derrière elle.

— La voilà, cette échelle, dit-elle.

— Et tu vas y monter ?

— Jamais de la vie ! J'appelle un hélico. Ils vont m'illuminer ça et si jamais y a un type là-haut, on le cueillera quand il descendra.

— Le plan me paraît bon.

— Mets les filles à l'autre bout, juste au cas où il aurait une échelle et voudrait descendre de l'autre côté. J'appelle l'hélico hors ligne.

— Pigé.

Elle ne voulait pas appeler par radio de peur qu'un cambrioleur ne surveille les fréquences du LAPD. Elle connaissait bien l'officier de vol qui couvrait l'ouest de la ville les trois quarts des nuits. Ballard au sol et Heather Rourke, la fille qui repérait tout du haut des airs avec son coéquipier pilote Dan Sumner, répondaient souvent aux mêmes appels. Elle lui envoya un texto.

Vous êtes là-haut ?

Deux minutes s'écoulèrent avant qu'elle reçoive une réponse.

Ouais. Poursuite délit fuite terminée. Tu veux quoi, RB ?

Ballard savait que l'adrénaline devait couler à flots dans les veines de l'équipe Rourke-Sumner. Elle fut contente qu'ils soient libres.

Besoin survol du Sirens. Club strip-tease. 7171 Sunset. Éclairer toit pour voir si suspects.

Reçu 5 sur 5. Dans 3 minutes.

Passer sur code tactique 5.

Bien reçu. Code tactique 5.

Au cas où des questions d'efficacité les auraient obligés à parler par radio, le canal tactique avait une fréquence non publiée et difficile à obtenir par Internet.

Ballard avait toujours la torche de Dyson. Elle l'agita de façon à avoir l'attention des trois officiers à l'autre coin du bâtiment. Elle éclaira sa main libre et leur montra trois doigts avant de la tourner vers le haut.

Ils attendirent. Ballard était assez sûre que l'exercice ne donnerait rien. S'il y avait effectivement quelqu'un là-haut, il aurait probablement remarqué l'arrivée des véhicules de patrouille et filé quand les officiers étaient entrés dans le bâtiment. Cela étant, examiner le toit avec l'hélico ferait certainement plaisir à Peralta. Après, elle écrirait une note recommandant au patron des inspecteurs d'envoyer quelqu'un des Cambriolages commerciaux pour voir s'il y avait des signes de tentative d'effraction sur le toit.

Elle entendit approcher l'hélicoptère et se tassa contre le mur de derrière, près de l'enclos à bennes. Puis elle leva sa radio et la mit sur la fréquence tactique 5.

Et attendit. La ruelle sentait la bibine et la cigarette. Elle respira par la bouche.

Bientôt le puissant projecteur de l'hélico transforma la nuit en plein jour. Elle leva à nouveau sa radio.

— Vous voyez des trucs, Hélico 6?

Elle porta la radio à son oreille dans l'espoir d'entendre la réponse par-dessus le vacarme du rotor. Elle en comprit un bout. La tension dans la voix d'Heather Rourke lui en dit plus que les quelques mots qu'elle réussit à saisir. Il y avait quelqu'un sur le toit.

— ... suspects... dirigent vers... coin du...

Ballard lâcha sa radio, recula dans la ruelle, sortit son arme et la leva vers le bord du toit. La lumière en provenance de l'hélico était aveuglante. Bientôt elle aperçut du mouvement et entendit des cris, mais fut incapable de comprendre ce qu'on disait. Elle vit un type descendre le long de la gouttière. Arrivé à mi-chemin, il lâcha prise et tomba par terre. Et bientôt un autre descendit le long de la gouttière, puis un autre encore, Ballard suivant leurs mouvements avec son arme.

Et les trois suspects se mirent à courir dans la ruelle.

— Police! Arrêtez-vous!

Deux des fuyards s'immobilisèrent. Le troisième continua de courir, arriva au bout de la ruelle, tourna à gauche et disparut dans le quartier.

Ballard s'approcha des deux qui s'étaient arrêtés et levaient déjà les mains en l'air. Elle leur ordonnait de se mettre à genoux lorsque Dyson la doubla à toute allure et fila dans la ruelle pour rattraper le troisième. Herrera suivit sa jeune coéquipière, mais nettement moins vite.

L'arme sortie, Ballard s'approchait toujours des suspects agenouillés sur le sol lorsqu'elle s'aperçut que...

Que ce n'était que des gamins.

— Ah ben merde! s'écria Dvorek qui arrivait à sa hauteur.

Ballard baissa son arme et posa la main sur le bras de Dvorek pour qu'il baisse la sienne. Puis elle tourna autour des enfants et leur braqua la torche de Dyson sur la figure. Ils n'avaient pas plus de quatorze ans, étaient tous les deux blancs et avaient peur. Ils portaient des tee-shirts et des jeans.

Elle se rendit compte qu'elle avait laissé tomber sa radio par terre près de l'enclos à bennes.

— Je m'entends plus penser! lança-t-elle à Dvorek. Avertis l'hélico sur la tactique 5 qu'on a un code 4 et qu'ils peuvent continuer la poursuite.

Dvorek alla prendre sa radio pour passer l'appel, l'hélico se lançant aussitôt dans la direction qu'avait prise le troisième gamin. Ballard braquant toujours sa lumière sur les jeunes visages qu'elle avait devant elle, un des coupables baissa une main pour essayer de bloquer la lumière qui l'aveuglait.

— On garde les mains en l'air! lui ordonna Ballard.

Il obéit.

Elle les regarda et eut vite une assez bonne idée de ce qu'ils fabriquaient sur le toit.

— Vous savez que vous avez bien failli vous faire tuer? aboya-t-elle.

— On s'excuse, on s'excuse, dit l'un des deux tout docilement.

— Qu'est-ce que vous foutiez là-haut, hein?

— On faisait juste que regarder. On ne…

— Que regarder? Que regarder des femmes à poil, c'est ça?

Dans la lumière dure et froide de sa torche, elle vit leurs joues se couvrir du rouge de la honte. Mais elle savait que cette honte était celle d'avoir été pris et rappelé à l'ordre par une femme, pas du tout celle d'être montés sur un toit pour mater des filles nues par un vasistas.

Elle jeta un coup d'œil à Dvorek et remarqua un petit sourire sur son visage.

Elle se rendit alors compte qu'à un certain niveau, il admirait leur ingéniosité – les garçons seront toujours les garçons. Elle savait bien que dans le monde des hommes et des femmes, jamais il ne viendrait un jour où les femmes seraient vues et traitées d'une manière complètement égale aux hommes.

— Vous allez le dire à nos parents ? lui demanda l'un d'eux.

Elle abaissa sa torche et repartit chercher sa radio.

— Qu'est-ce que t'en dis ? lui demanda doucement Dvorek alors qu'elle passait devant lui, sa question révélant encore plus ce qu'il pensait.

— À toi de voir, lui répondit-elle. Moi, je file.

CHAPITRE 10

Au Du-par du Farmer's Market il y avait un box d'où l'on pouvait voir tout le restaurant, y compris l'entrée. Ballard s'y installait toujours quand il était libre, et les trois quarts des nuits quand elle pouvait se faire une vraie pause repas, il était si tard que l'endroit étant assez largement vide, elle avait le choix.

Elle s'assit en face de Bosch qui n'avait commandé qu'un café. Il lui expliqua que le matin au SFPD il y avait presque toujours des burritos ou des doughnuts au petit déjeuner et qu'il avait l'intention de s'y rendre à 6 heures pour un briefing avant que son équipe n'aille exécuter le mandat de perquisition.

Ballard ne se retint pas. Elle avait sauté le dîner la veille au soir et mourait de faim. Elle commanda elle aussi un café, mais y ajouta un *blue-plate special*[1] avec pancakes, œufs et bacon. En attendant que ça arrive, elle lui posa des questions sur le paquet de fiches qu'il avait examinées pendant qu'elle gérait l'appel du Sirens.

— Tout à jeter, dit-il.

— Êtes-vous tombé sur une qu'aurait rédigée un type de la patrouille du nom de Farmer ? lui demanda-t-elle. Il écrit bien.

---

1. « Spécial assiette-bleue ». Termes utilisés au Canada et aux États-Unis pour désigner un plat pas cher.

— Je ne pense pas… mais je ne vérifiais pas trop de noms. C'est de Tim Farmer que vous parlez?

— Oui. Vous l'avez connu?

— J'ai fait l'Académie de police avec lui.

— Je ne savais pas qu'il était aussi vieux, lui renvoya-t-elle en se rendant aussitôt compte de ce qu'elle venait de lâcher. Excusez-moi! Ce que je voulais dire, c'était… Pourquoi un type depuis si longtemps dans la police était-il encore de patrouille, vous voyez?

— Y en a qui n'arrivent jamais à quitter la rue, répondit-il. Comme d'autres n'arrivent pas à lâcher les homicides. Vous savez qu'il s'est…

— Oui, je sais. Pourquoi?

— Qui sait? Il était à un mois de la retraite. Et j'ai entendu dire que cette retraite était… un peu forcée. S'il restait, ils allaient le coller derrière un bureau. Alors il a fait sa demande et pendant son dernier déploiement, il a rendu son tablier.

— Sacrément triste comme histoire.

— Les suicides, vous savez…

— J'aime sa façon d'écrire. Ses observations sur les fiches, c'était comme de la poésie.

— Beaucoup de poètes se tuent.

— Oui, faut croire.

Un serveur lui apportant sa commande, soudain elle n'eut plus aussi faim. Elle se sentait triste pour un type qu'elle n'avait même pas rencontré. Elle versa du sirop d'érable sur son petit monticule de pancakes et se mit quand même à manger.

— Et vous êtes restés en contact après l'Académie? reprit-elle.

— Pas vraiment. On était proches à ce moment-là et y avait des réunions de promo, mais on avait pris des directions différentes. Ça n'était pas comme aujourd'hui avec les médias sociaux et tous ces trucs du genre Facebook.

Il était dans la Valley et n'est arrivé à Hollywood qu'après mon départ.

Elle hocha la tête et pignocha sa nourriture. Les pancakes commençaient à devenir mous et de moins en moins appétissants. Elle passa aux œufs.

— Je voulais vous demander pour King et Carswell, enchaîna-t-elle. J'imagine que Soto ou vous leur avez parlé en commençant ce truc.

— Lucia, oui, répondit-il. À l'un des deux au moins. King a pris sa retraite il y a environ cinq ans et s'est installé à East Bumfuck[1], Idaho... soit quelque part au milieu de nulle part et sans téléphone ni Internet. Il a complètement disparu de la circulation. Elle a réussi à retrouver la boîte postale où on lui envoie sa pension et lui a écrit un mot pour lui parler de l'affaire. Elle attend toujours une réponse. Carswell a lui aussi pris sa retraite et travaille comme enquêteur pour le district attorney du comté d'Orange. Lucia est allée le voir, mais il n'a rien eu d'un puits de science sur l'affaire. Il s'en souvenait à peine et lui a dit que tout ce qu'il savait se trouvait dans le livre du meurtre. Il n'avait pas vraiment l'air de vouloir parler d'une affaire qu'il n'avait pas résolue. Je suis sûr que vous connaissez ce genre de mecs.

— Oui, « si j'arrive pas à la résoudre, personne n'y réussira »... Et Adam Sands, le petit ami? L'un ou l'autre de vous deux l'a-t-il questionné récemment?

— On n'a pas pu. Il est mort d'une overdose en 2014.

Elle hocha la tête. Ça n'avait rien de surprenant, mais c'était décevant parce qu'il aurait pu les aider à définir le milieu où Daisy avait vécu et était morte, et leur donner les noms d'autres fugueurs. Ballard commençait à voir pourquoi Bosch tenait tant à retrouver ces fiches. C'était peut-être leur seul espoir.

---

1. « Baise mon cul, Est ». Équivalent américain de notre « Trou du cul les balayettes ».

— Autre chose ? demanda-t-elle. J'imagine que c'est Soto qui a le livre du meurtre. Quelque chose d'important qui ne serait pas dans la base de données ?

— Pas vraiment, répondit-il. King et Carswell n'étaient pas du genre à se décarcasser. Carswell a dit à Lucia qu'ils n'avaient pas inclus leurs carnets de notes dans le livre du meurtre parce que tout était dans les rapports.

— C'est bien ce que j'ai senti quand je l'ai lu en ligne.

— À ce propos... J'en ai commencé un deuxième avec ce que j'ai fait.

— J'aimerais bien le voir.

— Il est dans ma voiture. Je vous l'apporte à notre retour. Vous devriez peut-être le garder maintenant que vous êtes habilitée.

— D'accord. Je le ferai. Merci.

Il glissa la main dans une poche intérieure de sa veste, en sortit une fiche et la lui fit passer en travers de la table pour qu'elle la lise.

— Mais... Vous ne m'avez pas dit qu'il n'y avait rien à garder ?

— Si. Celle-là est d'avant. Lisez-la.

Elle s'exécuta. La fiche avait été remplie à 3 h 30 du matin le 9 février 2009, soit plusieurs mois avant l'assassinat de Daisy Clayton. Le suspect était un certain John McMullen qui avait trente-six ans lorsqu'il avait été interpellé au croisement des avenues Western et Franklin. Il n'avait pas de casier. D'après la fiche, il conduisait un van Ford blanc avec des panneaux latéraux ornés de citations de la Bible. Le véhicule appartenait à une fondation caritative déclarée à la mairie, la Moonlight Mission.

Toujours d'après la fiche, le van était garé en zone rouge alors même que McMullen se tenait sur le trottoir et accostait les passants pour leur demander s'ils voulaient être sauvés par la grâce de Jésus-Christ, ceux qui refusaient ayant aussitôt droit à une belle flagellation verbale incluant de sinistres prédictions : ils seraient laissés derrière lorsque Jésus reprendrait les siens avec lui.

Il y avait autre chose au verso de la fiche :

« Le sujet se prend pour saint Jean-Baptiste. Traîne à Hollywood dans son van à la recherche de personnes à baptiser. »

Elle tourna la fiche sur la table devant Bosch.

— OK, dit-elle. Pourquoi me montrez-vous ça maintenant ?

— Je voulais en savoir un peu plus sur ce type, répondit-il. J'ai passé quelques coups de fil pendant que vous étiez chez vos strip-teaseuses.

— Et... ?

— Et la Moonlight Mission existe toujours et il y est encore.

— Autre chose ?

— Le van... Il est toujours enregistré à son nom et apparemment toujours en service.

— D'accord, mais au commissariat, j'ai une pile d'environ vingt fiches de conducteurs de vans interpellés. Pourquoi avez-vous décidé de voler celle-là ?

— C'est-à-dire que... Je ne l'ai pas volée. Je suis en train de vous la montrer. Ce serait du vol ?

— Je vous ai dit que toutes ces fiches devaient rester au LAPD, sauf la pile que je vous ai permis de prendre ce soir.

— OK, parfait. J'ai pris une des fiches que j'avais lues avant parce que je me disais qu'après votre appel, on pourrait passer devant la Moonlight Mission et voir de quoi il retourne. C'est tout.

Elle baissa les yeux sur son assiette et y poussa encore ses œufs à droite et à gauche avec sa fourchette. Elle n'aimait pas la façon dont elle se montrait aussi tatillonne et le-règlement-c'est-le-règlement avec lui.

— Écoutez, reprit-il. Je sais des trucs sur vous. Je sais que vous avez été salement amochée dans le service. Moi aussi. Mais je n'ai jamais trahi un coéquipier et au fil des ans, j'en ai eu plein.

Elle le regarda.

— « Coéquipier » ?

— Dans cette affaire… Vous m'avez dit que vous vouliez en être et je vous ai acceptée.

— Cette affaire n'est pas à vous. Elle appartient au LAPD.

— Elle appartient à qui la travaille.

Il avala une gorgée de café, mais à sa réaction elle vit bien qu'il était froid. Il se tourna pour regarder vers la cuisine où traînassait la serveuse et leva son mug pour lui signifier qu'il en voulait encore.

Puis il revint sur Ballard.

— Écoutez, reprit-il, vous voulez travailler ce truc avec moi, c'est parfait, allons-y. Sinon, on bosse chacun de son côté et ce serait vraiment dommage. Mais ces conneries de territoires, non… C'est pour ça que rien n'est jamais fait. Comme l'a dit le grand homme : « On pourrait pas juste s'entendre[1] ? »

Elle allait lui aboyer dessus, mais la serveuse étant soudain là à la table avec sa cafetière, elle retint sa langue pendant qu'elle leur remplissait leurs mugs jusqu'à ras bord. Ces quelques secondes lui permirent de se calmer et de réfléchir à ce qu'il venait de dire.

— OK, répondit-elle.

La serveuse déposa la note sur la table et repartit vers la cuisine.

— OK, quoi ? demanda-t-il. Comment voulez-vous qu'on procède ?

Elle tendit la main en travers de la table et attrapa la note.

— Allez, on va à la Moonlight Mission, dit-elle.

1. Rodney King.

Une fois dans sa voiture de fonction, elle appela le lieutenant Munroe avec son portable et lui dit qu'elle était de nouveau en service, mais que comme elle suivait une piste, elle ne serait pas au commissariat jusqu'à plus ample informé. Munroe lui demandant sur quelle affaire elle travaillait, elle le jeta en lui répondant que c'était juste un dernier détail à régler dans un dossier en hobby. Puis elle se déconnecta et démarra.

— Vous ne l'aimez pas trop, c'est ça? lui demanda-t-il.

— Je suis le seul inspecteur à devoir rendre des comptes à un lieutenant de la patrouille, répondit-elle. Ce n'est pas vraiment mon patron, mais il aime le penser. Et écoutez... pour tout à l'heure? Cet appel du club de strip-tease? Ça a réveillé mes instincts de chat sauvage. Je n'aurais pas dû vous dire que vous aviez « volé » cette carte, d'accord? Je m'excuse.

— Pas besoin. Je comprends.

— Non, vous ne comprenez pas. Vous ne pourriez pas. Mais j'apprécie que vous m'ayez dit ça.

Elle sortit du parking du Farmer's Market et prit Fairfax Avenue, direction nord.

— Parlez-moi de ce John le Baptiste, reprit-elle. Où allons-nous et pourquoi?

— La mission se trouve dans Cherokee Avenue, près de Selma Avenue... Au sud de Sunset, et que ce type cherche des gens à baptiser m'a titillé. Un pressentiment peut-être, mais Daisy a été blanchie à la Javel. Je ne sais pas grand-chose des religions établies, mais quand on se fait baptiser, on est bien immergé dans les eaux de Jésus, non?

— J'en sais trop rien, moi non plus... Les religions établies... J'ai grandi à Hawaï. Mon père traquait les belles vagues. C'était ça, notre religion.

— Un surfeur. Et votre mère?

— Portée disparue. Revenons à John le Baptiste. Comment avez-vous...

Avant de terminer sa question, elle regarda le terminal de l'ordinateur de bord. Il était posé sur un plateau pivotant et elle savait que l'écran faisait face au conducteur quand ils avaient quitté le commissariat parce qu'elle n'avait pas de coéquipier pour remplacer Jenkins de toute la semaine. L'écran avait été tourné et se trouvait maintenant orienté vers Bosch.

— Vous vous êtes servi de l'ordi de bord ? lui lança-t-elle d'un ton accusateur. Pour y passer McMullen à la moulinette ?

Il haussa les épaules, elle prit son geste pour un oui.

— Comment avez-vous fait ? Vous m'avez volé mon mot de passe ?

— Non, je ne vous ai rien volé. Je me suis servi de celui de mon ancienne coéquipière. Elle le changeait tous les mois, mais seulement les deux derniers chiffres. Je m'en suis souvenu.

Ballard était sur le point de s'arrêter et de le virer de sa voiture lorsqu'elle se rappela s'être elle-même servie du mot de passe d'un ancien coéquipier pour entrer dans la base de données du service en cachette. Et en plus, ce coéquipier était mort. Comment donc aurait-elle pu enguirlander Bosch d'avoir fait la même chose ?

— Bon alors, reprit-elle, qu'est-ce que vous avez trouvé ?

— Il est clean, répondit-il. Pas de casier.

Ils roulèrent un instant en silence, Ballard enfilant Fairfax Avenue pour remonter jusqu'à Hollywood Boulevard avant de prendre vers l'est.

— On a de la chance que John le Baptiste ait encore le van, enchaîna-t-elle. Si jamais Daisy s'y est trouvée, il pourrait y rester des preuves.

Il acquiesça.

— Exactement ce que je me disais. C'est un coup de chance... mais seulement si c'est bien lui l'assassin.

CHAPITRE 11

La Moonlight Mission était installée dans un vieux bungalow d'Hollywood qui, Dieu sait comment, avait survécu aux ravages du temps. Elle était maintenant entièrement entourée de bâtiments commerciaux et de parkings payants pour Hollywood Boulevard au nord et Sunset Boulevard au sud. Elle se dressait telle une orpheline dans cet environnement bétonné, dernier vestige d'une époque où Hollywood était essentiellement une banlieue résidentielle du centre-ville.

De Sunset Boulevard, Ballard descendit Cherokee Avenue et tourna à gauche dans Selma Avenue. De style victorien à deux étages, la façade de l'immeuble se trouvait dans Cherokee Avenue, mais il y avait une entrée à portail à l'arrière, dans Selma Avenue. Ballard aperçut un van blanc à travers la grille.

— Voilà le van ! Y a des lumières allumées à la mission ? demanda-t-elle à Bosch.

— Deux ou trois. Y a pas l'air d'y avoir beaucoup d'activité cette nuit.

Ballard se gara dans un parking payant vide, éteignit ses phares mais laissa tourner le moteur et le chauffage. Puis elle consulta sa montre. Il était presque 5 heures et elle savait que Bosch allait devoir partir bientôt.

— Qu'est-ce que vous en pensez? reprit-elle. On pourrait retourner au commissariat et descendre encore quelques fiches avant que vous filiez.

— Repassons devant l'immeuble, dit-il. Qu'on voie ce qu'on a.

Elle repassa en mode *drive* et ressortit du parking. Cette fois, lorsqu'ils passeraient devant, la bâtisse serait du côté Bosch et c'est lui qui la verrait le mieux.

Ballard ralentit et juste au moment où ils longeaient la propriété côté Selma Avenue, les feux du van derrière la grille s'allumèrent.

— Il s'en va, dit-elle tout excitée.

— Vous l'avez vu?

— Non, juste ses phares avant. Mais y a quelqu'un qui s'en va. Essayons de voir qui c'est et où il va.

Elle traversa le carrefour et se rangea le long du trottoir, côté Selma Avenue. Et éteignit ses phares.

— Il a dû nous repérer, dit-elle.

— Peut-être pas.

Bosch se tassa sur son siège et se pencha vers la droite. Ballard était bien plus petite, mais elle fit pareil et se pencha vers la gauche comme si elle dormait alors qu'elle gardait un œil sur le rétroviseur latéral.

Elle vit le van franchir la grille automatique et se diriger vers eux.

— Il arrive, dit-elle.

Le véhicule longea leur voiture sans hésitation et continua de descendre vers Highland Avenue. Où il s'arrêta, puis tourna à gauche. Dès qu'elle ne le vit plus, Ballard remit ses phares et descendit Selma Avenue.

Il y avait si peu de circulation dans Highland Avenue que suivre le van était facile, mais nettement plus difficile sans se faire repérer. Sur plusieurs blocs, il n'y eut qu'eux sur la route. Bosch et Ballard gardèrent le silence en continuant de le suivre.

Arrivé à Melrose Avenue, le van fit brusquement demi-tour et remonta Highland Avenue.

— Il nous a repérés, dit Ballard. Qu'est-ce qu'on...

Elle se tut en voyant le véhicule entrer dans un centre commercial.

— Continuez sur un ou deux blocs, puis tournez à droite pour reprendre Melrose Avenue, lui lança Bosch.

Elle suivit ses instructions. Lorsqu'ils furent à nouveau au croisement des avenues Melrose et Highland, ils virent le van garé devant une boutique de Yum Yum Donuts[1] ouverte vingt-quatre heures sur vingt-quatre. Ballard savait que l'endroit était très populaire chez les flics du quart de nuit.

— Il ne fait que s'acheter des doughnuts, dit-elle. Après, ou il remonte à la mission, ou il va les distribuer dans des campements de sans-abri, histoire de voir s'il pourrait pas se trouver quelques types à baptiser.

— C'est probable, dit-il.

— Vous voulez aller en acheter un et voir la tête qu'il a ?

— Je préférerais jeter un coup d'œil dans son van et voir ce qu'il a dedans.

— On le chambre ?

Bosch consulta sa montre.

— Allez, on y va, dit-il.

Dix minutes plus tard, après avoir discuté stratégies, ils suivirent le van qui remontait Highland Avenue. Ils avaient vu un Blanc habillé de ce qui ressemblait à un peignoir de bain sortir du Yum Yum avec deux boîtes de douze doughnuts et sauter derrière le volant. Alors qu'ils traversaient Sunset Boulevard, Ballard alluma ses gyrophares de calandre et roula à cheval sur

1. « Doughnuts Miam Miam ».

la ligne médiane afin que le chauffeur du van la voie bien dans son rétro extérieur. Puis elle lui fit signe de s'arrêter. Il obéit et se rangea le long du trottoir, au croisement des avenues Highland et Selma.

Ballard et Bosch descendirent de voiture et s'approchèrent chacun d'un côté du van. Ballard écarta le pan de sa veste et garda la main sur son arme en remontant jusqu'à la portière côté conducteur. La vitre s'abaissa juste au moment où elle y arrivait. Elle remarqua que sur la portière, juste sous la fenêtre, était portée la mention « John 3 :16 ». Elle se dit que McMullen s'était donné le nom d'un verset de la Bible.

— Bonjour, lança-t-elle. Comment allez-vous, monsieur ?

— Euh… bien, répondit-il. Il y a un problème, officier ?

— En fait, c'est « inspectrice ». Vous pouvez me montrer une pièce d'identité, monsieur ?

Il avait déjà son permis de conduire à la main. Ballard l'examina, ses yeux passant vite du document au bonhomme assis au volant – elle se méfiait de tout mouvement brusque. McMullen portait la barbe et des cheveux longs où des mèches grises s'étaient infiltrées depuis que sa photo d'identité avait été prise.

D'après sa date de naissance, il avait quarante-cinq ans et l'adresse portée sur son permis de conduire était bien celle de la Moonlight Mission. Elle lui rendit ses papiers.

— Qu'est-ce qui vous amène dans ces rues si tôt le matin, monsieur ? reprit-elle.

— Je suis allé chercher des doughnuts pour mes gens, répondit-il. Comment se fait-il que vous m'arrêtiez ?

— On a eu un appel nous signalant un van qui roule n'importe comment. Soupçon de conduite en état d'ivresse. Avez-vous bu, monsieur ?

— Non, et je ne bois jamais. L'alcool est l'œuvre du diable.

— Cela vous ennuierait-il de descendre de votre véhicule pour qu'on puisse s'en assurer ?

McMullen remarqua Bosch en train de le regarder fixement par la vitre côté passager. Il tourna la tête dans les deux sens, une première fois vers Bosch, la seconde vers elle.

— Je vous ai dit que je ne buvais pas, protesta-t-il. Ça fait vingt et un ans que je n'ai pas bu une goutte d'alcool.

— Ce devrait donc être assez facile de nous le prouver, lui renvoya-t-elle.

Il agrippa le volant jusqu'à ce qu'elle voie le haut de ses phalanges en devenir tout blancs.

— Bon d'accord, dit-il. Mais vous perdez votre temps.

Il baissa la main, Ballard ne la vit plus et serra son arme, prête à tirer. Puis elle vit Bosch hocher vite la tête pour lui faire comprendre qu'il n'y avait pas de problème. Enfin elle entendit le déclic de la ceinture de sécurité et McMullen descendit de son van en refermant violemment sa portière derrière lui. Il était en tenue de missionnaire avec sandales et tunique blanche serrée à la ceinture par une corde torsadée. Par-dessus tout cela, il portait un habit monastique bordeaux qui lui descendait jusqu'aux chevilles et s'ornait de glands aux manches.

— Y a-t-il quelqu'un d'autre dans ce van, monsieur ? enchaîna Ballard.

— Non, répondit-il. Pourquoi devrait-il y avoir quelqu'un d'autre dedans ?

— Question de sécurité, monsieur, répondit-elle. Mon coéquipier va vérifier pour en être sûr. Cela vous convient-il ?

— Comme vous voudrez. La serrure de la porte coulissante est cassée. Il pourra l'ouvrir.

— OK, monsieur, si vous voulez bien gagner l'arrière du véhicule, où c'est plus sûr...

Elle fit un signe de tête à Bosch, qui se tenait maintenant à l'avant du van. Elle suivit McMullen à l'arrière et lui fit subir les tests de sobriété à l'ancienne. Elle lui ordonna d'avancer, puis de pivoter afin de pouvoir regarder derrière elle pendant que McMullen s'éloignait d'elle en ligne droite. Elle vit Bosch passer la tête à l'intérieur du van. Tout avait l'air en ordre.

McMullen termina l'exercice sans problème.

— Je vous l'avais dit, lança-t-il.

— Oui, c'est vrai, monsieur. Et maintenant, je veux que vous vous teniez en face de moi, que vous leviez la jambe droite et restiez debout sur le pied gauche. Comprenez-vous ce que je vous dis? Et après, je veux que vous comptiez jusqu'à dix sans descendre la jambe.

— Aucun problème.

McMullen leva la jambe et dévisagea Ballard.

— Qui sont vos « gens »? lui demanda-t-elle.

— Que voulez-vous dire?

— Vous venez de me dire que vous avez acheté des doughnuts pour vos « gens ».

— Les gens de la Moonlight Mission. Mes ouailles.

— Vous êtes donc un prêcheur. Vous pouvez reposer le pied par terre.

— En quelque sorte. J'essaie seulement d'amener les gens à la Parole de Dieu.

— Et ils y vont volontiers? L'autre pied, s'il vous plaît, et restez comme ça.

— Bien sûr que oui. Sinon, ils peuvent partir. Je ne force personne à faire quoi que ce soit.

— Vous fournissez des lits à ces gens, ou c'est juste un service de prières?

— On a des lits, oui. Mes gens peuvent rester un moment. Dès qu'ils ont trouvé la Parole de Dieu, ils veulent lâcher la rue et faire quelque chose de leur vie. Nous en avons sauvé beaucoup. Oui, nous en avons baptisé beaucoup.

McMullen parlait encore lorsque Ballard entendit Bosch refermer la portière à glissière et arriver à sa hauteur.

— Des jeunes filles ? lança-t-il par-dessus l'épaule de Ballard. Elles font partie de vos ouailles ?

McMullen reposa le pied par terre.

— Mais qu'est-ce qui se passe ? demanda-t-il. Pourquoi m'arrêtez-vous ?

— Parce que nous cherchons une jeune fille qui a disparu la nuit dernière, lui répondit Ballard. D'après un témoin, elle aurait été embarquée dans un van.

— Pas le mien, lui renvoya-t-il. Il est resté garé toute la nuit derrière un portail. Il n'y a rien dedans.

— Plus maintenant, dit Bosch.

— Comment osez-vous ? s'écria-t-il. Comment osez-vous essayer de contester le beau travail de notre mission ?! Je travaille à sauver des âmes, moi, pas à les enlever ! Ça fait vingt ans que je parcours ces rues et personne ne m'a jamais accusé de quoi que ce soit d'inconvenant ! Quoi que ce soit !!

Alors qu'il parlait, des larmes emplirent ses yeux et sa voix se tendit et monta dans les aigus.

— D'accord, d'accord, monsieur, dit Ballard. Il faut que vous nous compreniez : ces questions, nous devons les poser. Quand une jeune fille disparaît, nous devons faire ce qu'il faut et parfois, ça nous fait marcher sur des orteils. Vous pouvez y aller maintenant, monsieur McMullen. Merci d'avoir coopéré avec nous.

— J'exige d'avoir vos noms, lança-t-il.

Ballard regarda Bosch. Ils ne s'étaient volontairement pas identifiés lorsqu'ils l'avaient interpellé.

— Ballard et Bosch, dit-elle.

— Je m'en souviendrai, dit-il.

— Parfait, dit Bosch.

McMullen remonta dans son van sous les yeux de Ballard et de Bosch. Il fit rugir le moteur et vira sec dans Selma Avenue.

— Qu'est-ce que vous avez vu ? demanda Ballard.

— Deux ou trois bancs et pas grand-chose d'autre. J'ai pris quelques photos que je vous montrerai dans la voiture.

— Vous voulez dire pas de fonts baptismaux pleins de Javel?

— Pas vraiment, non.

— Et donc, vous en pensez quoi?

— Que ça ne veut rien dire. Que le monsieur m'intéresse toujours. Et vous?

— Y a quelque chose qui me chagrine, mais je ne sais pas quoi. Il sera intéressant de voir s'il porte plainte.

— Si c'est notre bonhomme, il n'en fera rien parce qu'il n'aura aucune envie des suites.

Ils regagnèrent la voiture de Ballard et y montèrent. Elle garda le silence en déboîtant du trottoir. Elle se demandait si unir ses forces avec celles de Bosch n'était pas une erreur qui menaçait sa carrière.

BOSCH

CHAPITRE 12

L'équipe de la fouille attendait devant la Pacoima Tire &
Muffler quand son propriétaire actuel ouvrit l'atelier. Dire qu'il
fut surpris de cette présence policière serait une litote. Après
avoir relevé la porte du garage, il resta les bras en l'air et regarda
les véhicules massés devant lui les yeux grands écarquillés. Bosch
fut le premier à descendre de voiture et à le rejoindre.

— Monsieur Cardinale? dit-il. Vous pouvez baisser les bras.
Je suis l'inspecteur Bosch du San Fernando Police Department.
Nous avons un mandat de perquisition pour ces lieux.

— Quoi?! s'écria Cardinale. Mais de quoi parlez-vous?

Bosch lui tendit le document.

— Ceci est un mandat de perquisition, reprit-il. Signé par un
juge. Il nous autorise à chercher des éléments de preuve précis
pour un crime.

— Quel crime? Je dirige une affaire sans problème. Je ne
suis pas comme le type qui était là avant.

— Nous le savons, monsieur, et ce crime a effectivement
à voir avec le propriétaire précédent, mais nous devons quand
même fouiller votre établissement parce que nous pensons qu'il
pourrait encore s'y trouver des éléments de preuve.

— Je ne comprends toujours pas de quoi vous parlez. Il n'y
a pas eu de crime, ici.

Il leur fallut encore plusieurs échanges pour que Cardinale paraisse enfin comprendre ce qui était en train de se passer. La cinquantaine avec petit ventre du milieu de vie, il avait des cheveux gris clairsemés. Il arborait aussi des tatouages un peu effacés sur les avant-bras – du genre vieil insigne militaire, pensa Bosch.

— Quand avez-vous repris cette affaire ? lui demanda-t-il.

— Il y a huit ans. Payée comptant. Pas d'emprunt. Avec mon argent à moi, et durement gagné.

— Avez-vous fait des changements à l'intérieur après l'avoir achetée ?

— Oui, beaucoup. J'y ai apporté des tas d'outils neufs. J'ai modernisé et nettoyé plein de saloperies.

— Et côté structure ? Des changements ?

— J'ai amélioré des choses. J'ai colmaté, repeint, rien que d'habituel. À l'intérieur et à l'extérieur.

Bosch étudia le bâtiment. Construction standard en parpaings. Du solide, vu de l'extérieur.

— Qu'avez-vous réparé ?

— Des trous dans les murs, des vitres cassées. Je ne me souviens pas de tout ce que j'ai fait.

— Vous rappelez-vous avoir vu des impacts de balles ?

La question le fit réfléchir. Il cessa de regarder Bosch en se remémorant le moment où il avait pris possession de l'atelier.

— Vous me dites que quelqu'un se serait fait tirer dessus ici ? demanda-t-il.

— Non, pas du tout, répondit Bosch. On cherche des balles qu'on a tirées dans les murs.

Cardinale hocha la tête et parut soulagé.

— Oui, il y avait des impacts de balles, dit-il. Enfin je veux dire… Ça y ressemblait. Je les ai fait boucher et repeindre par-dessus.

— Vous pouvez me montrer où c'était ?

Cardinale entra dans son garage et Bosch lui emboîta le pas en faisant signe à Lourdes et Luzon de le suivre. Le propriétaire les conduisit au fond du premier espace.

— Ici, dit-il. Il y avait des trous dans ce mur et cela ressemblait bien à des impacts de balles. Je me rappelle me l'être dit à ce moment-là. On les a tous rebouchés.

Il leur montra un établi couvert d'outils et d'étaux pour tordre les tuyaux. Le coin correspondait bien à la description que Bosch en avait eue par son témoin Martin Perez.

— OK, dit-il. On va devoir sortir l'établi et les outils. Il va falloir qu'on ouvre le mur.

— Et qui va me le remettre comme il faut ?

— On a une équipe de la ville qui vous fera les réparations nécessaires. Je ne vous promets pas que tout sera repeint et remis comme avant à la fin de la journée, mais ce sera fait.

Cardinale fronça les sourcils : il ne croyait pas trop à cette promesse. Bosch se tourna vers Lourdes.

— Faites entrer les ouvriers pour qu'ils vident tout ça et apportent le détecteur de métaux, dit-il. Il faut faire vite, qu'on puisse sortir d'ici avant que les voisins ne remarquent des choses.

— Trop tard, lança Lourdes.

Et elle invita Bosch à le rejoindre.

— On a un problème, chuchota-t-elle. Le type du LAPD dit que Tranquillo Cortez est de l'autre côté de la rue.

— Tu plaisantes ? Comment a-t-il découvert notre présence aussi vite ?

— Bonne question. Il est là-bas devant avec quelques-uns de ses mecs.

— Allons-y !

Il sortit vite du garage, Lourdes sur ses pas. De l'autre côté de la rue se trouvait une *lavanderia* avec un petit parking devant. Elle n'était pas encore ouverte, mais il y avait une voiture dans le parking, une très classique ancienne Lincoln Continental peinte en blanc perle et équipée de portières suicide[1]. La suspension avait été abaissée de façon à ne pouvoir franchir qu'un léger dos d'âne, et encore. Trois types s'y étaient adossés bras croisés sur la poitrine, les manches relevées de leurs chemises faisant bien voir leurs tatouages. Le type du milieu portait une casquette à visière plate des Dodgers et un long tee-shirt blanc qui lui descendait jusqu'aux cuisses. C'était le plus petit des trois, mais clairement leur chef. Bosch le reconnut d'après une photo épinglée sur l'organigramme des SanFers apposé dans le bureau de l'Antigang du SFPD. C'était bien Tranquillo Cortez.

Bosch traversa la rue sans la moindre hésitation.

— Harry, mais qu'est-ce que tu fais? s'écria Lourdes.

— Je vais juste lui poser quelques questions.

Ils entraient dans le parking de la laverie lorsque Cortez se détacha de la Lincoln et se redressa pour accueillir Bosch.

— Comment va, officier? lui lança-t-il.

Bosch ne répondit pas. Il marcha droit sur lui, se flanqua carrément sous son nez et remarqua ses boucles d'oreilles en diamant et les deux larmes bleues tatouées à la commissure de son œil gauche.

— Cortez, dit-il, qu'est-ce que tu fous là?

— J'attends que ça ouvre. Vous savez bien... pour laver mes habits, voir jusqu'où mon linge de corps peut être blanc avec Tide et le reste.

Et de tripoter son tee-shirt pour l'ajuster comme s'il se regardait dans une glace.

— Qui t'a dit qu'on serait là?

— Euh... Bonne question, mais je ne suis pas sûr de me rappeler. Et vous, qui vous a dit de venir?

Bosch garda le silence. Cortez portait sa casquette très en arrière. Il avait les côtés du crâne rasés, un VSF tatoué

1. Portière arrière montée à l'envers.

au-dessus de l'oreille droite et un 13 au-dessus de la gauche. Il sourit et ses yeux noirs ne furent plus que des fentes.

— Dégage d'ici, connard ! lui ordonna Bosch.

— Et vous allez m'arrêter si j'obéis pas ? lui renvoya Cortez.

— Oui, et je te colle un délit d'ingérence dans une enquête policière. Et après, qui sait ? Peut-être qu'on se gourera en te foutant au gnouf avec des Pacoima Flats pour qu'on voie ce qui se passe.

Cortez lui décocha un nouveau sourire.

— Ça serait chouette, dit-il. Pour moi, pas pour eux.

Bosch tendit la main, tapa sur la visière de sa casquette et la lui fit tomber par terre. Une sombre colère envahit un instant le regard du gangster. Mais elle disparut rapidement, et Cortez en revint à son sourire méprisant habituel, jeta un coup d'œil à ses associés et hocha la tête. Ils se détachèrent de la voiture, l'un d'entre eux lui ouvrant la portière arrière de la Lincoln tandis que l'autre lui récupérait sa casquette.

— À plus, mon garçon ! lança Cortez.

Bosch laissa passer. Lourdes et lui ne bougèrent pas de l'endroit jusqu'à ce que la Lincoln sorte du parking et enfile San Fernando Road.

— Harry, pourquoi lui as-tu viré sa casquette ? demanda-t-elle.

Il ignora sa question et lui répondit avec une autre :

— Comment se fait-il qu'il ait été au courant ?

— C'est comme l'a dit le sergent Rosenberg hier : ils ont des yeux partout.

Bosch hocha la tête. Il ne croyait pas que Cortez se soit pointé à cet endroit simplement après avoir reçu le message de quelqu'un qui, comme par hasard, aurait vu ce que fabriquaient les flics dans ce garage.

— On ferait aussi bien de filer tout de suite, dit-il.

— Harry, mais qu'est-ce que tu racontes? Les ouvriers sont déjà à l'intérieur et se préparent à abattre le mur.

— Cortez la ramenait. Pour quelle autre raison se serait-il pointé ici? Il doit savoir qu'il n'y a pas de douilles dans le mur et donc pas d'affaire qui tienne.

— Je ne sais pas. Ça me semble un peu tiré par les cheveux. Il n'est pas aussi malin.

— Vraiment? Eh bien, on va le savoir bientôt.

Ils retraversèrent la rue pour regagner l'atelier et Bosch se fit intercepter par l'inspecteur Tom Yaro du LAPD de la division de Foothill venu représenter son service : la perquisition s'effectuait sur son territoire. Il s'était habillé sport pour l'occasion : jean et chemise de golf noire. Il avait les cheveux d'un noir de jais qui ne paraissait pas tout à fait naturel et qui avaient déposé de très libérales quantités de pellicules sur ses épaules. Il n'était guère plus qu'une espèce de baby-sitter dans l'opération, ce qui semblait l'agacer comme si, pour lui, le grand LAPD ne devait pas passer après le tout petit SFPD. Il n'avait eu droit qu'à quelques détails sur l'opération, mais il connaissait Tranquillo Cortez et avait déclenché l'alarme en voyant le gangster se pointer de l'autre côté de la rue. Et maintenant, il voulait savoir ce qui se passait. Bosch lui en donna la version courte.

— Notre suspect a Dieu sait comment eu vent de notre perquisition et s'est levé tôt pour venir voir, dit-il.

— C'est la merde, ça, lui renvoya Yaro. On dirait que vous avez eu une fuite.

— Si c'est ça, je le saurai.

Bosch lui passa devant et réintégra l'atelier. Il regarda comment le détecteur de métaux généralement utilisé pour retrouver des grosses canalisations d'eau était passé sur le mur du fond. L'appareil n'avait eu aucun mal à repérer les alignements de vis qui avaient servi à fixer le placo aux montants intérieurs de la bâtisse, mais n'avait rien vu d'autre. La balle tirée dans le crâne de Cristobal Vega était de calibre 38 chemisée métal. Des douilles de balles identiques auraient dû déclencher l'alarme aussi facilement que des vis de placo.

Même s'il sentait que cette recherche ne donnerait rien, Bosch décida d'aller jusqu'au bout de la perquisition et ordonna aux ouvriers de la ville d'ouvrir le placo et d'abattre le mur. Il se disait que si Cortez avait peut-être sorti ces douilles du mur depuis longtemps, la face intérieure du placo montrerait encore l'endroit où les balles l'avaient traversé et où le mur avait été colmaté ensuite. Ce qui confirmerait au moins, même faiblement, l'histoire de Perez. Cela ne suffirait probablement pas à amener l'affaire plus près d'un procès, mais confirmation il y aurait tout de même.

Les ouvriers découpèrent des tranches de placo du plancher jusqu'au plafond entre les étais, la face interne des quarante centimètres de largeur de chacune d'elles étant alors examinée par les inspecteurs dans l'espoir d'y trouver des entrées de projectiles.

La troisième tranche avait enfin ce qu'ils cherchaient. Il était clair qu'il y avait effectivement eu deux perforations – ce qui correspondait à l'histoire de Perez. Et elles avaient bien la taille d'une perforation de balle et rien ne disait qu'on aurait tenté d'extraire les douilles après le tir. Cela contredisait l'hypothèse d'un Bosch affirmant que Cortez s'était pointé de l'autre côté de la rue pour se vanter. Au lieu de savoir qu'il n'y avait pas de douilles dans le mur, il savait autre chose et c'était cette autre chose qui l'avait rendu assez confiant pour se montrer.

Les impacts se trouvaient à dix centimètres l'un de l'autre sur le placo, ce qui indiquait bien que, comme l'avait déclaré Perez, les coups de feu avaient été tirés en une fois. Le parpaing correspondant aux pénétrations du placo montrait des dommages dus à leur impact, mais il n'y avait pas de douilles. L'équipe avait emprunté un technicien des éléments de preuve aux Services du shérif du comté de Los Angeles en contrat avec le minuscule SFPD pour tous les travaux de laboratoire. Son boulot consistait à fouiller dans les crottes de rat, les poils et d'autres détritus entassés au fond de l'espace créé par le cadre de cinq sur dix centimètres de largeur monté entre le placo et le mur en parpaings. Ce technicien s'appelait Harmon et se servait d'une pique en métal pour sonder la quinzaine de centimètres de débris qui s'y étaient accumulés et qu'il répandait sur le sol de l'atelier.

Bosch filma son travail avec son portable – il savait qu'à un moment donné, il devrait peut-être montrer à des jurés toutes les mesures qu'il avait prises pour trouver les preuves incriminant Tranquillo Cortez.

— J'en ai une! s'écria Harmon.

Avec sa pique, il délogea une douille des débris entassés les uns sur les autres, l'objet filant alors sur le sol en béton. Bosch se pencha, son portable toujours à la main pour filmer la scène. Il vit la douille et dans l'instant l'espoir qui renaissait en lui retomba de nouveau : la chemise en métal s'étant fendue, la balle avait champignonné en frappant le parpaing à l'intérieur du mur. Bosch allait devoir attendre l'avis d'un expert, mais à force d'avoir suivi des affaires, il savait qu'elle était bien trop endommagée pour qu'on puisse la comparer à celle qui avait tué Cristobal Vega.

— Et voilà l'autre, reprit Harmon en s'emparant de la deuxième de sa main gantée pour la lever en l'air.

Bosch l'examina, le regard plein d'urgence.

Elle était encore plus abîmée que la première. Elle aussi avait champignonné, mais en plus, elle s'était brisée. Ce n'était plus qu'une moitié de projectile qu'il avait sous les yeux.

— Il y en a plus, lança-t-il alors que quelqu'un d'aussi expérimenté qu'Harmon devait déjà le savoir.

— Je cherche, lui renvoya celui-ci.

Bosch sentit vibrer son téléphone, mais laissa passer l'appel sur sa messagerie de façon à pouvoir continuer de filmer le travail d'Harmon.

Qui trouva le reste de la deuxième balle – en aussi mauvais état que les autres. Il suivit le protocole de collecte des éléments de preuve et parla à Bosch sans le regarder.

— Inspecteur, on dirait que vous connaissez la chanson, dit-il. On pourra déterminer une correspondance de marque et il y a plus qu'il n'en faut pour une comparaison entre les alliages métalliques, mais vous savez comment ça marche.

— Ça !

Le contenu des projectiles pourrait certes être déterminé et comparé à celui de la balle qui avait tué Perez, ce qui conduirait peut-être même à la conclusion que les deux objets provenant du même fabricant, l'histoire du témoin était crédible, mais cela ne serait absolument pas aussi décisif que les marques laissées par l'arme avec laquelle on les avait tirés. C'était toute la différence qu'il y a entre dire qu'elles sortaient du même lot de munitions et affirmer qu'elles avaient été tirées avec la même arme. Et cette différence, elle, disait que tous les doutes raisonnables étaient permis.

Toujours debout en l'endroit, Bosch vit s'effriter son dossier.

— Je veux quand même qu'on fasse le test des alliages métal, dit-il.

C'était sa dernière carte, et elle était aussi désespérée que les autres.

— J'en parlerai au patron, lui répondit Harmon. Je lui dirai que l'affaire vaut le coup et je vous ferai savoir sa réponse.

Bosch savait très bien qu'il aurait des nouvelles de ce test quand les poules auraient des dents. Ce genre de tâche prenait du temps et coûtait cher. Et le SFPD était en général tout au bout de la queue au labo du shérif. Tout travail un peu particulier atterrirait dans la liste des on-fera-ça-quand-on-pourra.

Bosch s'écarta du mur et décocha un regard à Lourdes pour lui signifier que tout cela ne menait nulle part. Puis il s'adressa au chef des ouvriers des Travaux publics.

— Bon, dit-il, va falloir remettre tout ça en place. On ne garde que le bout de mur où on a trouvé les impacts. Il faudra le remplacer.

Un des hommes grognant qu'il était d'accord, tout le monde gagna le camion pour y prendre les outils et un nouveau pan de placo pour remplacer l'ancien.

Lourdes se serra contre Bosch.

— Bon alors, dit-elle, s'il y avait effectivement des balles dans le mur, pourquoi Cortez la ramenait-il autant?

— Je ne sais pas, répondit-il. Il savait quelque chose, mais qu'il sache que les balles ne serviraient à rien, ça, j'en doute.

Elle hocha la tête, puis recula devant les ouvriers qui apportaient un grand pan de placo dans le garage.

Son téléphone se mettant à vibrer à nouveau, Bosch s'éloigna et le sortit de sa poche. Appel masqué, mais il le prit quand même.

— Bosch.

— Harry Bosch?

— Exact. Qui est à l'appareil?

— Ted Lanmark, Homicides du shérif. Vous avez une minute?

— Qu'est-ce qu'il y a?

— Que pouvez-vous me dire sur un certain Martin Perez?

Dans l'instant, Bosch sut pourquoi Cortez se conduisait comme s'il contrôlait le monde entier.

— C'est un témoin périphérique dans un meurtre de gang sur lequel je travaille. Et pour vous, qu'est-ce qu'il est?

— Pour moi, il est mort et je dois trouver celui qui l'a tué.

Bosch ferma les yeux.

— Où ça? demanda-t-il.

— Chez lui, dans son appartement. Quelqu'un lui en a collé une dans la nuque.

Bosch rouvrit les yeux et chercha Lourdes.

— Bosch, reprit Lanmark, vous vous demandez peut-être pourquoi j'ai su que c'était vous que je devais appeler sur votre portable.

— Oui, répondit Bosch. Pourquoi?

— Parce qu'il avait votre carte de visite professionnelle avec votre adresse manuscrite dans la bouche. Comme si c'était un message.

Bosch réfléchit un bon moment à cette hypothèse avant de répondre.

— J'arrive tout de suite, dit-il.

— On vous attend.

CHAPITRE 13

C'était presque comme si le tueur avait voulu aider le propriétaire à nettoyer son bien pour le relouer. Martin Perez avait été obligé de s'agenouiller dans une douche de plain-pied avec dallage jaune et porte coulissante en verre pour être tué d'une balle dans la nuque. Il s'était effondré en avant et légèrement sur la droite, les éclaboussures de sang et de matière cérébrale restant à l'intérieur de la cabine, certaines allant même jusque très commodément dégoutter dans la bonde.

L'équipe de médecine légale ne l'ayant pas encore ôtée d'entre les deux dents de devant de Perez, la carte de visite de Bosch était facilement lisible parce que lui sortant encore de la bouche.

Bosch vit clairement que l'arme utilisée n'était pas un calibre 38 : la balle lui avait traversé le crâne et en était sortie de manière explosive. Il repéra des carreaux ébréchés sur le mur auquel Perez avait fait face, et sur le sol près de la bonde. Les marques étaient blanches, et pas du tout jaunies par le temps et la crasse.

— Vous avez trouvé la balle ? demanda-t-il.

Ce fut la première question qu'il posa après avoir passé cinq minutes à étudier la scène de crime. Il avait roulé jusqu'à Alhambra avec Lourdes. Après avoir eu droit à un premier débriefing sur l'affaire Martin Perez, Lanmark, l'enquêteur du shérif, et son coéquipier Boyce les avaient accompagnés à la salle de bains pour étudier le lieu du meurtre. Jusque-là, la coopération entre les services était parfaite.

— Non, répondit Lanmark. Mais on n'a pas encore déplacé le corps. On pense qu'il pourrait l'avoir dans le ventre. Elle lui traverse le crâne, tombe par terre, rebondit et lui entre dans la bouche avant qu'il ne s'écrase sur le sol. D'où un nouveau sens à l'expression « en deux temps trois mouvements », pas vrai?

— Ouais, répondit Bosch.

— Vous en avez assez vu? Et si on sortait parler?

— Parfait.

Ils passèrent dans une cour au milieu de l'immeuble d'appartements de deux étages, Boyce se joignant au conciliabule. Les deux hommes du shérif étaient des inspecteurs chevronnés, calmes dans leurs manières et l'œil toujours à regarder et à observer. Lanmark était noir et Boyce blanc.

Bosch attaqua avec les questions avant qu'ils aient le temps d'en poser.

— L'heure de la mort a-t-elle été établie? demanda-t-il.

— Une résidente de ce bel endroit dit avoir entendu des cris, puis un coup de feu étouffé vers 5 heures du matin, répondit Lanmark. Après, elle a entendu d'autres hurlements et des gens qui couraient vers la rue. Au minimum deux individus.

— Deux voix qui hurlent « après » le coup de feu?

— Après, oui, répondit Boyce. Mais c'est pas à vous de nous poser des questions, Bosch. Nous sommes toujours à vous en poser, nous.

— Exact. Posez, posez.

— Et d'un, reprit Boyce, si ce type devait témoigner dans une affaire, pourquoi n'était-il pas sous protection?

— On croyait qu'il l'était. Et lui aussi le croyait. Il avait quitté son quartier et ça faisait dix ans qu'il avait lâché son gang.

À l'entendre, personne ne sachant où il était, il avait renoncé à toute délocalisation ou protection physique. Personne n'avait donné son vrai nom dans les rapports ou dans la demande de mandat de perquisition.

— En plus de quoi, on était au début de l'enquête et on n'avait rien confirmé, ajouta Lourdes. C'était à ça que devait servir la perquisition de ce matin.

Lanmark hocha la tête et passa de Lourdes à Bosch.

— Quand lui avez-vous donné votre carte de visite professionnelle?

— À la fin de son premier interrogatoire, répondit Bosch. Il faudra que je retrouve la date exacte… Mais en gros, il y a quatre semaines de ça.

— Et vous nous dites qu'il n'avait plus de liens avec les gens de son ancien quartier? demanda Lanmark.

— C'est ce qu'il m'avait dit. Et ç'avait été confirmé par nos gars des renseignements sur les gangs.

— Et donc, c'est quoi, votre intuition? demanda Boyce.

— Mon intuition? Mon intuition, c'est qu'on a eu une fuite. Quelqu'un de chez nous a parlé de cette perquisition à quelqu'un de chez eux. Et c'est arrivé à l'oreille d'un autre individu qui savait ce qu'on allait trouver dans le mur du garage et a flingué le témoin qui pouvait relier les points.

— Et ce serait ce Tranquillo Cortez? demanda Boyce.

— Ou quelqu'un qui travaille pour lui.

— Cortez est maintenant un type qui ordonne les contrats, fit remarquer Lourdes. Il est tout en haut du gang.

Les hommes du shérif se regardèrent et hochèrent la tête.

— Bien, reprit Lanmark. Ça suffira pour l'instant. On finit ici et je suis sûr qu'on sera en contact dans pas longtemps.

En sortant de la cour pour gagner le portail, Bosch regarda par terre : il cherchait des taches de sang. Il n'en vit pas et se retrouva bientôt sur le siège passager de la voiture de fonction assignée à Lourdes.

— Alors, lui demanda celle-ci en déboîtant du trottoir, qu'est-ce que t'en penses? On a merdé?

— Je ne sais pas. Peut-être. Le fin mot de l'histoire est que Perez a refusé notre protection.

— Tu crois vraiment que quelqu'un aurait fuité des trucs aux SanFers?

— Ça non plus, je ne sais pas. C'est sûr qu'il va falloir regarder ça de plus près. Et s'il y a eu une fuite, on la trouvera. Mais il se peut aussi que Martin ait dit le mauvais truc au mauvais bonhomme. On pourrait bien ne jamais savoir comment ça s'est produit.

Bosch pensa au juge qui avait signé le mandat. Celui-ci lui avait posé plusieurs questions sur la source anonyme mentionnée dans la demande, mais il semblait bien qu'il n'ait fait que se montrer exhaustif dans son travail : il n'avait jamais insisté pour avoir son nom véritable. Le juge Landry siégeait depuis au moins vingt ans et, juriste de la deuxième génération, il avait fait campagne pour être nommé à la Cour supérieure, à la place même que son père avait occupée trente ans durant jusqu'à sa mort. Il paraissait donc peu probable que les renseignements contenus dans le mandat ou discutés en sa chambre soient Dieu sait comment parvenus à Tranquillo Cortez ou à un autre SanFer. La fuite, intentionnelle ou autre, devait avoir une autre origine. Bosch pensa à Yaro, l'inspecteur de l'Antigang du LAPD obligé d'assister à la perquisition. Tous les membres de cette unité avaient des contacts dans les gangs. Le flux continu de renseignements que ces derniers leur donnaient était vital et parfois il fallait en échanger certains pour en avoir d'autres.

***

Lourdes remonta vers la 10 pour regagner San Fernando par l'ouest.

— J'ai l'impression que tu cherchais quelque chose quand on est partis, reprit-elle. Quelque chose de particulier ?

— Oui, répondit Bosch. Du sang.

— Du sang ? Mais de qui ?

— Du tireur. Tu as observé l'angle du ricochet dans la douche ?

— Non. Je n'ai pas pu y entrer parce que vous autres hommes me bouchiez toute la salle de bains. Je suis restée en arrière. Tu penses que le tireur a été frappé par le ricochet ?

— Ce n'est pas impossible. Ça pourrait expliquer les hurlements que le témoin a entendus après le coup de feu. Les hommes du shérif pensaient à Perez, mais les angles ne m'ont pas paru bons. Pour moi, la balle est partie bas, a filé entre les jambes de Perez et a frappé le tireur. Peut-être dans la jambe.

— Ça serait bien.

— Dès qu'ils retourneront le corps, ils le sauront, mais on a peut-être une chance d'aller plus vite qu'eux. Ton J-Rod n'aurait pas une idée des gens qui rafistolent les SanFers ?

— Je lui demanderai.

Elle sortit son portable et appela son cousin Jose Rodriguez, l'expert renseignements du SFPD sur les gangs. La loi exige que tout médecin des urgences informe les autorités des blessures par balle qu'il a à soigner, même lorsque la victime prétend qu'il s'agit d'un accident. Cela signifie que toutes les organisations criminelles ont des médecins véreux sur lesquels pouvoir compter pour rafistoler celui-ci ou celui-là à toute heure du jour et de la nuit… et la fermer après l'opération. Si l'assassin de Martin Perez avait été effectivement frappé par un ricochet, il était probable qu'il soit retourné dans ses territoires avec ses complices pour s'y faire soigner. Et ses territoires étaient vastes dans le nord d'une Valley où il n'y avait pas pénurie de cliniques et de médecins douteux auxquels un blessé pouvait faire appel. Bosch espérait que J-Rod puisse les mettre dans la bonne direction.

Pendant que Lourdes parlait avec son cousin en espagnol, il songea pour la première fois à la question restée pendante depuis qu'il avait reçu l'appel de Lanmark : avait-il déclenché la mort de Martin Perez ? C'est le genre de fardeau dont aucun flic ne veut ou n'a besoin, mais c'est aussi un risque inhérent à toute affaire. Poser des questions peut s'avérer dangereux. Voire occasionner des morts. Perez, qui avait lâché les gangs depuis des années, avait un boulot et était un membre productif de la société lorsque Bosch l'avait approché derrière le magasin de chaussures pour lui demander du feu. Bosch pensait avoir pris toutes les précautions nécessaires, mais il y a toujours des variables et des risques potentiels. Ce n'était pas volontairement que Perez avait désigné Tranquillo Cortez. Bosch avait eu recours à une tactique aussi vieille que la police et ne lui avait soutiré ses renseignements que par la menace. C'était de cette décision même que venait sa culpabilité.

Lourdes mit fin à sa communication et se tourna vers Bosch.

— Il va nous dresser une liste, dit-elle. Il ne sait pas jusqu'à quand elle sera à jour, mais il s'agit de médecins que les SanFers et la Eme vont encore voir.

— Et on l'aura quand ?

— Elle sera prête quand nous arriverons au commissariat.

— Parfait.

Ils roulèrent un instant sans rien dire, Bosch ne cessant de revenir à sa décision de mettre la pression sur Martin Perez. À l'examen, il aurait fait la même chose.

— Tu vois l'ironie de la chose ? lui demanda Lourdes.

— Non, quelle ironie ?

— Eh bien mais… Perez nous met sur la piste du garage et nous y trouvons les balles, mais elles ne permettent pas des comparaisons. La nouvelle enquête se serait probablement terminée là ce matin.

— C'est vrai. Même si on avait eu une correspondance métal, le district attorney ne se serait pas trop excité là-dessus.

— Exact. Mais maintenant que Perez s'est fait flinguer, on a une affaire. Et si on trouve le tireur, ça pourrait nous conduire à Cortez. C'est bien la définition même de l'ironie, non?

— Il faudrait que je demande à ma fille. Elle est géniale de ce côté-là.

— Bah, c'est comme on dit : le mensonge est pire que le crime. Ça finit toujours par perdre le criminel.

— Espérons que ça marche comme ça pour nous. J'ai très envie de lui passer les menottes, à ce Cortez.

Son téléphone se mettant à vibrer, il le sortit de sa poche. Appel masqué.

— Ils ont retourné le corps, prédit-il.

Il prit l'appel. C'était Lanmark.

— Bosch, on a sorti le corps de la douche. Perez n'a pas été touché par le ricochet.

— Non, c'est vrai? s'écria Bosch en jouant les surpris.

— Si, si, alors on se dit que c'est peut-être le tireur qui l'a été. Peut-être à la jambe ou aux couilles... Si on a de la chance.

— Ça serait de la vraie justice.

— Oui, alors on va sans doute vérifier dans les hôpitaux, mais on se dit que le gang qui est derrière ça a probablement des types pour ce genre de situations.

— C'est probable, oui.

— Vous pourriez peut-être nous aider en nous donnant des noms de gens à vérifier.

— Ça, on peut. On est toujours sur la route, mais on va voir ce qu'on peut trouver.

— Vous nous rappelez, d'accord?

Bosch raccrocha et regarda Lourdes.

— Pas de balle dans la victime ? lui demanda-t-elle.

Bosch étouffa un bâillement. Il commençait à sentir les effets de la nuit entière qu'il avait passée avec Ballard à Hollywood.

— Pas de balle, non, dit-il. Et ils veulent qu'on les aide.

— Tu m'étonnes ! lui renvoya-t-elle.

BALLARD

CHAPITRE 14

Ballard se réveilla en entendant des sirènes et des cris de panique si intenses qu'ils couvraient le bruit de l'océan. Elle se redressa, enregistra que ce n'était pas un rêve et abaissa la fermeture Éclair intérieure de la tente. Elle regarda dehors et fut frappée par les diamants de lumière qui se reflétaient durement à la surface des eaux d'un bleu profond. En se protégeant les yeux d'une main, elle chercha l'origine du trouble et vit Aaron Hayes, le maître-nageur assigné à la tour de surveillance de Rose Station, à genoux dans le sable et penché sur le corps d'un homme allongé sur la planche de secours. Un groupe de gens se tenait debout ou à genoux à côté d'eux, certains des badauds, d'autres les amis et proches, agités et en pleurs, de l'homme inanimé.

Elle quitta sa tente, ordonna à Lola, sa chienne, de rester à son poste devant elle, traversa vite l'étendue de sable pour gagner le lieu du sauvetage et s'approcha en sortant son badge.

— Police! Police! cria-t-elle. Je veux que tout le monde recule et fasse de la place au maître-nageur pour qu'il puisse travailler.

Personne ne bougea. On se tourna vers elle, et la dévisagea. Elle portait un sweat d'après-baignade et avait les cheveux encore mouillés de sa séance de surf, puis de douche, du matin.

— Reculez! lança-t-elle avec plus d'autorité. Tout de suite!
Vous n'arrangez pas la situation.

Elle arriva devant le groupe et commença à repousser les gens
en demi-cercle, à trois mètres de la planche.

— Vous aussi! cria-t-elle à une jeune femme qui pleurait
de manière hystérique en tenant la main du noyé. Madame!
Laissez travailler le maître-nageur. Il essaie de lui sauver la
vie.

Elle écarta doucement la jeune femme et la tourna vers ses
amis qui la serrèrent dans leurs bras. Puis elle vérifia le parking
et vit deux secouristes venir vers elle en courant, un brancard
entre eux deux, leur progression ralentie par leurs bottines de
travail aspirées par le sable.

— Ils arrivent, Aaron, dit-elle. Continue.

Lorsque celui-ci releva la tête pour reprendre son souffle, elle
vit que l'homme couché sur la planche avait les lèvres bleues.

Une fois sur place, les secouristes remplacèrent Aaron qui
roula de côté et resta allongé sur le sable, complètement essouf-
flé. Et trempé de sueur. Il regarda travailler les secouristes avec
attention, ceux-ci commençant par intuber la victime et lui
extraire l'eau des poumons avant de lui mettre un masque respiratoire.

Ballard s'assit à côté d'Aaron. Ils entretenaient une relation
sentimentale épisodique – on était amants, mais sans engagement après les instants passés ensemble. Bel homme très
musclé, Aaron avait un corps en V, un visage anguleux, des
cheveux courts et des sourcils presque blancs d'être brûlés par
le soleil.

— Qu'est-ce qui s'est passé? lui murmura-t-elle.

— Il s'est fait prendre par un raz, répondit-il en un souffle.
J'ai mis trop longtemps à l'en sortir après l'avoir allongé sur la
planche. Merde, tiens, il y avait des panneaux d'avertissement
partout sur la plage.

Aaron se redressa en voyant les secouristes réagir : la victime avait retrouvé un pouls. Ils se dépêchèrent de la transférer sur le brancard.

— Allons les aider, dit-elle.

Ils traversèrent l'étendue de sable et se postèrent de part et d'autre du brancard, derrière les secouristes. Puis ils le soulevèrent et gagnèrent le parking où attendait l'ambulance. Un des secouristes supportait une bonne partie de la charge d'une main tout en continuant de serrer la poche d'air.

Trois minutes plus tard, l'ambulance disparaissait, Hayes et Ballard restant là, essoufflés, les mains sur les hanches. Bientôt, la famille et les amis les rejoignirent, Aaron leur disant alors à quel hôpital la victime avait été transportée. La femme hystérique le serra dans ses bras, puis suivit les autres à leurs voitures.

— Drôlement bizarre, dit Ballard.

— Ouais. C'est la troisième noyade du mois. Les rides de marée battent tous les records.

Ballard, elle, pensait à autre chose – à un moment du passé il y avait bien des années de cela, et sur une plage lointaine. Lui revenait l'image d'une planche de surf brisée emportée par les vagues. Jeune, elle y cherchait son père dans les diamants de lumière à la surface de l'eau.

— Ça va ? lui demanda Hayes.

— Oui, répondit-elle.

Elle consulta sa montre. La plupart du temps, elle essayait de dormir six heures dans sa tente après une matinée passée sur l'eau à surfer ou faire du paddle. La montée d'adrénaline due au sauvetage et à leur course à travers la plage garantissait qu'elle ne retrouve pas le sommeil.

Elle décida d'entamer tôt sa journée. Il fallait commencer un suivi sur John le Baptiste et examiner encore plusieurs cartons de fiches et ce, que le type de la Moonlight Mission s'avère être un vrai suspect ou pas.

— T'aurais pas un débriefing? demanda-t-elle à Hayes.

— Euh, si, répondit-il. Le chef de plage va venir me poser des questions pour rédiger son rapport.

— Fais-moi savoir si t'as besoin de quoi que ce soit.

— Merci. Je le ferai.

Elle hésita, puis le serra dans ses bras, se détourna et regagna sa tente pour y reprendre ses affaires et sa chienne. Le souvenir de ce qui s'était passé à Hawaï lui revint à nouveau alors qu'elle regardait les vagues au loin : le père qu'elle avait perdu et le besoin qu'elle avait d'être au bord de l'eau à attendre quelque chose qui ne pourrait jamais arriver.

CHAPITRE 15

Avant de se rendre au commissariat, Ballard gara son van dans Selma Avenue, à un demi-bloc de la Moonlight Mission. Là, à travers les barreaux du portail, elle vit la fourgonnette de John le Baptiste. Cela voulait dire qu'il était probablement rentré.

Bosch avait jeté un coup d'œil à l'intérieur du véhicule pendant l'interpellation et montré à Ballard les photos qu'il en avait prises avec son portable. Aucune ne montrait quoi que ce soit d'incriminant. Ce n'était pas comme s'ils s'attendaient à autre chose après neuf ans. Mais elle avait remarqué que le parking de la mission donnait un accès facile à la porte arrière du bâtiment. Garée à cul, une camionnette aurait permis de transférer rapidement un corps à l'intérieur de l'établissement, le cadavre n'étant alors visible de l'extérieur qu'une fraction de seconde. En plus de quoi, la présence d'un garage indépendant de l'autre côté du parking l'intriguait. Les deux fois où elle l'avait vu, le van de John le Baptiste se trouvait dans l'allée cochère, et non dans le garage. Pourquoi ne s'en servait-on pas? Qu'y avait-il à l'intérieur qui empêchait qu'on l'y range?

D'instinct, Ballard ne croyait pas que John McMullen soit leur homme. Il lui avait paru sincère dans sa défense et ses récriminations lors de leur confrontation. Les inspecteurs acquièrent un sixième sens sur le caractère des gens et doivent souvent lui faire confiance pour juger celui-ci ou celui-là. Elle avait dit à Bosch ce qu'elle pensait du bonhomme alors qu'ils s'éloignaient après l'incident et il ne l'avait pas reprise, mais pour lui, après cette brève fouille, le prêcheur avait toujours besoin d'être complètement innocenté avant que la police puisse passer à autre chose.

Et maintenant Ballard était assise dans son propre van à regarder la Moonlight Mission et elle avait envie d'aller y jeter un coup d'œil. Elle pouvait attendre de le faire avec Bosch, mais elle ne savait absolument pas quand il serait disponible. Elle lui avait envoyé un texto pour lui demander ce qu'il faisait, mais n'avait pas reçu de réponse.

Sa radio était toujours dans son bloc chargeur au commissariat. Elle n'aimait pas trop l'idée d'entrer dans la mission seule et sans ce lien électronique avec le navire amiral, mais l'idée d'attendre la mettait encore plus mal à l'aise. Voir ce noyé et se souvenir de son père l'avaient mise à cran. Elle avait besoin d'évacuer toutes ces pensées et savait que si elle suivait son envie, ça irait mieux. Le travail était toujours ce qui la faisait penser à autre chose. Le travail, elle n'avait aucun mal à s'y perdre.

Elle sortit son portable et appela le bureau de veille sur la ligne interne. Il était presque 5 heures et le service de l'après-midi n'était pas terminé. Ce fut le lieutenant Hannah Chavez qui décrocha.

— Renée Ballard à l'appareil, dit-elle. Je suis une affaire récoltée au service de nuit et n'ai pas ma radio avec moi. Je voulais juste vous avertir que je vais être en code 6 à la Moonlight Mission, au croisement des avenues Selma et Cherokee. Si vous n'avez pas de mes nouvelles d'ici à une heure, vous pouvez m'envoyer des renforts ?

— Reçu cinq sur cinq, Ballard. Mais pendant que je vous tiens, c'est bien vous qui vous êtes occupée du cadavre dans les collines l'autre nuit, non ?

— Oui, oui, c'était moi. Mais c'était un accident.

— C'est ce que j'ai entendu dire. Mais on vient juste de recevoir un appel pour bris de clôture au même endroit. Les mecs des Cambriolages ne sont pas là pour la journée et j'allais mettre ça en attente jusqu'à demain, mais maintenant, je me dis…

— Que ce serait bien que je m'en occupe.

— Vous avez tout deviné, Ballard.

— Pas vraiment, mais j'y passerai après la mission.

— Je vais dire à mes gars de rester ici jusqu'à ce que vous y soyez.

— À quoi doit-on l'appel ?

— La famille avait demandé à des nettoyeurs de passer après la mort. Et apparemment, ils ont trouvé l'endroit complètement saccagé et ont appelé.

— OK. N'oubliez pas : vous m'envoyez des renforts si je ne vous ai pas rappelée dans une heure.

— À la Moonlight Mission… C'est entendu.

Ballard passa du siège avant à l'arrière de son van. Les vêtements qu'elle avait fait nettoyer la semaine précédente étaient sur des cintres suspendus à un crochet d'équipement de surf. Elle enfila ce qu'elle considérait être sa tenue de troisième zone, à savoir un blazer Van Heusen chocolat à fines rayures par-dessus ses chemisier blanc et pantalon noir habituels. Puis elle quitta son van, le verrouilla et descendit la rue vers la mission.

Elle voulait juste jeter un coup d'œil alentour, se faire une idée de l'endroit, et peut-être retravailler McMullen encore un coup. L'approche directe était de mise. Elle franchit la grille et monta les marches conduisant à la véranda. Un panneau apposé sur la porte souhaitant la bienvenue aux visiteurs, elle entra sans frapper.

Elle se retrouva dans un grand vestibule vide avec des passages voûtés conduisant à des pièces à droite et à gauche et un large escalier incurvé. Elle gagna le milieu de l'entrée et s'immobilisa un instant en s'attendant à ce que McMullen ou quelqu'un d'autre apparaisse.

Mais non, rien.

Elle regarda le passage voûté à sa droite et s'aperçut que la pièce était munie de canapés avec un fauteuil au centre, un médiateur pouvant s'y asseoir pour mener une discussion de groupe. Elle se retourna pour examiner la deuxième pièce. Des banderoles ornées de citations bibliques et de représentations de Jésus étaient accrochées côte à côte sur le mur du fond. Au cœur de la pièce se trouvait ce qui ressemblait à un évier avec, tout au bord, un crucifix à l'endroit prévu pour un robinet.

Elle entra et l'examina. Il était à moitié plein d'eau. Elle regarda les banderoles et s'aperçut que les représentations n'y étaient pas toutes de Jésus. Sur deux d'entre elles au moins, elle découvrit des portraits de l'homme qu'elle avait interrogé le matin même.

Elle fit demi-tour pour regagner le vestibule et buta presque dans McMullen. Elle sursauta, recula, puis retrouva vite ses esprits.

— Monsieur McMullen, dit-elle, vous me suiviez?

— Pas du tout, répondit-il. Et ici, je suis le pasteur McMullen.

— D'accord, monsieur le pasteur.

— Pourquoi êtes-vous ici, inspecteur?

Ballard se tourna et lui montra l'évier.

— C'est ici que vous faites votre travail, dit-elle.

— Ce n'est pas du travail, la reprit-il. C'est ici que je sauve des âmes pour Jésus-Christ.

— Où est tout le monde? La maison semble vide.

— Tous les soirs, je cherche un nouveau troupeau. Tous ceux que je nourris et habille doivent voler de leurs propres ailes à cette heure. Ceci n'est qu'une station dans le voyage qui les conduira au salut.

— C'est ça. Et y aurait-il un endroit où nous pourrions parler?

— Si vous voulez bien me suivre…

Il pivota sur lui-même et quitta la pièce. Ballard vit ses talons sous sa robe et s'aperçut qu'il était pieds nus. Ils firent le tour de l'escalier, descendirent un petit couloir et entrèrent dans une cuisine, où le grand espace réservé à la restauration était pris par des bancs et une longue table de pique-nique. McMullen la précéda ensuite dans une petite salle de côté qui avait pu servir d'office aux serviteurs à l'époque où le bâtiment avait été construit, mais qui maintenant tenait lieu de bureau, ou peut-être de confessionnal. Spartiate, elle était équipée d'une petite table avec des chaises pliantes de chaque côté. Bien visible sur le mur en face de la porte se trouvait un calendrier orné d'une photo des cieux et d'un verset de la Bible.

— Asseyez-vous, je vous en prie, dit McMullen.

Il prit une chaise, Ballard s'asseyant en face de lui, la main droite le long de la hanche, près de son arme.

Elle remarqua que le mur derrière McMullen était recouvert de liège et qu'il y était épinglé un collage de photos montrant des jeunes gens habillés de plusieurs couches d'habits parfois en haillons. Nombre d'entre eux avaient le visage sale, à certains il manquait des dents, d'autres avaient les yeux vitreux du drogué, tous constituant un des troupeaux de sans-abri qu'il amenait à ses fonts baptismaux. Les individus représentés sur le mur étaient de genres et d'ethnies différents. Certains de ces clichés étaient vieux et fanés, d'autres couverts de nouvelles photos épinglées par-dessus. Ballard se dit que cela correspondait aux dates où ces êtres avaient accepté Jésus-Christ en eux.

— Si vous êtes ici pour me demander de ne pas porter plainte, reprit-il, vous pouvez économiser votre salive. J'ai décidé que la charité serait plus utile que la colère.

Ballard songea aux paroles de Bosch lui disant qu'il se méfierait si McMullen ne portait pas plainte.

— Merci, dit-elle. Je venais juste m'excuser si nous vous avons offensé. Nous avions un signalement incomplet du van que nous recherchons.

— Je comprends, dit-il.

Elle hocha la tête et lui montra le mur derrière lui.

— Ce sont les gens que vous avez baptisés ? demanda-t-elle.

Il jeta un coup d'œil derrière lui et sourit.

— Quelques-uns d'entre eux seulement, répondit-il. Il y en a beaucoup d'autres.

Elle regarda le calendrier. La photo représentait un coucher de soleil bordeaux et doré, une citation déclarant :

CONFIE TON CHEMIN AU SEIGNEUR,

FAIS-LUI CONFIANCE

ET IL TE VIENDRA EN AIDE.

Elle se concentra sur les dates du calendrier et remarqua qu'un nombre était griffonné dans chaque carré de jour. Les trois quarts de ces nombres étaient à un chiffre, mais certains jours, il y en avait plus.

— Que signifient ces nombres ? lui demanda-t-elle.

— C'est le nombre d'âmes qui ont reçu le sacrement, répondit-il. Tous les soirs, je compte combien de gens ont pris notre Seigneur et Sauveur dans leur cœur. Sombre et sacrée, il n'est pas de nuit qui n'apporte plus d'âmes au Christ.

Ballard hocha la tête, mais garda le silence.

— Que faites-vous vraiment ici, inspecteur ? reprit McMullen. Le Christ est-il dans votre vie ? Avez-vous la foi ?

Elle se sentit sur la défensive.

— Ma foi est mon affaire, répondit-elle.

— Pourquoi ne pas la proclamer ? la pressa-t-il.

— Parce que c'est privé. Je ne… Je n'appartiens à aucune Église établie. Et je n'en éprouve pas le besoin. Je crois à ce que je crois. C'est tout.

Il l'étudia longuement avant de lui reposer sa question :

— Que faites-vous vraiment ici, inspecteur ?

Elle lui renvoya son regard pénétrant et décida de voir si elle pouvait lui soutirer une réaction.

— Daisy Clayton, dit-elle.

Il soutint son regard, mais elle vit bien qu'il ne s'attendait pas à ce qu'elle venait de lui lancer. Elle vit aussi que ce nom lui disait quelque chose.

— Elle a été assassinée, dit-il. C'était il y a long… C'est ça, votre affaire ?

— Oui, et j'enquête dessus.

— Et qu'est-ce que cela a à voir avec…

Il s'arrêta net comme s'il avait répondu à sa propre question.

— Mon interpellation ce matin, enchaîna-t-il. L'inspecteur a regardé dans mon van. Pour quoi faire ?

Elle ignora sa question et tenta de remettre les choses dans la direction qu'elle voulait suivre.

— Vous l'avez connue, n'est-ce pas ? demanda-t-elle.

— Oui, répondit-il. Et je l'ai sauvée. Je l'ai amenée à Jésus-Christ et Il l'a rappelée à lui.

— Qu'est-ce que cela signifie exactement ?

— Que je l'ai baptisée.

— Quand ?

Il hocha la tête.

— Je ne m'en souviens plus. Avant qu'on l'enlève, évidemment.

— Elle figure sur ce mur ?

Il se retourna pour étudier le collage.

— Je pense… Oui, je l'y ai mise, dit-il.

Il se leva, gagna le mur de liège, y enleva des épingles et des punaises pour ôter les couches supérieures de certaines photos, et les déposa doucement sur la table. En quelques minutes, il en préleva ainsi plusieurs, puis s'arrêta et en contempla une.

— Je crois que c'est elle, dit-il.

Il descendit la photo et la montra à Ballard. On y voyait une jeune fille avec une couverture rose autour des épaules. Dans ses cheveux il y avait une mèche pourpre et ils étaient mouillés. Ballard vit alors certaines des banderoles de la salle de baptême en arrière-plan. Datée à la main, la photo remontait quatre mois avant son assassinat. Au lieu d'écrire son nom, elle avait dessiné une pâquerette[1] au coin du cliché.

— C'est elle, dit Ballard.

— Elle a été baptisée dans la grâce de Jésus-Christ, reprit McMullen. Elle est avec Lui, maintenant.

Ballard tint la photo en l'air.

— Vous rappelez-vous cette nuit-là ? demanda-t-elle.

— Je me souviens de toutes.

— Était-elle seule quand vous l'avez amenée ici ?

— Ah ça, je ne me rappelle pas. Il faudrait que je retrouve le calendrier de cette année-là et que je voie le nombre porté à la date du jour.

— Où pourrait être ce calendrier ?

— Rangé dans le garage.

Elle acquiesça d'un signe de tête et passa devant lui pour regarder les autres photos punaisées au mur de liège.

— Et ici ? insista-t-elle. Y en aurait-il d'autres qui auraient été baptisés la même nuit ?

— S'ils m'ont donné la permission de les prendre en photo...

1. Daisy veut dire « pâquerette » en anglais.

Il s'approcha de Ballard et tous deux examinèrent les clichés. Il en ôta du panneau et vérifia les dates portées au dos avant de les remettre à leur place.

— Cette photo-là, dit-il. C'est le même jour.

Il lui tendit celle d'un homme sale et aux cheveux ébouriffés qui semblait avoir une vingtaine d'années. Ballard confirma que la date inscrite au dos du cliché était bien celle du baptême de Daisy. Le nom porté au marqueur sur le tirage était Eagle.

— Encore un, dit-il.

Il lui tendit une autre photo, celle-là d'un homme nettement plus jeune avec des cheveux blonds et le regard dur. Les dates correspondaient et le nom était Accro. Ballard prit le tirage et l'examina. Il s'agissait bien d'Adam Sands, le prétendu petit copain et maquereau de Daisy.

— On dirait bien que c'est tout pour cette date, dit McMullen.

— On peut aller chercher ce calendrier ? demanda-t-elle.

— Oui.

— Je peux garder ces photos ?

— À condition que vous me les rendiez… Elles racontent une partie du troupeau.

— J'en fais une copie et je vous les rends.

— Merci. Si vous voulez bien me suivre…

Ils passèrent dehors, McMullen se servant d'une clé pour ouvrir une porte de côté donnant sur le garage indépendant. Ils entrèrent dans un espace encombré de meubles et de portants d'habits. Il y avait aussi plusieurs cartons alignés le long des murs, certains avec mention de l'année.

Un quart d'heure plus tard, McMullen ressortait le calendrier de 2009 d'un carton poussiéreux. À la date correspondant à la photo de Daisy, sept baptêmes étaient enregistrés. Ballard s'empara du calendrier, en fit défiler les pages jusqu'à la date où, quatre mois plus tard, Daisy était enlevée et assassinée. Elle ne trouva aucun nombre dans le carré de la date à laquelle s'était produit le meurtre, ni non plus dans ceux des deux jours suivants.

McMullen remarqua les carrés vides au même moment qu'elle.

— Ça, c'est bizarre, dit-il. Je ne prends presque jamais de nuit de congé dans mon travail. Je ne… Oh, je m'en souviens maintenant! Le van devait être au garage. C'est la seule raison pour laquelle je manquerais autant de jours d'affilée.

Elle le regarda.

— Vous êtes sûr?

— Évidemment, répondit-il.

— Vous pensez en avoir une trace? Quel garage était-ce? Qu'avait votre van?

— Je peux regarder. Je crois que c'était un problème de transmission. Je me rappelle l'avoir amené au garage de Santa Monica Boulevard, près du cimetière. Au croisement de Santa Monica Boulevard et d'El Centro Avenue. Au coin. Le nom commence par un Z, mais je n'arrive pas à me rappeler le reste.

— OK, allez voir dans vos dossiers et faites-moi savoir ce que vous y trouvez. Je peux garder ce calendrier? J'en fais une copie et je vous le rends.

— Ben… Oui.

Elle aurait pu photographier les clichés et le calendrier, mais elle avait besoin des originaux si jamais ils devenaient pièces à conviction dans l'enquête.

— Bien, dit-elle. Il va falloir que j'y aille. J'ai un appel auquel je dois répondre.

Elle sortit une carte de visite professionnelle et la lui tendit.

— Si vous trouvez le reçu des réparations ou vous rappelez quoi que ce soit pour Daisy, passez-moi un coup de fil.

— Ce sera fait. Absolument.

— Merci de votre coopération.

Elle sortit du garage et prit une allée conduisant au portail. Tous ses instincts lui disaient que John le Baptiste n'était pas l'assassin de Daisy Clayton, mais elle savait qu'il lui restait encore beaucoup de chemin à faire avant qu'il ne soit complètement exonéré.

CHAPITRE 16

Un camion cube avec les lettres CCB peintes sur le côté était garé devant la maison de Hollywood Boulevard où avait été retrouvée la femme au visage dévoré par son chat. Il y avait aussi une voiture de patrouille et deux flics en tenue avec un type en combinaison blanche au milieu de la chaussée. Cette fois, comme il n'y avait pas de place pour elle, Ballard, qui conduisait toujours son van, passa devant eux, leur fit un petit signe de la main et alla se garer devant un bateau deux portes plus bas. Sur le versant en à-pic des collines, rares étaient les édifices avec allées cochères. Les garages se trouvaient tout au bord du trottoir et les bloquer risquait de provoquer la colère de leurs propriétaires, surtout lorsque le coupable ne pilotait manifestement pas un véhicule de la police.

Ballard regagna la maison à pied et dut se présenter aux trois hommes qui l'attendaient. Elle n'avait toujours pas une grande expérience des flics de jour. Ces deux-là s'appelaient Felsen et Torborg. Jeunes tous les deux, ils avaient un port d'une précision toute militaire. Elle reconnut le nom de Torborg qu'elle connaissait de réputation. Du genre fonceur, il était surnommé « La torpille » et avait plusieurs suspensions d'une journée à son actif pour application trop agressive de la loi. Les flics femmes qualifiaient ces punitions de « mises au coin testostérone ».

Le type en combinaison blanche s'appelait Roger Dillon. Il travaillait pour la CCB, un service de nettoyage de déchets biologiques. C'était lui qui avait signalé le cambriolage. Bien qu'il ait déjà raconté son histoire à Felsen et Torborg, il fut invité à la répéter à l'inspectrice, qui rédigerait le compte rendu du cambriolage.

Dillon lui rapporta que c'était la nièce de la morte – elle habitait à New York – qui avait engagé sa firme pour nettoyer et décontaminer les lieux après que, la police ayant déclaré qu'ils ne constituaient plus une scène de crime, le corps de sa tante avait été enlevé. Elle lui avait fait parvenir la clé par un service postal de nuit, mais l'objet ne lui étant arrivé qu'en début d'après-midi, il n'avait pas pu être là assez tôt pour faire son travail. Il avait un certain délai pour s'en acquitter, la nièce, que Ballard avait identifiée comme étant Bobbi Clark lors des premières constatations, devant arriver le lendemain matin. Elle avait prévu de rester dans la maison pour organiser les obsèques et évaluer ce dont elle allait hériter en tant que seule parente encore vivante de la victime.

— Et donc, j'arrive ici et j'ai même pas besoin de la clé parce que la porte n'est pas fermée à clé, dit-il.

— Pas fermée à clé et ouverte ? lui demanda Ballard. Ou bien fermée mais pas à clé ?

— Fermée mais pas à clé, mais de telle façon qu'on pouvait voir qu'elle n'avait pas été complètement tirée. Je l'ai poussée et elle s'est ouverte toute seule.

Ballard regarda ses mains.

— Vous n'aviez pas mis de gants ? demanda-t-elle. Montrez-moi où vous avez touché la porte.

Il descendit la petite allée y conduisant, Ballard se retournant vers Felsen et Torborg.

— Dites, leur lança-t-elle, je n'ai pas pris ma radio. L'un de vous deux pourrait-il appeler le bureau de veille et leur dire que je suis en code six ici et annuler les renforts à la Moonlight Mission ? J'ai complètement oublié.

— Je m'en occupe, dit Felsen en enclenchant son micro d'épaule.

— La Moonlight Mission ? répéta Torborg. Vous avez parlé avec John le Baptiste ? Je le savais, que ce cinglé finirait par passer à l'acte un de ces jours. Qu'est-ce qu'il a fait ?

— Je lui ai juste parlé d'une affaire non résolue. Ça n'est pas allé bien loin.

Elle fit demi-tour et suivit Dillon jusqu'à la porte. Torborg connaissant manifestement John le Baptiste, elle aurait bien voulu lui parler de leurs relations et de l'impression qu'il avait du prêcheur, mais il fallait qu'elle commence par s'occuper de Dillon et de l'affaire en cours.

Grand, Dillon portait une combinaison blanche qui paraissait une taille trop petite pour lui. Les ourlets de son pantalon lui arrivaient à peine au-dessus de ses chaussures de travail, le tableau général étant celui d'un gamin qui ne tient plus dans ses vêtements. Et Dillon n'était évidemment plus un gamin. Ballard lui donna une bonne trentaine d'années. Le visage était beau et rasé de près, ses cheveux lui faisaient une belle crinière brune, et il portait une alliance.

Immobile devant la porte, il lui montra du doigt un point à hauteur de son épaule. Ballard sortit une paire de gants de la poche de son blazer et les enfila.

— Vous l'avez donc poussée et vous êtes entré, dit-elle.

— C'est ça.

Elle ouvrit et lui fit signe d'y aller d'un geste de la main.

— Montrez-moi ce que vous avez fait après, reprit-elle.

Il remonta un masque à filtrer l'air de son cou à sa bouche et s'exécuta. Ballard regarda Felsen et Torborg par-dessus son épaule. Felsen venait de terminer son appel au commandant de veille.

— Vous pourriez voir si la voiture des empreintes est disponible et avoir une estimation de l'heure à laquelle elle arrivera ? lui demanda-t-elle.

— Bien reçu, répondit-il.

— Et vous, ne partez pas, les gars ! J'ai besoin de vous.

— La lieute nous demande déjà quand est-ce qu'on peut s'en aller, lui renvoya Felsen.

— Dites-lui que j'ai besoin de vous ici, répéta sèchement Ballard.

Elle suivit Dillon dans la maison. L'odeur de décomposition était toujours en suspens dans l'air, mais s'était bien dissipée depuis qu'elle avait travaillé l'affaire deux nuits plus tôt. Il n'empêche : elle regretta de ne pas avoir le masque qu'elle avait laissé avec son kit dans sa voiture de fonction. Et sa combinaison hermétique. Elle savait que son costume de troisième zone serait foutu après qu'elle l'aurait porté une fois. Heureusement, celui qu'elle avait laissé chez le teinturier la veille serait prêt le lendemain matin.

— Allez, faites-moi voir, enchaîna-t-elle. Comment avez-vous compris qu'il y avait eu un cambriolage ? C'était déjà sacrément le foutoir ici.

Il lui montra le mur de la salle de séjour derrière elle. Elle se retourna et s'aperçut que les trois tirages des lèvres rouges avaient disparu. Lorsqu'elle l'avait appelée pour l'informer que sa tante était morte, Bobbi Clark lui avait demandé très précisément si ces tableaux étaient en bon état, et avait ajouté qu'il s'agissait de tirages d'artiste d'Andy Warhol qui valaient des centaines de milliers de dollars pièce – et encore plus regroupés en un triptyque.

— Mme Clark m'avait recommandé de faire très attention à ces lèvres rouges qui devaient se trouver dans la salle de séjour, reprit Dillon. Et donc j'arrive, et y a plus de lèvres rouges. C'est là que je vous ai appelés parce que c'est à cause de ce genre de trucs que j'entre rarement dans une maison seul. Je ne veux pas être accusé de quoi que ce soit. On travaille en général à deux, mais mon coéquipier est sur un autre chantier et cette dame voulait vraiment que le nettoyage soit effectué aujourd'hui. Elle a pas envie de voir du sang ou quoi que ce soit d'autre quand elle arrivera. Elle m'avait dit ce qu'avait fait le chat.

Ballard acquiesça.

— La CCB est votre société ou votre employeur ?

— Ma société. Deux camions, quatre employés, disponibles vingt-quatre heures sur vingt-quatre. C'est une petite entreprise. Vous le croiriez pas, mais ce marché est très compétitif. Il y a beaucoup de boîtes qui nettoient après les meurtres et les trucs pas bien.

— Sauf que ce n'était pas un meurtre. Comment Mme Clark en est-elle venue à vous embaucher de New York ?

— Sur la recommandation du légiste. Je distribue beaucoup de cartes de visite. Et de cadeaux aux vacances. On me recommande. Je vous donnerai un tas de ces cartes si vous voulez bien les prendre.

— Plus tard peut-être. Je ne fais pas beaucoup de scènes de crime de ce genre. Il n'y a pas énormément d'assassinats à Hollywood ces derniers temps, et je travaille au quart du cimetière.

— Y a eu les cinq mecs aux Dancers l'année dernière. C'est moi qui ai décroché le boulot. J'ai travaillé quatre jours entiers pour nettoyer ce bordel et ils ont jamais rouvert.

— Je sais. J'y étais, cette nuit-là.

Il hocha la tête.

— Oui, je crois vous avoir vue à la télé.

Elle décida de revenir à ce qui les occupait.

— Et donc, vous entrez et vous voyez que les tirages ont disparu. Et après ?

— Je suis ressorti et j'ai appelé les flics. Et là, je les ai attendus à peu près une heure et eux, ils vous ont attendue une de plus. Je peux pas bosser et Mme Clark débarque demain matin à 10 heures.

— J'en suis désolée, mais il faut enquêter... surtout si c'est d'un énorme vol qu'il s'agit. On devrait avoir une voiture pour les relevés d'empreintes dans pas longtemps, et on va avoir besoin des vôtres pour pouvoir les exclure de la liste. Je vais donc vous demander de sortir et d'attendre avec les policiers pendant que je fais mon boulot à l'intérieur.

— Combien de temps avant que je puisse me mettre au travail ?

— Je vous libérerai dès que possible, mais je ne pense pas que vous puissiez entrer ici aujourd'hui. Quelqu'un va devoir faire un état des lieux avec Mme Clark dès qu'elle arrivera.

— Merde.

— Désolée.

— Vous arrêtez pas de dire ça, mais c'est pas avec des « désolée » que je gagne mon fric.

Elle comprit ses soucis de propriétaire de sa boîte.

— Que je vous dise... Donnez-moi quelques cartes, et je les aurai sur moi pour plus tard.

— J'apprécierais beaucoup, inspecteur.

Elle le suivit dehors et demanda à Felsen où on en était avec la voiture des empreintes. Il lui répondit qu'elle devait arriver dans les quinze minutes suivantes, mais elle savait que pour ce véhicule-là, il fallait toujours doubler le temps d'attente. Il était assigné à la totalité du West Bureau et du cambriolage au crime violent, le technicien devait répondre à tous les besoins. Il n'était pas exagéré de dire que le véhicule des empreintes n'arrêtait pas de travailler.

Techniquement parlant, Ballard était censée suivre un protocole qui l'obligeait à commencer par étudier la scène de crime et à chercher des endroits où le suspect aurait pu laisser ses empreintes. Ce n'était que lorsqu'elle en trouvait de potentielles qu'elle devait demander qu'on lui envoie le véhicule. En réalité cependant, quand il s'agissait de vols, la pratique était inversée. Repousser le moment où l'appeler avait pour résultat d'allonger les temps d'attente. Ballard commençait donc toujours par le demander afin d'être aussitôt inscrite sur la liste d'attente, et ne se mettait à analyser la scène de crime qu'après. Elle pouvait toujours le décommander si par malheur elle ne trouvait aucune empreinte potentielle.

Elle savait qu'elle tirait un peu sur la corde avec Dillon, mais elle essaya quand même et lui demanda s'il n'avait pas un masque de rab. Il la surprit en répondant que oui.

Il gagna l'arrière de son camion et en remonta le hayon. L'intérieur était bourré d'aspirateurs de liquides et d'autres équipements. Il sortit une boîte de masques jetables du tiroir d'un coffre à outils et lui en tendit un.

— Ce masque est bon pour une journée, mais pas plus, dit-il.

— Merci.

— Et j'ai mes cartes ici.

Il plongea les mains dans un autre tiroir et en prit une dizaine. Il les donna à Ballard qui découvrit le nom complet de la société se cachant sous le sigle CCB : Chemi-Cal Bio Services. Elle glissa les cartes dans sa poche et remercia Dillon alors même qu'elle savait qu'elle aurait rarement l'occasion de recommander ses services à quiconque.

Elle le laissa et réintégra la maison en passant son masque. Debout dans la salle de séjour, elle observa et réfléchit afin de bien prendre la mesure du lieu. Qu'on ait enlevé l'objet de la décomposition, à savoir le cadavre, expliquait que l'odeur nauséabonde soit moins forte. Mais s'étant déjà trouvée dans ce genre d'endroits quelques jours après une mort, elle songea que l'enlèvement du corps n'était pas la seule chose à avoir accéléré le processus. Elle en conclut qu'elle allait devoir trouver une fenêtre ouverte.

Elle gagna la paroi de verre et s'aperçut bientôt que les panneaux étaient montés sur des glissières qui disparaissaient dans un mur. On pouvait donc les y pousser et créer ainsi une grande ouverture sur la terrasse de derrière et ce faisant, conférer à l'édifice un style intérieur-extérieur en continu. Elle fit coulisser le premier panneau, passa sur la terrasse et découvrit qu'elle courait sur toute la longueur de la maison derrière la chambre principale et celle réservée aux amis. À l'autre bout se trouvait le bloc extérieur rectangulaire d'un climatiseur. Il avait été décroché du mur sous une fenêtre et laissé en l'état. Ce devait être par là qu'était passé le cambrioleur, par là aussi qu'une partie de la puanteur s'était échappée.

Ballard traversa la terrasse pour examiner l'ouverture. Celle-ci faisait au minimum soixante centimètres de hauteur sur quatre-vingt-dix de largeur. Le climatiseur paraissait relativement neuf. Le propriétaire l'avait probablement ajouté pour avoir plus de fraîcheur dans la chambre pendant les semaines les plus chaudes de l'été.

Ballard avait son point d'entrée. La question était maintenant de savoir comment le cambrioleur y était arrivé. La maison comportait plusieurs niveaux à flanc de colline. Ballard gagna la rambarde et regarda en bas. Ce n'était pas par là. L'escalade aurait été trop difficile, qui aurait exigé cordages et crampons. Et ce genre de préparatifs était en opposition directe avec le fait que le climatiseur avait été laissé hors de son emplacement dans le mur. Tout disait le travail bâclé d'un opportuniste, pas de quelqu'un qui planifie ses coups.

Elle leva la tête. Le toit de la terrasse était soutenu en quatre endroits par de la ferronnerie noire formant un motif répété de branches d'arbre entre deux montants. Voulu ou pas, tout cela créait une échelle de fortune permettant de descendre du toit.

Ballard repassa dans la maison et en ressortit par la porte d'entrée. Dillon s'était adossé à son camion. Dès qu'il la vit, il se redressa et écarta les bras en un geste interrogatif.

— Où est la voiture des empreintes? demanda-t-il. Quand est-ce que je vais pouvoir dégager d'ici?

— Dans pas longtemps, répondit-elle. Je vous remercie de votre patience. (Elle lui montra son camion.) En attendant, j'ai vu que vous aviez une échelle accrochée à un panneau à l'intérieur. Je pourrais vous l'emprunter quelques minutes? Je veux monter sur le toit.

Dillon parut heureux d'avoir quelque chose à faire, surtout si cela le mettait encore plus dans les bonnes grâces du LAPD.

— Pas de problème, dit-il.

Pendant qu'il allait chercher l'échelle, elle passa sur la chaussée et longea la façade. Toute la construction avait pour but de valoriser la vue de l'autre côté. C'était là que se trouvaient la terrasse, les fenêtres et les portes coulissantes en verre. L'autre côté, à un mètre à peine du bord du trottoir, était terne et monolithique à l'exception de la porte d'entrée et d'une petite fenêtre donnant dans la chambre principale. Ce plan de quasi-forteresse était adouci par des pots en béton contenant en alternance des bambous et des treillis de plantes grimpantes. Elle étudia ces derniers et se rendit compte qu'à certains endroits ces dernières avaient été abîmées par quelqu'un qui s'en était servi comme de prises pour les pieds et les mains. Elles formaient une deuxième échelle improvisée.

Dillon posa bruyamment une échelle double contre le bâtiment. Ballard se pencha vers lui, qui lui fit alors signe : « C'est tout à vous. »

Puis, tandis que Dillon lui tenait fermement l'échelle, elle monta jusqu'au toit plat et en rejoignit le bord arrière en cherchant dans le gravier des traces de pas ou d'autres éléments de preuve disant la présence d'un cambrioleur. Il n'y avait rien.

Elle passa de l'autre côté et contempla la vue. Il commençait à faire sombre et le soleil couchant teintait le ciel de rouges et de roses. Elle savait qu'à la plage, ce serait magnifique. Elle repensa un instant à Aaron et eut envie de vérifier s'il avait des nouvelles du type qu'il avait sorti du courant.

Puis elle revint à l'affaire qui l'occupait et fut alors sûre d'avoir découvert par où était passé le cambrioleur. Il était monté par le treillis de devant, avait traversé le toit et était redescendu par l'ouvrage de ferronnerie de la terrasse arrière. Après avoir descendu le climatiseur, il était alors entré dans la maison et s'était emparé des trois tirages sur le mur et de tout ce qui pouvait encore avoir disparu. Enfin il était tout simplement ressorti par la porte d'entrée avec son butin et avait laissé la porte légèrement entrouverte derrière lui.

Il y avait là du génie, mais aussi de la *naïveté*[1]. Tous les aspects de cette affaire disaient à Ballard qu'il l'avait menée sous le couvert des ténèbres. Ce qui voulait dire que le cambriolage s'était produit la nuit ayant suivi la découverte de la morte. Quelqu'un avait donc fait vite en sachant très probablement que c'était là que se trouvaient ces œuvres d'art, en en connaissant la valeur… et en ayant appris la mort de leur propriétaire.

Ballard décrivit un cercle pour bien observer le voisinage immédiat de l'édifice. Elle savait que Los Angeles est une ville de caméras de surveillance. Les trouver était toujours la priorité du protocole d'enquête. C'était maintenant les vidéos qu'on recherchait, avant même les témoins possibles. Les caméras ni ne mentent ni ne se trompent.

Hollywood Boulevard serpente sur la crête de la colline. La maison se trouvait dans un virage sec après une courbe aveugle. Dans cette dernière, Ballard repéra une demeure équipée d'une caméra ostensiblement pointée sur un escalier latéral descendant

1. En français dans le texte.

jusqu'à un palier au-dessous du niveau de la rue. Mais elle savait que selon son inclinaison, il y avait une chance que ce qu'on y voyait inclue le toit sur lequel elle se tenait.

La voiture des empreintes arriva au moment où elle redescendait, Dillon lui sécurisant toujours aussi fermement son échelle. Elle commença par faire faire le tour de l'édifice et de la terrasse au technicien et, comme endroit où il pouvait y avoir des empreintes, elle lui montra le mur où avaient été accrochés les trois Warhol et le climatiseur laissé sur la terrasse de derrière. Puis elle repassa devant et lui présenta Dillon pour qu'il lui prenne les siennes afin de l'exclure de la liste des suspects. Enfin elle remercia Dillon pour le temps qu'il lui avait donné et l'échelle qu'il lui avait prêtée, et l'informa qu'il était libre de s'en aller dès après qu'on lui aurait pris ses empreintes.

— Vous êtes sûre que je ne vais pas pouvoir nettoyer la baraque cette nuit? lui demanda-t-il. Je peux attendre jusque-là.

— Non, ce ne sera pas possible. Mme Clark va devoir tout vérifier avec quelqu'un des services de jour des Cambriolages. On ne peut pas nettoyer quoi que ce soit avant.

— Bon, OK. Ça valait le coup d'essayer.

— Désolée.

— Pas de souci. Servez-vous bien de mes cartes!

Il lui fit un petit signe de la main et regagna l'arrière de son camion pour le refermer. Ballard descendit la rue dans la direction de la caméra qu'elle avait aperçue. Dix minutes plus tard, elle parlait au propriétaire de la maison de l'autre côté du virage et regardait par-dessus son épaule l'enregistrement vidéo de la caméra positionnée sur le côté de son domicile. On y découvrait tout le toit de l'édifice cambriolé, mais la capture était numériquement des plus troubles.

— Démarrons à minuit, dit-elle.

CHAPITRE 17

Ballard avait sorti son badge et le tenait devant elle lorsque la porte s'était ouverte. L'homme qu'elle avait découvert avait l'air inquiet, mais pas surpris. Il était en survêtement et avait glissé une main dans la poche avant de son sweat sans manches. Elle avait tout de suite vu que c'était un type du genre « on vit mieux grâce à la science ». Il avait de gros bras, les veines du cou très prononcées et le regard dur de l'amateur de gonflette. Ses cheveux bruns étaient ramenés en arrière et ses yeux d'un vert vitreux. Plus petit qu'elle, mais il devait faire deux fois son poids.

— Monsieur Bechtel ? Theodore Bechtel ?

— C'est ça, Ted.

— Inspecteur Ballard du LAPD. J'aimerais vous poser quelques questions. Puis-je entrer ?

Bechtel ne répondit pas, mais recula pour lui laisser de la place. Elle entra en se tournant légèrement de côté pour passer devant lui sans jamais le lâcher des yeux. À ce moment-là, pour elle, c'était un cambrioleur, et elle ne voulait pas lui donner l'occasion d'y ajouter le qualificatif d'agresseur ou d'assassin.

Il tendit le bras pour refermer la porte derrière elle. Elle l'arrêta.

— Si ça ne vous gêne pas, je préférerais qu'elle reste ouverte. J'ai des collègues qui vont venir.

— Euh, ben… d'accord.

Une fois dans l'entrée circulaire, elle le regarda et attendit qu'il lui dise où aller, mais il se contenta de la dévisager.

— Vous venez pour les Warhol, c'est ça? demanda-t-il.

Elle ne s'attendait pas à cette question. Elle hésita, puis formula sa réponse :

— Êtes-vous en train de me dire que vous les avez?

— Oui, répondit-il. Ils sont dans mon bureau. Bien au chaud et en sûreté.

Et de hocher la tête comme pour lui confirmer que le boulot avait été bien fait.

— Vous pouvez me montrer?

— Naturellement. Si vous voulez bien me suivre…

Il lui fit descendre un petit couloir conduisant à un bureau. Et tiens donc, les trois tirages des lèvres rouges étaient effectivement appuyés contre le mur. Bechtel écarta les mains comme pour les lui présenter.

— Je pense que ce sont celles de Marilyn Monroe, dit-il.

— Pardon?

— Les lèvres… Warhol s'est servi de celles de Marilyn. Je l'ai lu sur le Net.

— Monsieur Bechtel, j'ai besoin que vous m'expliquiez pourquoi ces tableaux sont chez vous et pas sur le mur de la maison d'en face.

— Parce que je les ai pris par mesure de sécurité.

— « Par mesure de sécurité », répéta-t-elle. Mais qui vous avait demandé de le faire?

— Eh bien mais… personne. Je savais juste qu'il fallait que quelqu'un le fasse.

— Et pourquoi?

— Parce que tout le monde savait qu'elle les avait chez elle et que quelqu'un allait donc les voler.

— Et c'est donc vous qui les avez volés le premier?

— Non, moi, je ne les ai pas volés, et je vous l'ai déjà dit. Je les ai apportés ici pour qu'ils soient en sécurité. Pour qu'ils reviennent à l'héritière légale. C'est tout. J'ai entendu dire que la défunte avait une nièce à New York qui héritera de tout.

— C'est l'histoire à laquelle vous voulez vous en tenir? Qu'il s'agirait d'une espèce d'acte de gentillesse entre voisins?

— C'est bien ce qui s'est passé.

Ballard s'écarta de lui et fit l'inventaire de tout ce qu'elle savait en termes de témoins et de preuves à conviction.

— Comment gagnez-vous votre vie, monsieur Bechtel? reprit-elle.

— Je travaille dans la nutrition. Je vends des compléments alimentaires. J'ai un magasin dans les flats[1].

— Êtes-vous propriétaire de cette maison?

— Non, je la loue.

— Depuis combien de temps?

— Trois mois. Non, quatre.

— Jusqu'à quel point connaissiez-vous votre voisine d'en face?

— Je ne la connaissais pas. Enfin... pas vraiment. Juste assez pour lui dire bonjour, vous voyez le genre.

— Je crois que le moment est venu de vous faire connaître vos droits constitutionnels.

— Quoi?! Vous allez m'arrêter?

Il avait l'air authentiquement surpris.

— Monsieur Bechtel, vous avez le droit de garder le silence. Tout ce que vous direz pourra être utilisé contre vous dans une cour de justice. Vous avez droit à un avocat pour vous représenter. Si vous ne pouvez pas vous payer un avocat, la cour vous en fournira un. Comprenez-vous bien ces droits tels que je viens de vous les expliquer?

1. Quartier résidentiel de Los Angeles situé sur un haut plateau.

— Non, je ne comprends pas. Je faisais seulement œuvre de bon voisinage.

— Comprenez-vous vos droits tels que je viens de vous les réciter ?

— Ben oui, merde, que je les comprends ! Mais ce n'est absolument pas nécessaire. J'ai une affaire et je n'ai pas...

— Asseyez-vous sur cette chaise, s'il vous plaît, dit-elle, en lui en montrant une contre le mur jusqu'à ce qu'il s'exécute à contrecœur.

— Voilà qui est merveilleux ! s'écria-t-il. Essayez de faire quelque chose de bien et on vous emmerde !

Ballard sortit son téléphone et appela le bureau de veille en numérotation rapide. Avant de frapper à la porte de Bechtel, elle avait demandé des renforts parce que Felsen et Torborg avaient été envoyés s'occuper d'un autre appel pendant qu'elle regardait les vidéos plus bas dans la rue. Et maintenant, elle se retrouvait dans une situation où elle devait procéder à une arrestation sans personne pour l'épauler. On ne lui répondit qu'à la sixième sonnerie. Elle recula de quelques pas mine de rien, de façon à avoir plus de temps pour réagir si jamais Bechtel décidait qu'il n'avait aucune envie de se faire arrêter.

Pour finir, une voix qu'elle ne reconnut pas lui répondit :

— Ici six-William-vingt-cinq, lança-t-elle, où sont mes renforts ?

— Euh... Je vois rien au tableau. Vous êtes sûre d'en avoir demandé ?

— Oui, il y a un quart d'heure ! Envoyez-les-moi. Tout de suite. Sans le moindre délai. Et laissez la ligne ouverte.

Elle aboya l'adresse, puis se reconcentra sur Bechtel. Elle éclaircirait l'histoire des renforts passés à la trappe plus tard.

Bechtel s'était assis, les deux mains enfouies dans la poche de son sweat.

— Sortez les mains de votre vêtement, que je puisse les voir, lui ordonna-t-elle.

Il lui obéit, mais hocha la tête comme si tout cela n'était qu'un malentendu.

— Vous allez vraiment m'arrêter ? insista-t-il.

— Vous voulez bien m'expliquer pourquoi vous êtes monté sur le toit de la maison d'en face pour y entrer illégalement par la terrasse de derrière et vous emparer de trois œuvres d'art qui valent plusieurs centaines de milliers de dollars ?

Il garda le silence. Il avait l'air surpris d'entendre tout ce qu'elle savait.

— Eh oui, on en a des vidéos, dit-elle.

— Il fallait bien que j'entre d'une façon ou d'une autre ! s'écria-t-il. Sans ça, quelqu'un d'autre l'aurait fait à ma place et y aurait plus de tableaux.

— Il s'agit de tirages, en fait.

— Peu importe. Je ne les ai pas volés.

— Avez-vous pris autre chose ?

— Non, pourquoi j'aurais fait ça ? C'était juste les tableaux que je voulais sauver. Les tirages, je veux dire.

Elle devait décider ou de le menotter pour écarter tout danger ou d'attendre les renforts qui n'arriveraient peut-être que dans un nouveau quart d'heure. Cela faisait longtemps à attendre avec un suspect pas encore totalement maîtrisé.

— Ce sera au bureau du district attorney de décider si oui ou non, il y a eu crime. Mais moi, je vais vous arrêter. Pour l'instant, je veux…

— Tu parles d'une connerie !

— … que vous vous leviez de votre chaise et que vous vous tourniez face au mur. Après, vous allez vous mettre à genoux sur le plancher et croiser les doigts sur la nuque.

Bechtel se leva, mais en resta là.

— Mettez-vous à genoux, monsieur.

— Il n'en est pas question. Je n'ai rien fait.

— Vous êtes en état d'arrestation, monsieur. Mettez-vous à genoux et croisez-les…

Elle ne finit pas sa phrase. Bechtel avançait vers elle. Il était clair comme du cristal que si elle sortait son arme, elle devrait s'en servir et que cela sonnerait très vraisemblablement la fin de sa carrière, aussi justifié son tir fût-il.

Ce qui n'était pas clair était la question de savoir si Bechtel avançait sur elle ou essayait simplement de passer devant elle pour quitter la pièce.

Il donnait l'impression de se diriger vers la porte lorsqu'il fit brusquement demi-tour vers elle. Elle essaya de retourner contre lui l'avantage de poids et de muscles qu'il avait sur elle.

Il avançait encore lorsqu'elle lui décocha un coup de pied droit dans les parties et recula de deux pas sur le côté tandis qu'il se pliait en deux et vacillait vers l'avant en poussant un fort grognement. Alors elle lui attrapa les poignet et coude droits, lui poussa le poignet vers le bas et lui remonta le coude en le faisant pivoter par-dessus sa jambe. Bechtel dégringolant face contre terre et les genoux en avant, elle lui planta ses cinquante kilos dans le creux du dos.

— On ne bouge plus, nom de Dieu! cria-t-elle.

Mais il le fit. Il gronda comme un monstre et tenta de se relever en faisant une pompe sur le sol. Elle lui flanqua un coup de genou dans les côtes, il s'effondra de nouveau par terre avec un grand *ououf.* Vite, elle détacha ses menottes de son ceinturon et lui en referma une sur le poignet droit avant qu'il se rende compte de ce qu'elle faisait. Il se débattit pour qu'elle ne lui passe pas l'autre, mais l'effet de levier était pour elle. Elle lui serra les poignets sur la colonne vertébrale et referma la deuxième menotte autour du gauche. Bechtel était enfin maîtrisé.

Elle se releva, épuisée mais grisée d'avoir flanqué par terre cet homme nettement plus fort qu'elle.

— Toi, tu vas en taule direct, espèce de petit con !

— Tout cela n'est qu'une énorme erreur. Allez quoi, c'est vraiment pas bien.

— Ça, faudra le dire au juge. Ils adorent les conneries que leur racontent les mecs dans ton genre.

— Vous le regretterez.

— Crois-moi, c'est déjà le cas. Mais ça ne change rien. Tu vas en prison.

BOSCH

CHAPITRE 18

Bosch et Lourdes avaient passé le reste de la journée à surveiller le docteur Jaime Henriquez pour voir s'il allait finir par soigner le blessé chez lui. Natif de San Fernando, c'était le gamin qui avait réussi et n'avait pas filé ailleurs. Médecin sorti d'UCLA, il aurait pu travailler n'importe où aux États-Unis. Mais il était revenu au pays et dirigeait maintenant un cabinet de généralistes dans Truman Avenue, deux autres praticiens l'aidant à gérer le surplus de malades qu'il drainait. Exemple même de la réussite, il avait grandi dans le barrio et habitait dans les très huppés Huntington Estates, soit dans le quartier le plus agréable et sûr de la ville.

Cela dit, si vu de l'extérieur, Henriquez était la figure même du succès et de la respectabilité, son nom n'en figurait pas moins dans les rapports secrets de l'Antigang du SFPD. Son père et son grand-père avaient l'un et l'autre été des SanFers et, volontaire ou forcée, la fidélité au gang pèse lourd. Le secret de son existence était bel et bien qu'on le soupçonnait de toujours soigner les membres du gang, et Bosch et Lourdes allaient bientôt savoir s'il s'occupait du meurtrier de Martin Perez. C'était le cousin de Lourdes, J-Rod, qui les avait aiguillés sur lui en leur disant que c'était un des trois médecins que l'Antigang avait dans le collimateur. Les deux autres avaient déjà suscité des enquêtes du

Medical Board[1] de Californie et J-Rod pensait que dans ce cas précis – à savoir l'assassinat d'un témoin –, les Sanfers iraient voir leur meilleur rafistoleur, qui vivait une vie apparemment au-dessus de tout soupçon.

L'essentiel de la journée s'était passé à surveiller le cabinet médical des plus actifs où il exerçait. Bosch et Lourdes avaient tous les deux filtré des appels des inspecteurs du shérif Lanmark et Boyce. Et là, en observant le bâtiment et la Mercedes-Benz d'Henriquez garée devant, ils essayaient de trouver où la fuite dans l'enquête avait pu se produire.

Il n'y avait que deux possibilités. Ou bien quelqu'un avait tuyauté les SanFers sur le fait que Martin Perez coopérait avec la police, ou bien c'était Perez lui-même qui s'était trahi en disant un mot de travers devant un parent ou un ami.

Bosch et Lourdes étaient d'avis qu'il s'agissait plus vraisemblablement du premier cas de figure et passaient leur temps à épuiser les possibilités, en écartant certaines et en retenant d'autres.

Bosch avait déjà fait part à Lourdes de ses soupçons sur Tom Yaro, l'inspecteur du LAPD assigné à l'exécution du mandat de perquisition en sa qualité de lien entre les différents services de police, mais elle lui avait fait remarquer qu'il n'en savait pas assez sur l'affaire pour monter le contrat sur Perez. Sans oublier que c'était lui qui les avait avertis que Cortez observait la fouille depuis le parking de la laverie. À ceci près que ç'aurait aussi pu être un avertissement sincère tout autant qu'un plan plus tordu destiné à le faire passer pour un membre de l'équipe pro-Bosch.

— Yaro a été briefé pour la perquisition, mais nous n'avons jamais parlé de nos sources pendant cette séance et le nom de Perez n'était pas cité sur le mandat. Bref, Yaro n'avait aucun

1. Organisme d'État chargé des autorisations d'exercer données aux professionnels de la santé.

nom, aucun lieu… et donc, c'est plus qu'hasardeux, si tu veux mon avis.

Cela fit rouler, et très inconfortablement, la conversation sur le SFPD. Nombre de ses officiers étaient originaires de San Fernando, où il aurait été virtuellement impossible de grandir dans les deux miles carrés de la ville sans connaître un SanFer. Il n'empêche, ces liens travaillaient en général dans le bon sens. Beaucoup d'officiers ajoutaient des infos au fichier de l'Antigang après un petit bavardage avec telle ou telle ancienne connaissance. J-Rod, le cousin de Lourdes, en était un exemple, et elle ne se rappelait pas le moindre incident où un renseignement aurait atterri en face.

Cela parut faire encore plus désagréablement virer la conversation sur Bosch. Quelle mesure avait-il prise qui aurait pu révéler la trahison de Perez aux SanFers ?

Il s'y perdait. Il ne niait pas laisser souvent son portable dans la cellule dont il avait fait son bureau. Mais celle-ci était toujours fermée à clé et le mot de passe de son ordinateur protégé. Il savait que les deux appareils pouvaient être piratés, mais il lui semblait hautement improbable qu'un SanFer se soit lancé dans un pareil cambriolage.

— C'est forcément autre chose, dit-il. Peut-être faut-il revoir le dossier Perez. Qui sait ? Peut-être a-t-il appelé quelqu'un… ou s'est vanté de faire tomber Cortez. Personne n'a jamais dit qu'il était très futé.

— Peut-être, répondit-elle, mais d'un ton qui laissait entendre qu'elle n'était pas convaincue.

Frustrés dans leurs efforts pour comprendre ce qui s'était passé, à tout le moins pour se focaliser sur quelque chose, ils avaient laissé le silence envahir la voiture lorsqu'ils repérèrent un type en train de s'approcher de la Mercedes-Benz d'Henriquez.

— C'est lui ? demanda Bosch.

Lourdes leva son portable où elle avait affiché une photo du permis de conduire d'Henriquez.

— Oui, c'est lui, dit-elle. C'est parti!

Ils suivirent Henriquez vers le nord, jusqu'aux Huntington Estates, où il entra dans un garage près d'une maison à deux étages avec colonnes sur le devant. Ce garage étant d'un seul tenant avec la bâtisse, ils le perdirent de vue dès que le rideau automatique s'abaissa.

— Tu crois que c'est fini? Qu'il ne ressortira pas avant demain matin? demanda Lourdes.

— S'il a bossé sur le tireur ce matin, pour moi, il faut bien qu'il vérifie son état de santé à un moment ou à un autre.

— Sauf s'il est mort.

— C'est vrai.

— Ou s'il est ici, dans cette maison.

— Ça aussi, c'est vrai.

— Et donc on reste?

— Moi, oui. Si tu as des trucs à faire, tu peux descendre plus bas dans la rue et appeler un Uber. Je t'avertirai s'il bouge.

— Non, je ne te laisse pas tout seul ici.

— C'est pas un gros truc. Et en plus, c'est loin d'être du cent pour cent assuré.

— Ce n'est pas ce que fait un coéquipier.

Il hocha la tête.

— OK, dit-il, mais l'un de nous devra quand même prendre un Uber jusqu'à la Route 66, histoire d'acheter à dîner. J'ai pas mangé de toute la journée.

— Pas de problème, lui renvoya-t-elle. Si t'aimes vraiment ces trucs-là…

Il ne tomba pas dans le piège. Ce n'était pas la première fois qu'ils se disputaient aimablement sur la nourriture à consommer pendant une planque.

Ils s'étaient garés à un demi-bloc de la maison du médecin, dans l'allée cochère d'une bâtisse vide en pleins travaux de rénovation. Bosch avait positionné sa vieille Jeep Cherokee devant un pick-up pour transporter du matériel de construction et son vieux carrosse se fondait parfaitement dans le décor. Les vitres étant teintées, du moment qu'ils ne s'éclairaient pas avec les écrans de leurs portables, ni le médecin ni personne du quartier ne pourrait les remarquer.

— Te souviens-tu des Seals and Crofts?... Le groupe musical, reprit-elle.

— Bien sûr. C'était dans les années soixante-dix, non? Ils étaient très connus.

— C'était avant moi, mais j'ai entendu dire qu'ils vivaient ici. Aux Estates.

— Hmm.

Ces petits bavardages se poursuivirent pendant presque deux heures, jusqu'à ce que la question de la nourriture revienne en force. Lourdes n'était pas fascinée par le boui-boui hamburger-hot-dog de Bosch et lui avait depuis longtemps eu son overdose de restaurants mexicains. Ils allaient jouer ça à pile ou face lorsqu'une voiture descendit la rue et éteignit ses phares en se rangeant dans l'allée de chez Henriquez. Il faisait complètement nuit, mais Bosch avait identifié la marque du véhicule alors qu'il longeait le chantier de construction. C'était bien une Chrysler 300 blanche.

— Ça y est, dit-il.

Personne ne descendit de la voiture qui resta là à tourner au point mort, de la fumée s'échappant de son double échappement.

Aucune lumière extérieure ne s'alluma lorsqu'une silhouette sortit de la maison et y monta.

— C'est le médecin? demanda Lourdes.

— Je peux pas dire, mais je parie que oui.

La voiture déboîta du trottoir et passa devant la Jeep de Bosch sans ralentir. Bosch attendit qu'elle ait pris un virage pour démarrer.

Tout le problème était de la suivre hors de ce quartier résidentiel sans se faire repérer. Dès qu'ils seraient dans un environnement commercial, il serait plus facile de se cacher derrière d'autres véhicules. Ils roulèrent jusqu'à San Fernando Road, puis ils prirent vers le nord jusqu'à Sylmar. Arrivée à Roxford Street, la Chrysler tourna à droite et entra dans un quartier classes moyennes, avec maisons de plain-pied au milieu de mille mètres carrés de terrain.

Juste après Herrick Street, la Chrysler tourna à droite dans une allée et se gara. Bosch continua de rouler, Lourdes lui rapportant ce qu'elle voyait.

— Plusieurs types, dit-elle. Ils attendaient la voiture et ont fait entrer le médecin tout de suite.

— Ça a dû mal tourner.

— Bon, qu'est-ce qu'on fait?

— Pour l'instant, on attend.

— On attend quoi? C'est à L.A. qu'on est. On pourrait appeler le SWAT[1] du LAPD et tous les cueillir.

— C'est ce qu'on va faire. Mais commençons par attendre qu'ils fassent ressortir le toubib. Maintenant qu'on a de quoi prouver qu'il travaille pour la SanFer, je me dis que ton cousin pourrait essayer de le retourner et le tenir à la gorge jusqu'à la fin de ses jours.

Elle hocha la tête. Le plan était bon. Henriquez serait plus que vraisemblablement prêt à échanger des informations avec l'Antigang pour éviter l'humiliation d'être montré pour ce qu'il était : un médecin de gang.

1. Équivalent américain de notre GIGN.

— Sauf qu'on ne sait toujours pas qui a donné Perez, reprit-elle. Ça pourrait rendre tout ça très dangereux pour le bon docteur si lui aussi devenait informateur.

Bosch acquiesça.

— Va falloir continuer à travailler la question, conclut-il. Mais dès qu'on saura qui était le tireur, tout ça pourrait devenir plus clair.

CHAPITRE 19

En entrant chez lui, Bosch découvrit la valise d'Elizabeth posée derrière la porte. En fait, c'était la sienne, mais il la lui avait apportée le dernier jour de sa cure de désintoxication afin qu'elle puisse y ranger ses maigres biens personnels. Il y restait encore de la place pour ce qu'ils avaient décidé d'acheter plus tard.

Par les baies vitrées à l'arrière il la vit allongée dans une des chaises longues de la terrasse. Il l'observa un moment en pensant qu'elle ne l'avait pas entendu entrer. Elle ne lisait pas et n'écoutait pas de musique. Elle ne consultait pas non plus son téléphone portable. Elle ne faisait que regarder le bas du col et le mouvement incessant des véhicules sur l'autoroute tel du sang dans les veines de la ville. C'était là une des caractéristiques d'une vue qui ne cessait de changer, mais restait toujours la même. Depuis quelques années, le seul ajout qui y avait été apporté était les feux d'artifice qu'on tirait lors des excursions Harry Potter dans les Studios Universal.

Il traversa la salle de séjour, ouvrit une des baies vitrées et sortit.

— Hé! dit-il.

— Bonjour, lui renvoya-t-elle.

Elle sourit. Il traversa la terrasse et s'adossa à la rambarde pour la regarder.

— Vous boitez, dit-elle.

— Oui. Va sans doute falloir que j'aille voir le docteur Zhang.

L'année précédente l'avait vu faire la connaissance d'Elizabeth alors qu'il travaillait sur une affaire en infiltration. Avec canne et boitillement, il avait adopté le look accro aux opioïdes qui écume les pharmacies douteuses pour s'y faire exécuter des ordonnances[1]. L'ironie de l'affaire était qu'au cours d'une bagarre à bord d'un avion avec quelqu'un qu'il soupçonnait de meurtre, il s'était étiré un ligament d'un genou déjà atteint d'arthrite et devait maintenant aller voir tous les mois un certain Zhang, une acuponctrice qu'il avait croisée bien des années auparavant lors d'une autre affaire.

— Je l'appellerai dans la matinée, dit-il.

Il attendit qu'elle dise autre chose, mais rien ne vint.

— J'ai vu la valise, reprit-il.

— Oui, j'ai pris mes affaires. Je vais m'en aller. Mais je ne voulais pas le faire sans vous le dire en face. Ça ne me semblait pas bien après tout ce que vous avez fait pour moi.

— Où partez-vous ?

— Je ne sais pas.

— Elizabeth…

— Je trouverai.

— Un endroit, vous en avez un ici.

— Votre fille ne vient plus vous voir à cause de moi. Ce n'est pas juste ni pour elle ni pour vous.

— Ça changera. Et puis, je vais la voir, moi.

— Et c'est à peine si elle vous parle, maintenant. C'est vous qui me l'avez dit. Elle ne vous envoie même plus de textos.

1. Voir *Une vérité à deux visages* parue dans cette même collection.

Il savait qu'il ne pourrait pas l'emporter parce qu'elle avait raison.

— On approche de la conclusion de l'affaire, dit-il. L'inspectrice dont je vous ai parlé… Elle y va à fond. Donnez-nous juste encore un peu de temps. On a repéré un suspect possible rien qu'hier soir.

— Et ça change quoi? lui renvoya-t-elle. Ça ne change rien. Ça fait neuf ans que Daisy est morte.

— Tout ce que je peux vous dire, c'est que c'est important. Que ça compte. Vous le verrez quand on aura coincé ce type.

Il attendit, mais elle ne répondit pas.

— Je suis désolé d'arriver si tard, reprit-il. Avez-vous mangé quelque chose?

— Oui, j'ai préparé un plat, répondit-elle. Je vous l'ai mis au frigo.

— Je crois que je vais juste aller me coucher. Je suis fatigué et j'ai mal au genou. Et demain, je me lève tôt pour descendre à la division et voir Ballard avant qu'elle rentre chez elle.

— OK.

— Allez-vous rester au moins ce soir? Il est trop tard pour partir sans un plan d'action. On pourra en reparler demain.

Elle ne répondit pas.

— Je vais remettre la valise dans votre chambre.

Bosch se retourna un instant vers la vue, juste au moment où une seule et unique fusée avec une traîne de lumière verte décrivait un arc au-dessus des Studios Universal. Elle explosa avec un bruit mou, rien à voir avec les tirs de mortier qu'il avait entendus dans une vie antérieure.

Il se dirigea vers la porte coulissante.

— Un jour, Daisy m'a envoyé une carte postale d'Universal, reprit Elizabeth. C'était avant qu'ils aient Harry Potter. Ils avaient encore le truc des *Dents de la mer*. La carte montrait un requin, je m'en souviens. C'est comme ça que j'ai compris qu'elle était à Los Angeles.

Il hocha la tête.

— Tout à l'heure, quand j'étais assise ici, je me suis rappelé une blague qu'elle m'avait racontée quand elle était petite. Elle l'avait entendue à l'école. Vous voulez que je vous la raconte, Harry ?

— Bien sûr.

— Vous savez ce qui se passe quand on mange trop de soupe au vermicelle ?

— Non, quoi ?

— Le ver est mis en selle.

Elle sourit à cette chute. Bosch sourit lui aussi, même s'il était certain que sa propre fille lui avait déjà raconté cette blague. La douleur d'Elizabeth ne l'en frappa que plus fort.

Telle était la manière dont il avait appris de plus en plus de choses sur Daisy. Elizabeth souffrait et se souvenait, puis elle partageait des anecdotes, toutes d'avant le jour où la jeune fille avait fugué. Elle lui avait ainsi raconté comment la tortue en peluche qu'elle avait gagnée à une partie de skee-ball dans une foire était devenue son bien le plus précieux jusqu'à ce que les coutures lâchent. Elle lui avait encore raconté comme Daisy avait sauté de flaque en flaque dans ses bottes en caoutchouc en traversant un verger de pacaniers inondé près de chez elles.

Il y avait aussi des histoires tristes. Elle lui avait parlé de son meilleur ami qui était parti et l'avait laissée seule. Elle lui avait dit Daisy grandissant sans père. Les brutalités dans la cour de l'école, et la drogue. Bonnes ou mauvaises, ces histoires le rapprochaient toujours plus de cette mère et de sa fille, faisaient que Daisy devenait plus importante que sa seule mort et nourrissait le feu qui l'aidait à poursuivre son enquête.

Il resta à la porte un instant, puis se contenta de hocher la tête.

— Bonne nuit, Elizabeth, dit-il. On se voit demain.

— Bonne nuit, Harry.

Il partit en remarquant qu'elle n'avait pas dit qu'elle le verrait le lendemain matin. Il s'arrêta à la cuisine, mais seulement pour mettre de la glace dans un sac Ziploc pour son genou. Il rangea la valise dans la pièce qu'elle utilisait, puis il gagna sa propre chambre, ferma la porte, se déshabilla et se doucha longuement jusqu'à ce qu'il n'y ait plus d'eau chaude. Après, il enfila un caleçon à carreaux bleus et un tee-shirt blanc et sortit un pansement de l'armoire à pharmacie pour maintenir la poche de glace en place autour de son genou.

Il mit son portable à charger et le réveil à 4 heures du matin, de façon à pouvoir descendre au commissariat et y trier des fiches quelques heures avec Ballard avant la fin de son service. Enfin il éteignit la lumière, monta précautionneusement dans son lit, s'allongea sur le dos et glissa un oreiller sous sa tête et l'autre sous son genou afin que la légère pression ainsi créée dans son articulation réduise un peu la douleur sourde qu'il éprouvait.

Il n'empêche, la glace n'était pas agréable et le tint éveillé jusqu'à ce qu'enfin il se dise que la douleur devait s'être assez engourdie pour qu'il puisse dormir. Alors, il défit son pansement et jeta la poche de glace dans un seau à champagne vide qu'il avait posé à côté de son lit au cas où elle aurait fui.

Il s'était vite endormi et ronflait légèrement lorsque le bruit de la porte de sa chambre qui s'ouvrait le réveilla. Il se tendit un instant, mais là, dans l'encadrement de la porte, il aperçut une silhouette féminine rehaussée par une lumière oblique venant du fond du couloir. Elizabeth. Et elle était nue. Elle s'approcha du lit, se glissa sous le drap et le chevaucha. Se pencha et l'embrassa fort sur la bouche avant qu'il puisse dire quoi que ce soit, avant qu'il puisse même seulement lui rappeler qu'il était vieux et pourrait bien ne pas se montrer à la hauteur, sans parler de ce qu'il y avait d'inconvenant à avoir une relation avec la mère de la fille sur la mort de laquelle il enquêtait.

Elle garda sa bouche plaquée sur la sienne et se mit à bouger doucement les hanches. Il sentit la chaleur de son corps contre le sien et réagit. Vite, elle tendit la main pour lui ôter son caleçon. Bosch n'avait plus le genou engourdi, mais s'il y avait de la douleur, il ne la sentait pas. Elizabeth faisait tous les mouvements qu'il fallait et finit par le guider en elle. Son bassin continuant de tenir une cadence régulière, elle lui posa les mains sur les épaules et se redressa. Le drap tomba de côté. Bosch la regarda dans la faible lumière. Elle avait rejeté la tête en arrière et donnait l'impression de regarder le plafond. Elle ne disait rien. Ses seins oscillaient au-dessus de lui. Il posa les mains sur ses hanches pour accorder son rythme au sien.

Ni l'un ni l'autre, ils ne parlaient, ni l'un ni l'autre ils ne faisaient de bruit, sauf à exhaler fort. Puis il la sentit vibrer, puis vite et désespérément il tendit les bras, l'attira contre lui et l'enlaça, son propre corps suscitant enfin l'instant qui, peurs et tristesses, chasse tous les autres pour ne plus être que joie pure. Espoir. Parfois même amour.

Ni l'un ni l'autre, ils ne bougèrent, comme si tous les deux pensaient que ce rêve fragile pouvait se briser sur un simple clignement d'yeux. Puis elle enfonça encore plus fort son visage dans son cou et lui embrassa l'épaule. Ils avaient établi des limites. Il lui avait dit qu'il n'était pas dans ses intentions de l'inviter chez lui pour toujours, et elle lui avait répondu que jamais on n'en viendrait là parce qu'elle avait perdu ce qu'il faut pour être en mesure de se lier à quiconque.

Sauf qu'ils en étaient bien là, à présent. Il se demanda si ce n'était pas la façon qu'elle avait trouvée de lui dire adieu. Si elle allait effectivement partir le lendemain.

Il lui posa la main dans le dos et descendit lentement, telle une chenille, le pouce et l'index le long de la colonne. Et crut capter un petit rire étouffé. Si c'en était bien un, c'était la première fois qu'il l'entendait.

— Je ne veux pas que tu t'en ailles, murmura-t-il. Même si ceci ne se reproduit pas. Même si c'était une erreur. Je ne veux pas que tu t'en ailles. Pas encore.

Elle se redressa et le regarda dans la pénombre. Il vit un léger scintillement dans ses yeux noirs. Sentit ses seins sur sa poitrine. Elle l'embrassa. Et ce baiser ne fut pas celui, long et passionné, avec lequel elle avait commencé. Ce fut un petit baiser sur ses lèvres, puis elle descendit du lit.

— C'est un seau à champagne ? lui demanda-t-elle. Tu savais que j'allais venir ?

— Non, répondit-il vite. Enfin oui… C'est un seau à champagne, mais c'était pour la poche de glace pour mon genou.

— Oh, dit-elle.

— Tu ne veux pas rester avec moi cette nuit ?

— Non, j'aime bien mon lit. Bonne nuit, Harry.

Et elle regagna la porte.

— Bonne nuit, murmura-t-il.

Elle ferma derrière elle, il regarda longtemps la porte dans le noir.

BALLARD

Il était 1 heure du matin, et déjà tard dans son service, lorsque Ballard termina la paperasse sur l'arrestation et l'incarcération d'un Theodore Bechtel soupçonné de cambriolage et de vol aggravé. Après qu'on l'eut enfermé seul dans une cellule du commissariat, elle traversa le parking, gagna les réserves et y prit un nouveau carton de fiches. De retour à la salle des inspecteurs, elle s'installa dans un coin au fond et se remit vite à fouiller dans les rapports jadis écrits sur ceux que Tim Farmer avait qualifiés d'« amarantes humaines » nuit après nuit à la dérive dans les rues d'Hollywood.

Au bout d'une heure, elle avait mis six fiches de côté pour suivi et supplément d'analyse. Plusieurs centaines ne s'étaient pas qualifiées. Sa progression fut alors ralentie lorsqu'elle tomba sur une autre fiche rédigée par Farmer. Ses mots et observations la retenaient une fois encore.

Ce gamin ne connaît rien de mieux que la rue. Si on lui offrait un studio avec cuisine équipée, il s'installerait dans la penderie et dormirait par terre. Il est des gens de la pluie.

Elle se demanda ce qu'étaient ces « gens de la pluie » de Tim Farmer. Des individus incapables de s'adapter à la société ? Des gens qui ont besoin de la pluie ?

Sa radio crachouilla et le lieutenant Munroe lui demanda de revenir au bureau de veille. Elle prit le chemin le plus long, par le couloir de derrière. Cela lui permit de voir qui était encore là, et de se faire une idée de ce qui se tramait avant d'aller parler avec lui.

Mais, comme presque toutes les nuits, le commissariat était vide. Assis à son bureau, Munroe regardait l'écran de déploiement où l'on pouvait suivre les mouvements des voitures et du personnel sur le terrain. Il ne releva pas la tête, mais sut qu'elle était entrée.

— Ballard, dit-il, on a un coup dur et j'ai besoin que vous alliez diriger les opérations.

— De quoi s'agit-il ?

— Une femme vient d'appeler pour dire qu'elle s'est enfermée à clé dans la salle de bains d'une maison de Mount Olympus. Elle dit avoir été violée et avoir réussi à s'enfuir avec son portable. À l'entendre, le type serait encore là et essaierait de défoncer la porte. J'ai envoyé deux voitures avec un sergent. Ils débarquent et devinez un peu sur qui ils tombent… Ce putain de Danny Monahan ! Bref, c'est du « il-a-dit/elle-a-dit » et je veux que vous me régliez ça.

— La femme a-t-elle été transportée au centre d'aide aux victimes de viol ?

— Non, elle est toujours dans la maison. Elle a profité de ce qu'elle était dans la salle de bains pour prendre une douche.

— Merde ! Elle aurait dû être transportée au centre.

— Ils ne savent pas trop si c'est vraiment une victime. Allez-y et voyez ce qu'il en est. C'est tout à fait votre rayon, non ?

— Et ça voudrait dire… ?

— Tout ce que vous voudrez que ça veuille dire. Allez-y, c'est tout. Et n'oubliez pas votre radio.

Il lui tendit un bout de papier par-dessus son écran. Y étaient portés l'adresse, le nom et l'âge de la personne qui avait signalé l'incident : Chloe Lambert, vingt-deux ans.

Moins de cinq minutes plus tard, Ballard reprenait le chemin des collines dans sa voiture de fonction. Elle détestait les affaires impliquant des célébrités. Pour elles, tout était différent et la vie n'avait rien de normal. Comédien de stand-up, Danny Monahan avait percé, et sérieusement, il y avait cinq ans avec des podcasts et des séries du câble et jouait maintenant dans des films qui rapportaient régulièrement plus de cent millions de dollars au box-office. Il représentait donc une terrible menace et serait difficile à contrer à Hollywood. Qu'il réside dans un coin des Hollywood Hills qui a pour nom Mount Olympus semblait approprié.

Ballard mit les gyrophares bleus et enfila Sunset Boulevard jusqu'à Crescent Heights, où elle prit à droite vers Laurel Canyon. Le secteur de Mount Olympus s'étend sur le bord droit du canyon, ses grandes demeures surplombant les lumières de la ville plus bas dans les flats. Ballard se gara dans une allée d'Electra Drive, derrière une des voitures de la patrouille.

Ce fut le sergent Dvorek qui l'accueillit.

— Y aura pas besoin d'une combinaison spatiale ce soir, Sally Ride, lui lança-t-il.

— Parfait, lui renvoya-t-elle, mais j'aurai besoin de quoi ?

— De toute la sagesse de Salomon, je dirais. Elle dit que c'est un escaladeur de culs et lui affirme qu'elle lui prépare un petit piège à la MeToo.

— Mais Stan, pourquoi ne l'as-tu pas emmenée au centre d'aide aux victimes de viol ?

Il leva les mains en l'air comme pour la calmer.

— Minute, minute. Je n'ai pas voulu prendre cette décision parce que si elle s'y fait effectivement transporter, il aura un numéro de dossier et le mec et sa carrière finiront aux chiottes.

Ce parti pris pro-mecs ne l'étonna pas. Mais ce n'était pas le moment de lui demander de s'expliquer.

— Bon alors, où sont-ils ? demanda-t-elle.

— J'ai Monahan assis content comme pas un dans le bureau, et la fille…

— « La fille » ?

— Oui, bon, la femme, comme tu voudras… Elle est dans la salle de projection de l'autre côté de la baraque. Personne n'a touché à rien dans la chambre ni parlé au suspect.

— Bon, vous avez fait ça comme il faut. Je vais commencer par interroger la femme. Montre-moi le chemin.

Il la fit entrer dans une énorme chose qui ressemblait à un assemblage de bâtiments ronds de tailles variées, celui du milieu étant le plus haut. L'entrée faisait au moins deux étages.

— Par ici, reprit Dvorek.

Ils traversèrent un gigantesque espace de détente avec une petite scène et un micro dans un coin où, Ballard le pensa, Monahan devait répéter ses numéros ou donner des spectacles à des parents et invités. Ils passèrent ensuite dans un couloir conduisant à une porte ouverte devant laquelle une flic en tenue du nom de Gina Gardner montait la garde.

— Salut GG, lui lança Ballard.

Puis elle entra dans une salle équipée d'un grand écran protégé par un rideau. Quatre rangées de luxueux fauteuils en cuir, soit douze en tout, remontaient vers le fond de la pièce. Des affiches de films de Monahan, et dans plusieurs langues, ornaient les murs.

Assise au bord d'une des chaises longues se trouvait une jeune femme habillée d'un peignoir d'homme. Blonde, elle avait de grands yeux de biche. Ses joues étaient maculées de maquillage qui lui avait coulé sur les joues avec ses larmes.

Dvorek la présenta à Ballard, puis se retira dans le couloir avec Gardner. Ballard tendit la main à la jeune femme.

— Chloe, dit-elle. Je suis l'inspectrice Ballard. Je suis venue vous écouter et m'assurer que vous ayez accès à tous les soins médicaux dont vous pourriez avoir besoin.

— Je veux juste rentrer chez moi, mais ils me laissent pas passer. Il est toujours là et j'ai peur.

— Vous êtes maintenant en parfaite sécurité. Il y a six officiers de police dans la maison et il est retenu dans une pièce de l'autre côté. Je veux juste avoir quelques renseignements avant de vous emmener vous faire examiner et soigner. Je vais enregistrer votre déclaration.

— D'accord.

Ballard s'assit sur le siège voisin et posa entre elles le petit enregistreur numérique qu'elle avait toujours sur elle. Dès l'enregistrement lancé, elle s'identifia ainsi que la victime et précisa les heure, date et lieu de l'interrogatoire.

— Chloe, depuis combien de temps connaissez-vous Danny Monahan?

— C'est ce soir que j'ai fait sa connaissance.

— À quel endroit?

— À la Comedy Room. J'y étais allée avec mon amie Aisha et il y était. Il a fait son numéro de stand-up et je l'ai rencontré au bar à l'arrière. C'est là qu'il m'a invitée à venir ici.

— Aisha aussi?

— Non, seulement moi.

— Êtes-vous venue ici avec votre voiture?

— Non, j'avais pris un Uber. Pour aller à la Comedy Room, je veux dire. C'est lui qui m'a amenée ici dans la sienne.

— De quel genre de véhicule parlons-nous?

— D'une Maserati, mais je sais pas le modèle.

— Pas de problème. Vous êtes donc venue ici parce qu'il vous avait invitée. Il ne vous y a pas forcée.

— Non, j'ai même baisé avec lui et je le voulais. Mais plus tard, il… Ah mon Dieu que c'est gênant…

Elle se remit à pleurer.

— Ne vous inquiétez pas, Chloe. Rien de ce qui est arrivé n'est votre faute. Vous n'avez pas à être gênée de quoi que ce soit. Vous n'êtes pas…

— Il m'a roulée sur le ventre et baisée dans le cul. Je lui ai dit d'arrêter, mais il n'a pas voulu. J'ai dit non, non… Je l'ai dit plusieurs fois, mais il voulait pas arrêter.

Elle avait dit tout cela sur un rythme saccadé, comme si c'était la seule fois qu'elle pourrait en parler.

— Êtes-vous blessée, Chloe?

— Oui, je saigne.

— OK, il faut que je vous pose cette question et je m'en excuse par avance : avez-vous déjà eu des relations anales avant ce qui vous est arrivé avec Danny Monahan?

— Non, jamais. Je trouve ça dégoûtant.

— D'accord, Chloe, ce sera tout pour l'instant. Je vais vous faire conduire à un centre de soins, où ils chercheront les preuves de ce que vous avancez et soigneront vos blessures. Ils seront aussi tout à fait capables de vous conseiller et de vous dire les mesures à prendre à partir de maintenant.

— Je veux juste rentrer chez moi.

— Je sais, mais c'est une étape nécessaire de l'enquête. Il faut le faire. D'accord?

— Bon, d'accord, je…

— OK, attendez ici. L'officier Gardner va monter la garde devant cette porte et je reviens tout de suite.

Lorsque Ballard ressortit de la pièce, Dvorek avait disparu. Gardner lui faisant un signe de tête, les deux femmes regagnèrent l'entrée pour pouvoir parler sans que Chloe les entende.

Gardner avait dix ans de police derrière elle, tous donnés à la division d'Hollywood. Elle était petite et portait ses cheveux noirs noués en chignon.

— Elle a son portable, lui dit Gardner. Je l'ai entendue passer un appel en chuchotant.

— Oui, et… ?

— Juste pour que vous le sachiez… Je l'ai entendue dire : « Ce mec va payer. Je vais être riche. »

Ballard lui montra le micro de corps fixé à sa tenue.

— Vous croyez que ça l'a enregistré ?

— Je ne sais pas… Peut-être.

— Assurez-vous que j'aie la vidéo avant la fin de mon service. Et je veux un rapport. Autre chose ?

— Non, c'est tout.

— Merci.

— Pas de problème.

Ballard retrouva Dvorek à la salle de détente et lui demanda de la conduire à la chambre.

Celle-ci était grande et ronde, avec un lit rond et une glace ronde au plafond. Ballard garda les mains dans les poches pour se pencher au-dessus du lit et regarder les draps et les oreillers. Elle n'y vit aucune trace de sang, ni quoi que ce soit d'autre pouvant constituer un élément de preuve à charge. Elle passa dans la salle de bains équipée d'un grand Jacuzzi rond au milieu. Elle examina une vaste cabine de douche au carrelage blanc et là non plus, elle ne vit ni sang ni aucun autre élément de preuve à charge. Mais dans une corbeille à côté des toilettes, elle découvrit un tas de mouchoirs tachés de sang.

— OK, dit-elle, il va falloir appeler une unité de terrain pour collecter tout ça. Vous pouvez passer l'appel pendant que je m'entretiens avec le suspect ?

— C'est comme si c'était fait, répondit Dvorek. Mais d'abord, je te conduis au monsieur.

Danny Monahan était assis à un bureau qui avait ceci de remarquable aux yeux de Ballard qu'il n'était ni énorme ni rond. Il était vieux et tout couturé, et cela lui dit qu'il avait une valeur sentimentale pour le génie du comique qui s'y tenait.

— Vous avez remarqué le bureau, n'est-ce pas? lui lança-t-il. J'ai été prof il y a longtemps. Peu de gens le savent.

Milieu de la trentaine, bedaine du type qui a réussi, cheveux roux trop longs, trop stylés et coupés pour faire croire qu'on vient de se lever et y a juste passé les doigts : on faisait attention à son look, mais essayait de faire croire le contraire.

Ballard ignora la révélation qu'il venait de lui faire sur son bureau.

— Monsieur Monahan, dit-elle, je suis l'inspecteur Ballard. Vous a-t-on lu vos droits?

— Mes « droits »? Non. Oh allons, c'est de l'extorsion. Elle veut du fric. Elle m'a dit qu'elle allait me saigner à blanc.

Ballard lui montra son enregistreur et l'alluma. Puis elle lui récita ses droits Miranda et lui demanda s'il les comprenait.

— Écoutez, il se peut que j'aie été un peu brutal, mais y a rien eu qu'elle n'ait pas demandé.

— Monsieur Monahan, insista-t-elle, si vous voulez me parler et m'expliquer ce qui s'est passé, vous devez commencer par reconnaître que vous avez compris les droits que je viens de vous réciter. Sinon, nous en avons terminé et vous êtes en état d'arrestation.

— « D'arrestation »? Mais c'est complètement absurde, bordel! Tout a été consensuel.

Ballard marqua une pause avant de reprendre la parole posément et calmement.

— Encore une fois, monsieur Monahan, dit-elle. Comprenez-vous vos droits tels que je viens de vous les expliquer?

— Oui, je les comprends, répondit-il. Là, vous êtes contente?

— Voulez-vous me parler de ce qui s'est passé ici, à votre domicile ?

— Bien sûr que je vais parler parce que tout ça, c'est des conneries. C'est un coup monté... Elle veut du fric, inspecteur. Vous ne le voyez pas ?

Ballard posa l'enregistreur sur l'ancien bureau d'enseignant de Monahan. Et répéta l'heure, le lieu, le nom de Monahan et l'accord qu'il lui avait donné pour faire une déclaration.

— Racontez-moi ce qui s'est passé, reprit-elle. C'est le moment.

Il parla d'un ton prosaïque, comme s'il lui détaillait ce qu'il avait mangé au dîner.

— J'ai fait sa connaissance au club ce soir, je l'ai amenée ici et je l'ai baisée. Voilà ce qui s'est passé et c'est ce que je fais tout le temps. Sauf que cette fois, elle se lève, file à la salle de bains, s'y enferme et se met à crier au viol.

— Avez-vous essayé de défoncer la porte ?

— Non.

— Revenons à la partie de jambes en l'air. Vous a-t-elle à n'importe quel moment dit non ou demandé d'arrêter ?

— Non, elle m'a montré son cul et dit d'y aller. Tout le reste n'est que mensonges.

C'était donc un très classique « il-a-dit/elle-a-dit » comme l'avait avertie Monroe et comme l'étaient de nombreuses affaires de viol rapportées au LAPD. Mais Ballard avait vu le sang dans la corbeille à papiers et savait que cela ferait pencher la balance en faveur de Chloe. Les résultats de l'examen au centre d'aide aux victimes de viol pourraient aussi se révéler probants si les blessures de la victime étaient quantifiables. Ce que le sang dans la corbeille semblait indiquer.

Arrêter une célébrité dans une ville de célébrités comportait des risques. Ces affaires suscitent un maximum d'attention et les accusés engagent généralement les plus brillants avocats.

La défense ne manquerait pas non plus de plonger droit dans les vie et carrière de Ballard et elle savait qu'aussi sûrement qu'elle se tenait là, son passé de plaignante dans une affaire de harcèlement sexuel dans la police serait mis sur le tapis et très vraisemblablement utilisé pour lui donner l'image d'une femme qui a un parti pris contre les hommes.

Elle se rendit alors compte qu'elle pouvait faire machine arrière à ce moment-là. L'implication d'une célébrité ferait très facilement de cette enquête une affaire du centre-ville. Le Détachement spécial anti-harcèlement sexuel nouvellement formé devrait être appelé. Mais elle comprit aussi que la façon dont fonctionnait le système pouvait mettre d'autres femmes en péril. Qu'elle refile la patate chaude à quelqu'un d'autre aurait pour résultat d'ouvrir une enquête aussi longue que méthodique pendant laquelle Monahan ne serait pas arrêté ou en aucune façon écarté de ses routines et habitudes de vie. Il pourrait ainsi se passer des semaines avant que l'affaire ne soit présentée au bureau du district attorney.

Mais ramener une femme chez lui d'un des clubs de comédie de la ville, Monahan venait de déclarer qu'il le faisait souvent. Infligeait-il alors ce qu'il avait fait subir à Chloe à toutes celles qu'il amenait dans sa chambre ronde? Ballard ne pouvait pas prendre le risque de voir d'autres femmes se faire agresser parce qu'elle s'en serait tenue à une prudence carriériste ou aux protocoles de la police.

Elle appela Dvorek dans le couloir, puis se tourna vers Monahan.

— Levez-vous, monsieur Monahan, dit-elle. Vous êtes en état d'arrestation pour le…

— Attendez, attendez! s'écria-t-il. OK, OK. Écoutez, je ne voulais pas le faire, mais je peux vous prouver qu'il n'y a pas eu viol. Permettez seulement que je vous montre. Il n'y aura pas d'arrestation, je vous le garantis.

Ballard le regarda un instant, puis jeta un coup d'œil à Dvorek.

— Vous avez cinq minutes, dit-elle.

— Il faut aller dans ma chambre, dit Manahan.

— C'est une scène de crime.

— Non, ce n'en est pas une. Tout est sur vidéo. Regardez-la et vous verrez. Il n'y a eu aucun viol.

Elle se rendit compte qu'elle aurait dû voir venir le coup : le miroir au-dessus du lit. Monahan était un voyeur.

— Allons-y, dit-elle.

Monahan prit la tête de la petite procession jusqu'à sa chambre sans cesser de plaider sa cause.

— Écoutez, je sais ce que vous pensez, mais je ne suis pas une ordure, enchaîna-t-il. Avec tous ces trucs à la MeToo qui ont commencé l'année dernière, je me suis dit que j'avais besoin de me protéger, vous voyez ?

— Vous avez installé des caméras.

— Et comment ! Je savais qu'on pouvait en arriver là. J'ai pas fait ça pour regarder... Ce serait un truc de malade. J'avais juste besoin de me protéger.

Arrivé dans la chambre, il alla prendre une télécommande sur une table basse près du lit et ouvrit un grand écran épousant la courbe du mur. Bientôt celui-ci se divisa en seize vues provenant de caméras de sécurité montées dans toute la demeure. Il zooma sur un des carrés et l'élargit, Ballard découvrant alors une vue en hauteur de la pièce avec elle, Dvorek et Monahan. Ballard se retourna pour localiser la caméra et vit qu'elle se trouvait sur le cadre d'un tableau accroché au mur près du lit.

— OK, reprit Monahan, et maintenant on rembobine.

Ballard se retourna et deux minutes plus tard ils regardèrent Monahan et Chloe Lambert baiser sur le lit. Il n'y avait pas le son et Dieu merci, ç'avait été filmé en plan large. Ballard se dit que ce qui se passait à l'écran pouvait être agrandi, mais n'eut pas besoin de ça pour se rendre compte que tout cela était parfaitement consensuel.

— Ça, c'était le premier coup, reprit Monahan. Après, on a fait un petit somme. Vous voulez qu'on aille à l'événement essentiel en avance rapide ?

— Allez-y, dit-elle.

Monahan s'exécuta et l'on arriva au deuxième round où, langage corporel et postures prises par Lambert, il devint vite clair que c'était elle qui avait tout initié, relation anale comprise. Après quoi, elle gagnait calmement la salle de bains et en fermait la porte.

Monahan mit en avance rapide à nouveau.

— Et c'est là que je l'ai entendue appeler les flics, dit-il.

Il repassa en vitesse normale et ils le regardèrent se lever du lit et, tout nu, courir jusqu'à la porte de la salle de bains. Puis appuyer la tête contre le chambranle comme s'il écoutait le coup de fil de Lambert et se mettre à taper du poing sur la porte.

— Vous pouvez arrêter ça, dit Ballard. Je vais avoir besoin de cet enregistrement.

— Il n'en est pas question. Pourquoi vous le donnerais-je ?

— Parce que c'est un élément de preuve. Je vais arrêter Chloe Lambert pour fausse déclaration.

— Je ne veux pas qu'elle soit arrêtée. Je veux juste que vous me la foutiez dehors. Comme si je voulais que toutes les nanas que j'ai tringlées cette année sachent que je les ai sur vidéo ! Pourquoi pensez-vous que je ne vous ai pas parlé de ça tout de suite ? Je ne porte pas plainte. Virez-la-moi d'ici, rien de plus !

— Monsieur Monahan, que vous ne vouliez pas porter plainte n'a aucune importance. Elle vient de faire une fausse déclaration à la police.

— Bon, eh bien je ne vais pas coopérer avec vous et je vais engager le meilleur avocat du pays pour vous empêcher d'avoir cette vidéo. C'est ça que vous voulez ?

— Vous savez, monsieur, que je pourrais aussi vous inculper pour enregistrement de scène sexuelle sans que les deux parties soient au courant et aient donné leur accord.

Monahan analysa les ramifications possibles de l'affaire avant de reprendre la parole.

— Euh, dit-il, vous ne pensez pas que ce genre de décisions dépasse de loin ce pour quoi vous êtes payée, inspecteur?

— Vous voulez que j'appelle mon chef? Ou mieux, tenez, que j'appelle le Détachement spécial anti-harcèlement sexuel qui fuite des tas de trucs aux médias qu'on dirait une vraie passoire? Et si vous voulez, je peux même appeler le chef de la police chez lui. Je suis certaine que du haut en bas de la chaîne alimentaire tout le monde sera d'une discrétion absolue sur votre affaire.

Le visage de Monahan montra clairement qu'il venait de voir la boîte de Pandore qu'il risquait d'ouvrir.

— OK, désolé, dit-il, je n'avais pas compris. Je suis sûr que vous êtes parfaitement capable de gérer ça au mieux.

Dix minutes plus tard, Ballard reprenait le chemin de la salle de cinéma où l'attendait Chloe Lambert. Elle lui jeta par terre les vêtements qu'elle avait rassemblés dans la chambre.

— Vous pouvez vous rhabiller, dit-elle.

— Qu'est-ce qui se passe? lui demanda Lambert.

— Il ne se passe rien du tout. Vous rentrez chez vous. Et vous avez de la chance de ne pas aller en prison.

— « En prison »? Et pourquoi donc?

— Pour fausse déclaration. Vous n'avez pas été violée, Chloe.

— Mais c'est quoi, ces conneries? Ce mec est un prédateur.

— Peut-être, mais vous aussi. Il a tous vos ébats sur vidéo. Et je l'ai regardée, alors vous pouvez laisser tomber la comédie. Rhabillez-vous et je vous fais raccompagner.

Ballard se tournait déjà pour repartir lorsqu'elle hésita et se retourna.

— Vous savez, ce sont les femmes comme vous qui…

Elle ne termina pas sa phrase. Avec Chloe Lambert, ç'aurait été peine perdue.

CHAPITRE 21

Ballard était déprimée. Elle quitta la propriété de Monahan sans savoir lequel de ces deux individus qu'elle venait d'interroger était le représentant le plus méprisable de l'espèce humaine. Parce qu'en plus ni l'un ni l'autre n'aurait à affronter les conséquences de ce qu'ils avaient fait cette nuit-là. Elle décida de centrer son animosité sur cette Chloe qui trahissait la cause. À chaque mouvement plein de noblesse ou effort consenti pour faire avancer les choses, il fallait toujours qu'il y ait des traîtres qui ramènent tout en arrière.

Elle essaya d'oublier tout ça lorsqu'elle entra au commissariat par la porte de derrière et enfila le couloir menant à la salle des inspecteurs. Elle avait encore un demi-carton de fiches d'interpellation à terminer avant la fin de son service. Elle consulta sa montre. Il était 4 h 15 du matin. Elle avait dans l'idée d'écrire un rapport sur l'appel d'Electra Drive. Elle ne retiendrait pas ses coups, donnerait les noms des deux parties et décrirait leurs actes, même si pour l'instant l'enquête n'avait donné aucun résultat. Elle déposerait son compte rendu dans la boîte du commandant et ce serait à quelqu'un d'autre de prendre une décision. L'affaire pourrait être passée au Détachement spécial, voire au bureau du district attorney pour examen. Chemin faisant, elle pourrait même être fuitée aux médias. Quoi qu'il en advienne, elle refilait la patate chaude à quelqu'un d'autre et ça non plus, ça ne lui plaisait pas vraiment. Elle aurait pu les arrêter tous les deux pour des crimes différents, mais cela aurait eu pour résultat que ses décisions soient analysées et remises en cause par un état-major qui ne l'aimait pas, voire ne voulait pas d'elle. Il était probable qu'une faute ou une autre y étant découverte, elle soit encore plus enterrée par la hiérarchie, voire éjectée de la chose même dont elle avait le plus besoin : son boulot au quart de nuit.

Elle entra dans la salle et regagna le coin du fond où elle s'était installée un peu plus tôt pour travailler. Elle y était presque arrivée lorsqu'elle vit des cheveux grisonnants et bouclés passer au-dessus d'une des cloisons du poste de travail. Bosch.

Elle le rejoignit et vit qu'il travaillait sur le dernier paquet de fiches du carton qu'elle avait apporté.

— Alors comme ça, on vous laisse débarquer ici quand vous voulez? lui lança-t-elle en guise de salutations.

— Pour être honnête, je dirais plutôt que ce soir, je me suis introduit dans les lieux, lui renvoya-t-il. On ne m'a jamais repris ma clé 999 quand j'ai rendu mon tablier.

Elle hocha la tête.

— Oui bon, moi, faut que j'écrive un rapport et je ne pourrai pas regarder des fiches avant d'avoir fini.

— J'en suis au dernier tas. Je vais retourner prendre un autre carton là-bas derrière.

— Vaudrait mieux que je vous accompagne. Faisons ça tout de suite avant que j'attaque mon rapport. Je pourrai vous donner les dernières nouvelles de John le Baptiste en allant aux réserves.

Ils retraversèrent le commissariat, ressortirent par-derrière et gagnèrent le parking, Ballard le mettant au courant de son expédition à la Moonlight Mission et des questions qu'elle avait posées à McMullen. Elle lui avoua aussi que pour elle, celui-ci n'était toujours pas leur coupable. Elle lui parla des comptages qu'il portait sur ses calendriers et la photo de Daisy qu'elle y avait trouvée.

— Vous avez donc la preuve qu'il était en contact avec la victime, dit-il. Il la connaissait.

— Il l'a baptisée plusieurs mois avant son assassinat. Mais allez, quoi, elle traînait dehors la nuit et lui, la nuit, il se balade dans tout Hollywood pour y chercher des âmes à sauver. J'aurais été surprise qu'ils ne se soient pas croisés à un moment ou à un autre. Je pense toujours qu'il n'y a rien dans tout ça et il se pourrait même que j'aie un alibi pour son van.

Et elle lui raconta comment il se trouvait dans un garage le soir où Daisy avait été enlevée et assassinée.

— McMullen a cherché et m'a laissé un message avec le nom de l'atelier. Dès que ça ouvre, j'y passe, histoire de voir si je peux confirmer que son van y était bien en réparation au moment où Daisy a été enlevée. Si j'y arrive, je crois qu'on pourra passer à autre chose.

Bosch ne dit rien, lui laissant ainsi entendre qu'il n'était pas prêt à rayer le missionnaire de la liste de ses suspects potentiels.

— Bon, et les suites de votre perquisition ? lui demanda-t-elle.

— On a fait un bout de chemin, répondit-il. On a retrouvé les balles qu'on cherchait, mais elles ne sont pas en assez bon état pour qu'on puisse effectuer des comparaisons. Et en plus, ma source a été retrouvée morte à Alhambra.

— Ah merde ! Et il y a un lien ?

— Ça en a l'air. Zigouillé par son propre gang. Le SWAT du LAPD a arrêté le tireur hier soir à Sylmar. Il ne causait toujours pas quand je suis parti, mais on sait qu'il est copain avec notre suspect dans l'affaire non résolue. Des fois, il se passe des trucs pas bien quand on souffle sur la poussière d'une vieille enquête.

Elle le regarda dans la faible lumière du parking et se demanda si ce n'était pas une espèce de mise en garde pour l'affaire de Daisy Clayton.

Ils firent le reste du chemin en silence. Une fois arrivés aux réserves, ils prirent chacun un carton de fiches et repartirent vers le commissariat. Ballard se retourna et compta les cartons encore dans le couloir. Ils en étaient presque à la moitié.

En retraversant le parking, Bosch s'arrêta pour reprendre son souffle et posa son carton sur le coffre d'une voiture de patrouille.

— J'ai mal à un genou, dit-il. Je me fais faire de l'acuponcture quand ça démarre, mais là… J'ai juste pas eu le temps.

— On m'a dit que les genoux de remplacement étaient mieux que les vrais.

— Je vais y penser. Mais ça m'exclurait du boulot pendant un moment. Il se pourrait même que je ne revienne pas.

Il ramassa son carton et se remit en route.

— Et je me disais…, reprit-il. Vous vous rappelez le programme SGS ? Où étiez-vous à l'époque ?

— À la patrouille, répondit-elle. « Maîtrisons le crime avec le SGS »… Oui, je m'en souviens. Rien de plus qu'un coup de com.

— Sauf que ça marchait toujours fort quand Daisy s'est fait enlever. Et je me demandais ce qu'il est advenu de toutes les données que les types de ce SGS ont récoltées. Et si elles étaient toujours quelque part, peut-être pourrait-on se faire une bonne idée du paysage d'Hollywood à l'époque du meurtre.

Le SGS n'avait effectivement été que le coup de relations publiques d'un ancien chef de police qui avait pris les rênes du pouvoir et poussé l'idée d'un think-tank des forces de l'ordre pour étudier le crime sous l'angle géographique afin de déterminer comment les lieux et les gens se retrouvent ciblés. L'affaire avait été présentée en grande pompe, mais avait capoté sans grand bruit quelques années plus tard lorsqu'un nouveau patron de la police était arrivé avec de nouvelles idées.

— Je ne me souviens plus du sens de l'acronyme, ajouta Ballard. J'étais de patrouille à la Pacific Division et je me rappelle avoir rempli leurs formulaires sur le terminal embarqué. Ç'avait à voir avec la géographie.

— Signalements géographiques et sécurité, lui répondit Bosch. Les gars du Bureau du CUL se sont vraiment lâchés là-dessus.

— Le « Bureau du CUL »? répéta-t-elle.

— Oui, le Centre d'unification des libellés. Vous n'en avez jamais entendu parler? Il y avait une dizaine de gus qui y travaillaient à plein temps.

Ballard se mit à rire, leva le genou, posa son carton d'une main sur sa cuisse, et de l'autre prit sa carte-clé pour débloquer la porte du commissariat, qu'elle finit d'ouvrir d'un coup de hanche avant de laisser passer Bosch.

Ils descendirent le couloir ensemble.

— Bon, je vais aller fouiner dans les dossiers du SGS, reprit-elle. En commençant par le Bureau du CUL!

— Faites-moi savoir ce que vous trouvez.

De retour à son poste de travail, elle remarqua le classeur bleu qu'on y avait laissé et le feuilleta.

— Qu'est-ce que c'est? demanda-t-elle.

— Je ne vous ai pas dit que j'avais commencé un nouveau livre du meurtre pour cette enquête? Je pensais que vous auriez peut-être envie d'y ajouter des trucs, genre tenez... de démarrer une chronologie... et donc que ce classeur, c'est vous qui devriez l'avoir.

Pour l'heure, il ne s'y trouvait que quelques rapports, l'un d'entre eux étant le résumé que Bosch avait fait de l'entretien qu'il avait eu avec un des superviseurs de l'American Storage

Products à propos du bac à l'intérieur duquel il pensait que le corps de Daisy Clayton avait été comprimé.

— Parfait, dit-elle. Je vais imprimer tout ce que j'ai et je le mettrai dedans. J'ai déjà commencé une chrono en ligne.

Elle referma le classeur et s'aperçut qu'il était vieux et que la couverture en plastique bleu en était toute décolorée. Bosch avait donc recyclé un de ses anciens livres du meurtre et cela ne la surprit pas. Pour elle, il devait encore avoir les dossiers de vieilles affaires chez lui. Tel était bien le genre d'inspecteur qu'il était.

— Vous avez résolu l'affaire de ce classeur ? lui demanda-t-elle.

— Oui.

— Très bien, dit-elle.

Ils se remirent au travail et il n'y eut plus d'appels pour Ballard pendant ce quart. Elle put terminer et envoyer son rapport, et reprit les fiches avec Bosch. À l'aube, ils avaient terminé les deux cartons qu'ils avaient rapportés des réserves, cinquante fiches nouvelles s'ajoutant à la pile de celles qui méritaient un deuxième examen, mais sans pour autant exiger qu'on s'y attaque séance tenante. Bosch lui avait raconté des anecdotes sur son passage aux Homicides d'Hollywood dans les années quatre-vingt-dix. Elle avait alors remarqué que lui, voire dans certains cas les médias, donnaient des noms à nombre de ces affaires : « La femme dans la valise », « L'homme sans mains », « Le faiseur de poupées », *et cetera, et cetera*. Tout semblait dire qu'en ce temps-là, un homicide était un véritable événement. Alors que maintenant, on avait l'impression qu'il n'y avait jamais rien de neuf, et que plus rien ne choquait.

Ballard rassembla les deux tas de fiches et le livre du meurtre.

— Je vais mettre tout ça dans mon casier et filer à l'atelier de réparation automobile, lança-t-elle. Ça vous dirait de venir avec moi ? Au garage, je veux dire.

— Non, répondit-il. Enfin si, j'en ai envie, mais il vaudrait peut-être mieux que je regagne la Valley pour savoir où on en est dans certains dossiers. Peut-être même vais-je essayer de me faire planter des aiguilles dans le genou en route.

— À plus, alors. Je vous tiens au courant de ce que je trouve.

— Le plan est bon.

CHAPITRE 22

Ballard décida d'aller boire un *latte* après avoir quitté le commissariat. Elle l'attendait encore lorsqu'elle reçut un texto d'Aaron l'informant qu'il était libre toute la journée. Elle y vit le signe que le type qu'il avait sorti d'un raz n'avait pas survécu et qu'Aaron s'était vu octroyer un « jour de thérapie » pour y faire face. Elle lui répondit qu'elle avait un arrêt à faire avant de repartir vers la plage.

Les deux portes du garage étaient ouvertes lorsqu'elle arriva à la Zocalo Auto Services. Elle avait pris son van parce qu'elle n'avait pas l'intention de retourner au commissariat après.

— Le propriétaire ou le gérant est-il là ? demanda-t-elle.

— C'est moi, lui répondit un homme. Et je suis les deux. Ephrem Zocalo.

Il avait un fort accent.

— Inspecteur Ballard, LAPD, division d'Hollywood. J'ai besoin de votre aide, monsieur.

— Que puis-je faire pour vous ?

— J'ai besoin qu'on me confirme la présence d'un van pour réparation… une transmission, sans doute… ici même, il y a neuf ans de ça. Ce serait possible ? Avez-vous les livres de comptes de 2009 ?

— Oui, on les a. Mais ça remonte à très loin.

— Vous avez ça sur ordinateur ? Peut-être qu'en entrant juste le nom…

— Non, pas d'ordinateurs. Nous avons des dossiers, vous savez… Nous conservons les factures.

Tout ça n'avait pas l'air très évolué, mais Ballard ne se souciait que d'une chose : qu'il ait bien les documents.

— Ils sont ici ? demanda-t-elle. Et je peux regarder ? J'ai le nom et les dates.

— Oui, bien sûr. Au fond du garage.

Il la conduisit à un petit bureau attenant aux ateliers. Ils dépassèrent un type qui travaillait dans une fosse sous une voiture, la plainte haut perchée d'une visseuse se faisant entendre tandis qu'il ôtait les boulons d'un carter de transmission. Il lui jeta un regard soupçonneux tandis qu'elle suivait Zocalo jusqu'à son bureau.

L'espace y était à peine assez grand pour contenir un bureau, une chaise et trois meubles classeurs à quatre tiroirs. Chacun de ces derniers était équipé d'un porte-cartes où l'on avait inscrit la date de l'année à la main. Cela voulait dire que Zocalo avait des archives remontant douze ans en arrière, elle en conçut quelque espoir.

— Vous avez dit 2009 ? demanda Zocalo.

— C'est ça.

Il passa un doigt sur les tiroirs jusqu'à ce qu'il trouve le bon. Les étiquettes ne suivant pas un ordre chronologique très clair, Ballard se dit que chaque année, il devait jeter les documents les plus anciens dans le tiroir et en ouvrir un nouveau.

Celui de 2009 était le deuxième du classeur du milieu. Zocalo le lui montra en ouvrant grand la main comme pour lui dire que c'était à elle de jouer.

— Je ne dérangerai rien, lui promit-elle.

— Pas de souci, lui renvoya-t-il. Vous pouvez prendre le bureau.

Sur quoi, il la laissa et regagna les ateliers. Ballard l'entendit dire quelque chose en espagnol à l'autre homme, mais ils parlaient trop vite pour qu'elle comprenne leur conversation. Cela dit, elle entendit bien le mot *migra* et comprit que pour le type dans la fosse, elle était de la police des frontières.

Elle ouvrit le tiroir et découvrit qu'il n'était qu'à un tiers plein de factures empilées au hasard contre la paroi du fond. Elle y plongea les deux mains, en sortit à peu près la moitié et les emporta au bureau.

Meubles et autres, toutes les surfaces semblaient être couvertes d'une patine de graisse. Zocalo ne marquait clairement aucun arrêt au lavabo quand il passait d'une réparation à son travail de bureau. Nombre des factures qu'elle commença à étudier étaient elles aussi maculées de graisse.

Mais comme elles étaient aussi rangées, en gros, par dates, retrouver l'alibi de John le Baptiste fut rapide. Elle feuilleta la pile jusqu'à la bonne semaine et découvrit une facture pour l'installation d'une nouvelle transmission dans un Ford Econoline appartenant à un John McMullen résidant à la Moonlight Mission. Elle l'examina de près et constata que les dates correspondaient bien à celles portées dans le calendrier de sauvetages de McMullen et couvraient les deux jours où Daisy Clayton avait disparu, puis été retrouvée morte.

Ballard regarda autour d'elle. Pas de photocopieuse. Elle laissa la facture sur le bureau, remit le reste du tas dans le tiroir et le referma. Puis elle revint à l'atelier. Zocalo était dans la fosse avec l'autre homme. Elle s'accroupit à côté de la voiture sous laquelle ils travaillaient et lui montra la facture couverte de graisse.

— Monsieur Zocalo, dit-elle, c'est exactement ce que je cherchais. Je peux l'emporter et en faire une copie ? Je vous rapporte l'original si vous en avez besoin.

Zocalo fit non de la tête.

— Je n'en ai pas vraiment besoin, dit-il. Après tout ce temps, vous savez… Gardez-la. Y a pas de problème.

— Vous êtes sûr?

— *Sí, sí,* je suis sûr.

— Bon d'accord, merci, monsieur. Voici ma carte. Si jamais vous avez besoin de mon aide pour quoi que ce soit, vous me passez un coup de fil, d'accord?

Elle lui tendit sa carte et tout de suite, celle-ci s'orna d'une empreinte de pouce bien graisseuse lorsqu'il la prit.

Ballard quitta le garage et resta un instant debout à côté de son van. Elle sortit son portable et prit une photo de la facture que Zocalo lui avait laissée. Puis elle la texta à Bosch avec ce message :

Confirmé : le van de J. le B. était bien en réparation quand Daisy a été enlevée. Il est hors course.

Bosch ne réagit pas tout de suite. Ballard monta dans son van et se dirigea vers Venice.

Elle tomba sur les grandes migrations du matin et il lui fallut presque une heure pour gagner la garderie d'animaux domestiques où elle avait déposé Lola. Après l'y avoir reprise et emmenée faire un petit tour aux environs d'Abbot Kinney Boulevard, elle revint à son van et roula entre les canaux, Lola bien droite sur le siège passager.

Les places de parking étant rares, elle fit ce qu'elle faisait souvent lorsqu'elle allait voir Aaron : elle se gara dans celui de Venice Boulevard et entra dans le quartier par Dell Avenue. Aaron y partageait un duplex d'Howland Canal avec un autre maître-nageur. Il semblait y en avoir une véritable rotation au fur et à mesure que changeaient les affectations de ses colocs. Aaron, lui, était là depuis deux ans et aimait bien travailler à Venice Beach. Là où d'autres cherchaient des places plus au nord, vers Malibu, il se satisfaisait de rester là, et d'être ainsi le résident le plus ancien d'un duplex très remarqué pour sa boîte aux lettres en forme de dauphin.

Ballard savait qu'il serait seul chez lui : tous les maîtres-nageurs travaillent de jour. Elle tapota le dauphin sur le crâne et fit franchir le portail à Lola au bout de sa laisse. Aaron lui ayant laissé la porte coulissante du bas entrouverte, Ballard entra sans frapper.

Aaron s'était allongé sur le canapé et, les yeux fermés, faisait rouler une bouteille de tequila sur sa poitrine. Il sursauta lorsque Lola lui lécha la figure. Il rattrapa sa bouteille avant qu'elle ne tombe.

— Ça va ? lui demanda Ballard.

— Maintenant, oui, répondit-il.

Il se redressa et sourit, content de la voir. Il lui tendit la bouteille, mais elle refusa d'un signe de tête.

— Montons à l'étage, dit-il.

Ballard savait ce qu'il éprouvait. Toute expérience de la mort – qu'on y ait par chance réchappé ou ait partie liée à celle d'un autre – conduit à une espèce de désir primordial d'affirmer qu'on n'a pas été rayé de la carte, cette affirmation pouvant donner lieu aux plus beaux ébats sexuels.

Ballard montra à Lola un coin où aller dormir. Aaron avait un pitbull, mais semblait l'avoir fait garder alors même qu'il avait sa journée de congé. Lola monta très consciencieusement sur le coussin rond, en fit trois fois le tour et finit par s'asseoir en face de la porte coulissante. Elle allait monter la garde, il n'y avait plus besoin de fermer la porte.

Ballard gagna le canapé, prit Aaron par la main et le conduisit jusqu'à l'escalier. Il commença à parler dès qu'ils se mirent à monter.

— Ils l'ont débranché à 9 heures du soir après l'arrivée de la famille. J'y suis allé. J'aurais peut-être pas dû. C'était pas beau à voir. Mais personne ne m'a accusé de quoi que ce soit, et c'est déjà ça. Je suis arrivé auprès de lui aussi vite que j'ai pu.

Elle le calma lorsqu'ils furent à la porte de la chambre.

— Arrête, lui dit-elle. Tu laisses tout ça ici, derrière toi.

Une demi-heure plus tard, ils se retrouvaient enlacés et épuisés sur le plancher de la chambre.

— Mais hé… Comment on a fait pour descendre du lit ? demanda-t-elle.

— Ben, je sais pas trop, répondit-il.

Il tendit la main vers la bouteille de tequila sur le parquet, mais elle la repoussa du pied, hors de son atteinte. Elle voulait qu'il entende ce qu'elle allait lui dire.

— Mais !… s'écria-t-il en feignant d'être contrarié.

— T'ai-je jamais dit que mon père est mort noyé ? lui demanda-t-elle. Et je n'étais qu'une gamine.

— Non, mais… Mais c'est horrible !

Il se rapprocha d'elle pour la consoler. Elle s'était tournée et regardait le mur.

— Ça s'est passé ici ?

— Non, à Hawaï. C'est là qu'on habitait. Il faisait du surf. On ne l'a jamais retrouvé.

— Je suis désolé, Renée. Je…

— Ça remonte à loin. J'aurais juste voulu qu'ils le retrouvent, tu sais ? Qu'il soit monté sur sa planche et soit parti comme ça… C'était trop étrange. Et après, qu'il ne revienne pas…

Ils gardèrent le silence un long moment.

— Bon, bref, j'ai pensé à ça en voyant ton bonhomme hier… Au moins, toi, tu l'as ramené.

Il acquiesça d'un hochement de tête.

— Ç'a dû être horrible pour toi, là-bas, reprit-il. Tu aurais dû me le dire avant.

— Pourquoi ?

— Je ne sais pas. C'est juste que… Tu sais bien, ton père qui se noie en mer et toi, maintenant, qui dors presque toujours sur la plage… Et toi avec moi qui suis maître-nageur. Ça dit quoi, tout ça?

— Je ne sais pas. Je n'y pense pas.

— Ta mère s'est-elle remariée?

— Non, elle n'était pas là. Je ne crois pas qu'elle l'ait su avant longtemps.

— Oh bordel! Ça devient de pire en pire.

Il l'avait entourée de ses bras, juste sous les seins, et la serra contre son torse en lui embrassant la nuque.

— Je ne pense pas que je ferais ce que je fais aujourd'hui si ça ne s'était pas passé comme ça, reprit-elle. Parce qu'il y a ça.

De la jambe elle attrapa la bouteille de tequila et la ramena vers eux, de façon qu'il puisse la saisir.

Mais il ne le fit pas. Il la garda serrée contre lui. Et elle, cela lui plut.

BOSCH

Bosch attendit Lourdes au Starbucks à une rue du commissariat. Il s'était installé à une table de bar pour pouvoir garder sa jambe gauche bien droite. Il venait de chez le docteur Zhang et pour la première fois depuis quinze jours, son genou ne lui faisait pas mal. Il savait que plier l'articulation risquait de mettre tout de suite fin à son soulagement. C'était inévitable en marchant, mais pour l'instant il gardait son genou bien droit.

Il avait pris un *latte* pour Lourdes et un noir sans sucre pour lui-même. Ils étaient tombés d'accord pour se rencontrer en dehors du commissariat après qu'elle aurait effectué quelques recherches préliminaires du côté renseignements pendant qu'on lui enfonçait des aiguilles dans la jambe.

Elle arriva avant que son *latte* ait refroidi.

— Alors, ce genou? lança-t-elle.

— Pas de problème pour le moment, répondit-il. Mais ça ne durera pas. Ça ne dure jamais.

— Et des piqûres de cortisone, t'as déjà essayé?

— Non, mais je veux bien essayer tout et le reste plutôt que me le faire remplacer.

— Je suis vraiment désolée, Harry.

— Y a pas à être désolée. Qu'est-ce que t'as trouvé?

La veille au soir, le SWAT du LAPD avait investi la maison que Bosch et elle avaient localisée à Sylmar et arrêté quatre individus, tous membres des SanFers, dont un retrouvé au lit avec une blessure par balle dans le ventre. Carlos Mejia de son nom, l'homme avait trente-huit ans et était soupçonné d'avoir abattu Martin Perez. Les trois autres n'étaient que des petits gangsters très probablement chargés de veiller sur lui et de lui amener un médecin. Tous avaient été accusés de diverses violations de la législation sur la drogue et les armes à feu, en plus d'avoir enfreint les termes de leurs conditionnelles.

Mejia n'était toujours pas accusé du meurtre de Perez dans la mesure où les preuves contre lui n'étaient encore qu'indirectes : on lui avait tiré dessus et on pensait que l'assassin de Perez s'était, lui aussi, fait tirer dessus. Et comme en plus la trajectoire ascendante de sa blessure à l'intestin cadrait avec l'hypothèse du ricochet dans la douche… Mais cela ne suffisait quand même pas pour qu'on apporte tout cela au bureau du district attorney. La balle extraite de son ventre ayant été jetée, il ne pouvait plus y avoir de correspondance balistique avec celle retrouvée dans le cerveau de Perez. Cela étant, l'équipe de médecine légale qui avait travaillé la scène de crime avait quand même découvert que le sang qui avait giclé dans la douche provenait bien de deux individus distincts – Perez, et le présumé tireur touché par la balle qui avait ricoché. On restait donc confiant : la comparaison entre le sang de Mejia et celui récupéré dans la douche conduisant à une correspondance, Mejia serait forcément inculpé du meurtre. Il se trouvait maintenant à l'hôpital de la prison du comté et l'on faisait tout pour accélérer les comparaisons d'ADN.

La recherche de renseignements dans laquelle Lourdes s'était lancée ce matin-là avait à voir avec Mejia et les liens qu'il aurait pu entretenir avec ceux qui, déjà au courant de la réouverture de l'affaire Uncle Murda, savaient en plus qu'il avait viré de bord.

— Tout ça m'exaspère, reprit Lourdes. Et si jamais on se trompait ?

— On fait tout ce qu'on peut pour que ce ne soit pas le cas, lui renvoya Bosch. Qu'est-ce que tu as trouvé ?

Elle ouvrit un petit carnet qu'elle avait toujours sur elle.

— OK, dit-elle en lisant ses notes. J'ai parlé avec mon cousin et deux ou trois autres types des renseignements de l'Antigang et ils m'affirment que Mejia est un membre de la première heure des SanFers sous le pseudonyme d'El Brujo.

— C'est pas « le sorcier » en espagnol ?

— C'est plus le sorcier-docteur de la tribu, mais ça n'a aucune importance. Il a droit à ce sobriquet à cause de son talent pour retrouver et avoir accès à des gens que censément on ne peut pas joindre.

— Comme Perez. Mais quelqu'un le lui aura dit.

— J'y arrive. D'après mes types de l'Antigang, Mejia avait sa propre organisation au sein des SanFers et aurait traité d'égal à égal avec Tranquillo Cortez. D'où la façon dont tout ça se met en place : El Brujo apprend Dieu sait comment que Perez a été retourné et décide de s'en occuper pour le compte de Cortez. Résultat : Cortez lui en doit une.

— Pigé. Mais la question demeure : comment a-t-il appris que Perez avait changé de camp ?

Lourdes acquiesça d'un signe de tête, un froncement de douleur lui barrant à nouveau le visage.

— Qu'est-ce qu'il y a ? lui demanda Bosch.

— Eh bien… À un moment donné, quand ils me parlaient, un des types de l'Antigang m'a lancé : « Peut-être que tu devrais parler d'El Brujo à ton pote Oscar. Il a grandi avec Mejia. » Alors je lui ai demandé : « Quoi ? Oscar Luzon ? » pour en avoir confirmation, et ils m'ont tous répondu : « C'est ça, Luzon. » Ils m'ont même précisé qu'Oscar et Mejia, ça remontait à Gridley.

Bosch savait que Gridley était le nom d'une école élémentaire de la 8ᵉ Rue.

— Et donc, c'était dans le livre du gang ?

À cause des liens inévitables entre certains officiers du SFPD et les gangs du coin, la police tenait un registre dit « livre des gangs », dans lequel ces officiers portaient le nom des membres de gang qu'ils connaissaient. Cela permettait d'éviter qu'on les soupçonne si jamais certains liens apparaissaient lors d'enquêtes, de mises sous surveillance et autres ragots des rues. Ce registre servait aussi de ressource aux policiers lorsqu'ils voulaient cibler tel ou tel autre petit voyou. Tout lien mentionné dans l'ouvrage pouvait être exploité en se servant de l'officier de police répertorié pour établir la communication avec tel ou tel autre membre de gang, voire croiser son chemin d'une manière apparemment complètement fortuite.

— Non, à les entendre, Luzon ne l'a jamais signalé, reprit Lourdes. Ils ne le savaient que parce qu'ils avaient des photos de classe de toutes les écoles de la ville jusque dans les années soixante-dix. Dont une où on le voit avec Mejia à Gridley, et après à l'école de Lakeview. Mais il y a quelques années de ça, quand ils ont demandé à Oscar pourquoi il ne l'avait jamais consigné dans le livre, il a répondu que c'était parce qu'il ne connaissait pas vraiment Mejia.

— Et ils l'ont cru ?

— Eh bien… Disons qu'ils se sont contentés de ça, toute la question étant de savoir si nous, nous le croyons.

— Dans les mêmes classes de l'école élémentaire au lycée, et Luzon affirme qu'ils ne se connaissaient pas ? Non, moi, je n'y crois pas.

Lourdes hocha la tête. Elle n'y croyait pas non plus.

— Bon alors, comment fait-on ?

— Il faut lui parler, répondit-il.

— Je sais, mais comment ?

— Il enlève toujours son arme quand il travaille à son bureau ?

— Je crois.

Ils devaient séparer Luzon de son arme avant de l'affronter. Ils n'avaient aucune envie qu'il leur fasse mal ou se fasse mal à lui-même.

Luzon avait tout d'un muffin. Il serrait si fort sa ceinture autour de son petit ventre qu'il créait ainsi un surplus de chairs qui lui retombait par-dessus les hanches. Cela l'obligeait à ôter son arme de poing lorsqu'il travaillait dans son espace pour que l'accoudoir de son fauteuil ne la lui rentre pas dans les côtes. Il avait donc pris l'habitude de la ranger dans le tiroir du haut de son bureau.

— OK, dit Bosch, on l'attire dehors sans son arme et on le serre.

— Sauf qu'il la prend toujours avec lui quand il quitte son bureau, lui renvoya Lourdes. Et il violerait le règlement s'il ne le faisait pas.

— Et si on lui demandait de venir me voir à l'ancienne prison ?

— Ça pourrait marcher. On a juste besoin de lui donner une raison de le faire.

Ils gardèrent tous les deux le silence en réfléchissant à la manière d'attirer Luzon de l'autre côté de la rue sans son arme.

Bientôt ils concoctèrent un plan en deux temps, mais qui impliquait la coopération du chef Valdez. Cela n'avait rien de dissuasif dans la mesure où ils savaient qu'ils ne pouvaient pas se lancer dans la moindre confrontation avec Luzon sans attirer l'attention du commandement. Ils finirent leur café, revinrent au commissariat, gagnèrent aussitôt le bureau du chef et lui demandèrent une entrevue.

Valdez ne fut pas très heureux de ce qu'il entendit dans la bouche de Bosch et de Lourdes, mais reconnut qu'il fallait enquêter. Il en fut d'autant plus peiné que lorsque dix-sept ans plus tôt Luzon était entré dans la police, c'était lui qui l'avait formé et qu'à un moment donné, ils étaient devenus très proches.

— Il connaissait plusieurs SanFers, dit-il. Il avait grandi avec eux. Et c'était bon pour nous. On s'arrêtait pour discuter avec eux et on en tirait toujours de bons tuyaux qu'on refilait à l'Antigang.

— Écoutez, chef, on ne l'accuse pas de jouer double jeu, lui renvoya Bosch. Il aurait pu être utilisé, ou trompé, et il n'est peut-être même pas la source. C'est de ça que nous devons parler avec lui. Cela étant, le fond du problème est bien qu'il n'a jamais mis Mejia dans le livre... et que c'est Mejia qui nous a flingué notre témoin.

— J'ai compris, j'ai compris, répondit Valdez. Il faut le faire. C'est quoi, votre plan ?

Il était simple. Le chef allait demander à sa secrétaire d'appeler Luzon à son bureau pour y prendre de la documentation sur une journée de formation prévue le mois suivant. Il était probable que Luzon n'accroche pas son arme à son ceinturon pour un trajet aussi court dans le couloir. Et pendant qu'il prendrait ces papiers à la secrétaire, Valdez sortirait de son bureau pour lui dire bonjour. Il lui demanderait alors d'apporter un mémo à Bosch à l'ancienne prison. Tout le plan reposait sur l'idée que Luzon irait aussitôt voir Bosch – sans repasser par son bureau pour y reprendre son arme.

Ils décidèrent aussi d'abandonner le plan si jamais le chef s'apercevait que Luzon était armé ou s'il repassait à la salle des inspecteurs pour y récupérer son flingue avant de quitter le commissariat et de traverser la rue.

— Bon et maintenant... A-t-il une arme de secours ? demanda Valdez.

— S'il en a une, il ne l'a pas signalée, répondit Bosch.

— On a vérifié au registre, précisa Lourdes.

Le règlement autorisait les officiers à porter une arme de cheville ou de secours du moment qu'elle figurait dans la liste agréée, qu'ils la signalaient au commandement et en détaillaient les caractéristiques dans le registre.

— Savez-vous s'il a déjà porté une arme à jeter[1]? demanda Bosch.

— Non, jamais, répondit Valdez.

— Bon alors, on y va? demanda Bella.

— Oui, on y va. Mais Bella, je veux que vous soyez avec Harry. Pour l'aider.

— Compris, dit-elle.

Une heure plus tard, ils mettaient leur plan à exécution. Ayant confirmé que Luzon était bien à son bureau et ne portait pas son arme, Lourdes envoya le feu vert à Valdez par texto. Le chef demanda alors à sa secrétaire d'appeler Luzon et lorsque celui-ci quitta son bureau, Lourdes confirma qu'il n'avait pas pris son arme avec lui, se dirigea vers la porte de côté et traversa la rue pour rejoindre l'ancienne prison.

Bosch était assis à son plan de travail dans l'ancienne cellule de dégrisement lorsque Luzon y entra avec le mémo du chef sur l'emploi du temps des prochains jours de formation et le déposa sur la vieille porte dont Bosch avait fait son bureau.

— C'est le chef qui m'envoie, dit-il. Il m'a demandé de le déposer en passant.

— Merci, dit Bosch.

Luzon se retournait pour partir lorsque Bosch lui demanda s'il avait appris ce qui s'était passé à Sylmar la veille au soir. Luzon se retourna pour le regarder.

— Sylmar, répéta-t-il. Quoi, Sylmar?

---

1. Arme non enregistrée qu'un policier peut « laisser tomber » sur une scène de crime pour incriminer quelqu'un.

— Ils ont serré le type qui nous a flingué notre témoin.

Luzon se contenta de le regarder sans rien révéler.

— Lui aussi s'est pris une balle dans le ventre, insista Bosch. Ce qui fait qu'il est pas vraiment au mieux de sa forme. On espère le stabiliser assez pour qu'il puisse parler d'ici à un jour ou deux.

— Parfait, dit Luzon. Bon, je retourne au bureau.

Et encore une fois, il se retourna pour rejoindre la porte de la cellule.

— Et ça ne t'inquiète pas, Oscar ? reprit Bosch.

Luzon se retourna de nouveau vers lui.

— Et ça voudrait dire quoi ?

— Que c'est ton pote, le sorcier-docteur, Carlos Mejia. Et en plus, je viens de mentir. Il s'est déjà mis à table et il t'a donné. D'après lui, c'est toi qui lui as dit pour Martin Perez.

— Des conneries, tout ça.

Lourdes sortit de la cellule voisine, passa dans le couloir qui courait tout le long des autres et se mit en position derrière lui. Sentant sa présence, Luzon se retourna vers elle.

— Mais c'est quoi, ce bordel ? s'écria-t-il.

Bosch se leva.

— Parce que tu ne le sais pas ? C'est ta dernière chance de mettre tout ça derrière toi. Tu nous dis ce qui s'est passé, ce que tu as fait et peut-être que tu pourras t'en sortir.

— Je n'ai rien fait. Et je vous l'ai déjà dit : tout ça, c'est des conneries.

— Tu joues mal le coup, mec. Tu lui donnes tout l'effet de levier. Ils vont avoir sa version et après, ce sera ton tour.

Luzon parut se figer. Son regard se perdit dans le vide tandis qu'il essayait de trouver ce qu'il allait bien pouvoir faire. Bosch s'était tu. Et Lourdes faisait de même. Ils attendaient.

— Bon, écoutez, finit-il par dire. J'ai fait une erreur. Mais vous deux, vous ne disiez rien du but de la perquisition au garage. Alors je me suis dit que je pouvais peut-être trouver quelque chose qui aide. Tout ce que j'ai fait se résume à lui avoir demandé ce que cet endroit avait à voir avec les SanFers. C'est tout. C'est à partir de ça qu'il a tout compris.

— Et voilà, c'est ça, les conneries dont tu parles! lui renvoya Bosch. Comment a-t-il trouvé Perez à Alhambra?

— Je ne sais pas, mais c'est pas par moi. Et c'est à cause de toi que Perez a été tué. C'est pas moi qu'il faut pointer du doigt maintenant.

— Non, non, non, c'est toi. C'est toi qui as parlé à Mejia. Et l'ennui, c'est qu'il va te donner en un clin d'œil dès qu'ils lui offriront un deal.

Luzon regarda fixement Bosch lorsqu'il comprit que Mejia n'était pas du tout en train de parler – pas encore –, et qu'il était tombé dans le plus vieux piège des flics : le coup de bluff. Il se tourna vers Lourdes pour qu'elle l'aide : contrairement à elle, Bosch ne faisait pas partie du SFPD. Il la regarda, mais le froid glacial qu'il vit dans ses yeux lui dit clairement qu'il n'aurait pas sa sympathie.

— Je veux un avocat, dit-il.

— Tu pourras en appeler un dès que tu seras aux arrêts, lui renvoya Bosch, et il fit le tour de son bureau tandis que Lourdes sortait ses menottes de son ceinturon.

Bosch posa la main sur l'épaule de Luzon et le poussa vers le couloir, où Lourdes l'attendait. Puis il entama la procédure.

— Les mains dans le dos, dit-il. Tu connais la chanson.

Il attrapa Luzon par le coude et le fit pivoter pour qu'il ne voie plus Lourdes. C'est alors que Luzon leva les mains et poussa Bosch dans les barreaux de la cellule. Puis il se rua dans la pièce et, à deux mains, fit coulisser la porte qui se ferma dans un grand bruit de métal. Il tira ensuite la chaîne et le cadenas entre les barreaux et verrouilla la porte.

— Oscar, mais qu'est-ce que tu fais? s'écria Lourdes. Tu n'as nulle part où aller!

Bosch avait perdu l'équilibre en heurtant les barreaux. Il se redressa et chercha son porte-clés dans sa poche. La clé du cadenas y était accrochée.

Mais le porte-clés n'était pas dans sa poche. Il regarda entre les barreaux et la vit sur son bureau. Luzon s'était mis à faire les cent pas dans la cellule : il cherchait des solutions alors qu'il n'y en avait pas.

— Allons, Oscar, calme-toi, lui lança Lourdes. Sors de là.

— La clé est sur le bureau, Oscar, ajouta Bosch. Déverrouille la porte.

Luzon fit comme s'il ne les entendait pas. Il continua d'aller et venir pendant un moment, puis brusquement il s'assit au bout du banc qui faisait toute la longueur de la cellule. Et se pencha en avant, posa les coudes sur les genoux et se prit la tête dans les mains.

Bosch s'approcha de Lourdes.

— Va chercher un coupe-boulons dans la cour, lui chuchota-t-il à l'oreille.

Lourdes descendit aussitôt le couloir le long des cellules et gagna la porte donnant sur la cour des Travaux publics. Bosch ne cessait de regarder Luzon entre les barreaux.

— Oscar, allez, quoi! dit-il. Ouvre la porte. On peut arranger ça.

Le visage toujours dans les mains, Luzon garda le silence.

— Oscar? répéta Bosch. Parle-moi. Tu veux que j'aille chercher le chef? Je sais que lui et toi, ça remonte à loin. Tu veux lui parler?

Rien, puis sans un mot Luzon baissa les bras et se leva. Porta la main à son cou et commença à ôter sa cravate. Monta sur le banc, tendit la main vers le plafond, jusqu'à la grille métallique du conduit d'aération. Poussa le petit bout de sa cravate dans la grille et le fit ressortir par l'ouverture voisine.

— Pas ça, Oscar! lui lança Bosch. Oscar!

Mais Luzon noua les deux bouts de sa cravate ensemble et fit une boucle. Se mit sur la pointe des pieds pour passer la tête dans ce nœud coulant de fortune, puis, sans la moindre hésitation, il sauta du banc.

CHAPITRE 24

Bosch et Lourdes attendaient dans le couloir. Seuls le chef et les parents de Luzon ayant eu la permission d'entrer dans l'aile des soins intensifs, ils s'étaient assis et passaient l'essentiel de leur temps à boire du café dans des gobelets en papier. Deux heures plus tard, Valdez reparut avec les nouvelles.

— D'après ce qu'ils disent, son cerveau n'ayant manqué d'oxygène que deux ou trois minutes, il devrait s'en sortir, annonça-t-il. Mais il faut attendre. Le gros souci est la fracture du crâne qu'il s'est faite en tombant par terre quand la grille a lâché.

Bosch avait été témoin de la scène et entendu l'impact lorsque les balancements du corps de Luzon finissant par desceller la grille, sa nuque avait heurté l'extrémité du banc. On aurait dit un plongeur de haut vol qui touche le tremplin après un retourné.

— Il est conscient? demanda Lourdes.

— Il l'était, mais après, ils sont passés en salle d'op, répondit Valdez. Il aurait eu un hématome sous-dural et il fallait qu'ils l'évacuent, ce qui veut dire qu'ils lui ont fait un putain de trou dans le crâne pour que le sang et la pression disparaissent!

— Merde, dit Lourdes.

— Toujours est-il que je veux un rapport complet sur ce qui s'est passé dans cette cellule et sur tout ce qui a conduit à l'incident, reprit Valdez. Comment est-ce que ça a pu dégénérer pareillement, Harry?

Bosch essaya de lui composer une réponse.

— Il m'a pris par surprise, dit-il. Il devait savoir que c'était comme ça que procédaient certains poivrots, dans le temps.

— Sauf que ça, tout le monde le sait, le reprit Valdez. Vous auriez dû y être préparé.

Bosch acquiesça d'un hochement de tête. Valdez avait raison : il le savait.

— Au temps pour moi, dit-il. Mais va-t-on l'accuser? J'ai tout enregistré dans mon téléphone. C'est lui qui a tuyauté Mejia. Il y voit une simple erreur, mais c'est lui qui est responsable.

— C'est pas ça qui m'inquiète pour l'instant, dit Valdez. On verra plus tard.

Bosch vit bien que le chef avait du mal à cacher sa colère.

— Bella, retournez au commissariat pour commencer votre rapport.

— Bien reçu, chef, répondit-elle.

Valdez resta là, son silence se faisant embarrassé tandis qu'il attendait qu'elle s'en aille.

— Bon, on se retrouve tous là-bas, dit-elle.

Valdez la regarda descendre le couloir vers l'ascenseur et quand il jugea qu'elle était assez loin, enfin il parla :

— Harry, faut qu'on cause.

— Je sais.

— Je vais demander au service du shérif de passer jeter un coup d'œil et voir comment ç'a été géré. Je pense qu'un regard extérieur serait bienvenu.

— Je peux vous épargner cette peine, chef. J'ai merdé, et je le sais.

— Vous savez que parce que vous êtes de la réserve, vous n'avez pas droit aux mêmes protections que les temps complets.

— Je sais. Vous me virez ?

— Je pense que vous devriez rentrer chez vous et laisser le service du shérif s'en occuper.

— Je suis donc suspendu.

— Comme vous voulez. Rentrez chez vous, Harry, juste ça, et reposez-vous. Quand ce sera le moment, et si ça l'est jamais, vous reviendrez.

— « Quand et si »… D'accord, chef. C'est ce que je vais faire. J'enverrai l'enregistrement audio à Lourdes.

— Ça serait bien, oui.

Bosch fit demi-tour, s'éloigna et descendit le couloir dans le même sens que Lourdes.

Il savait que ses chances de jamais retravailler pour le SFPD étaient très faibles. Il songea à passer par le centre municipal pour y reprendre quelques dossiers et affaires personnelles à l'ancienne cellule, mais se ravisa et se contenta de rentrer chez lui en voiture.

Chez lui, où tout était silencieux. Il commença par regarder dans la véranda, mais non, il n'y avait aucun signe d'Elizabeth. Il descendit le couloir conduisant à sa chambre, et trouva la porte ouverte. Le lit avait été fait et il y avait des serviettes de toilette propres pliées sur la commode. Il vérifia la penderie. Aucun vêtement n'était accroché aux cintres et il n'y avait pas trace de la valise dont elle s'était servie.

Elle était partie.

Il sortit son portable et appela le numéro de celui qu'il lui avait donné.

Au bout de quelques secondes il entendit sonner quelque part dans la maison et découvrit l'appareil sur la table de la salle à manger avec un mot. Bref, le mot :

Harry, tu es quelqu'un de bien.
Merci pour tout.
Je suis heureuse d'avoir fait ta connaissance.
Elizabeth

Une vague d'émotions le submergea. Il dut reconnaître qu'il commença par être soulagé. Elizabeth avait raison, sa présence chez lui avait endommagé ses relations avec sa fille. Et le soulagement était aussi de ne plus avoir à supporter la tension de devoir vivre avec une droguée, de ne jamais savoir quand elle allait trébucher ou ce qui pourrait la faire rechuter.

Mais bien vite, ce sentiment fut chassé par l'inquiétude. Que signifiait son départ? Était-elle retournée à Modesto? Ou allait-elle replonger dans l'addiction qu'elle avait mis des mois à laisser derrière elle? Parce qu'elle n'avait jamais rechuté une seule fois de tout ce temps, il s'était dit qu'avec chaque jour qui passait elle était plus forte.

Il devait envisager qu'elle ait retrouvé ses esprits, et avec, une culpabilité qui lui avait rendu la mort de sa fille trop dure à supporter pour qu'elle désire vivre plus longtemps.

Il ouvrit la baie vitrée et passa sur la terrasse de derrière. Regarda l'autoroute en bas et la vaste étendue de la ville au-delà, jusqu'aux montagnes qui bordaient la Valley. Elizabeth s'y trouvait quelque part.

Il sortit son portable, réintégra la maison et, loin du bourdonnement de l'autoroute, appela Cisco Wojciechowski. Cela faisait au moins deux mois qu'ils ne s'étaient pas parlé – depuis la dernière fois où celui-ci avait surveillé les progrès d'Elizabeth. Enquêteur privé, Cisco travaillait pour Mickey Haller, un avocat de la défense, qui était aussi le demi-frère de Bosch. Cela l'avait placé dans l'orbite de ce dernier et il s'était montré déterminant pour remettre Elizabeth Clayton dans le droit chemin.

Plus encore que Bosch, il était responsable de son rétablissement. C'était lui qui l'avait aidée à résister au sevrage de l'oxycodone. Ancien drogué lui-même, il l'avait suivie pas à pas, lui avait parlé, l'avait surveillée à chaque instant, minute après minute au début, puis une heure, puis un jour après l'autre. Elle avait ensuite complété cette désintoxication par un séjour d'un mois dans un centre plus traditionnel. Et après qu'elle avait emménagé dans la chambre que Bosch lui avait offerte, il l'avait encore conseillée chaque semaine. Toutes ces vérifications n'avaient vraiment cessé qu'après qu'elle avait passé trois mois sans rechuter.

Et voilà que Bosch lui disait qu'elle avait disparu sans vraiment l'avertir, ni non plus lui avoir indiqué où elle allait.

— Elle répond au téléphone ? lui demanda Cisco.

— Non, elle l'a laissé ici.

— C'est pas bon, ça. Elle ne veut pas qu'on la retrouve.

— C'est ce que je me dis.

Ni l'un ni l'autre, ils ne parlèrent pendant un moment.

— Dans le pire des cas, elle a décidé de repiquer au truc, reprit Bosch. Toute la question est de savoir où elle pourrait être allée.

— Elle a de l'argent ?

Bosch dut réfléchir. Les deux derniers mois avaient vu Elizabeth s'ennuyer quand il partait travailler au SFPD. Il l'avait laissée se servir de sa carte de crédit pour créer un compte Uber sur son portable. Lorsqu'elle lui avait demandé la permission de s'occuper des courses pour la nourriture et l'entretien de la maison, il lui avait donné du liquide pour le faire. Entre sa carte de crédit et le fait qu'elle ait pu mettre de côté un peu d'argent des commissions, il était bien obligé d'avouer qu'elle avait de quoi retourner à Modesto – ou de s'offrir le voyage de retour à l'addiction.

— Disons que c'est bien ce qu'elle a fait, enchaîna Bosch. Où irait-elle?

— Les drogués sont des créatures de l'habitude. Elle sera retournée aux endroits où elle se refaisait.

Bosch repensa au lieu dont il l'avait sauvée l'année précédente – un dispensaire qui n'était guère plus qu'une usine à comprimés avec des salles d'examen bourrées d'articles volés et souvent offerts par les toxicos en échange de leur drogue. Lorsqu'il l'avait rencontrée, Elizabeth n'avait plus que son corps à échanger.

— L'endroit d'où je l'ai sortie... Ce prétendu dispensaire de Van Nuys... Il doit être fermé, maintenant. Mon ancien coéquipier des Vols et Homicides d'Hollywood qui travaille avec le Medical Board de Californie y est passé et m'a dit qu'il allait s'en occuper.

— T'es sûr? Non parce que des fois, ces médecins se prennent juste une petite tape sur la main et rouvrent la boutique de l'autre côté de la rue.

Bosch se rappela Jerry Edgar lui disant à quel point il était difficile de mettre un terme permanent aux activités de ces charlatans et de leurs usines à comprimés.

— Je te rappelle, lança-t-il.

Et sans attendre de réponse, il raccrocha, ouvrit ses contacts et appela son ancien coéquipier, qui décrocha tout de suite.

— Harry Bosch! s'écria Edgar. Celui qui avait juré de me rappeler, mais a attendu des mois pour le faire.

— Désolé, Jerry, lui renvoya Bosch, mais j'ai été un peu occupé. J'ai une question pour toi. Tu te rappelles le dispensaire où on avait retrouvé Elizabeth Clayton l'année dernière?

— Oui, celui de Sherman Way.

— Tu m'avais pas dit que t'allais le fermer? Ça s'est fait?

— Minute, minute. Je t'avais dit que j'allais essayer. Et ce n'est pas facile, Harry. Je t'avais dit toute la...

— Oui, je sais, toute la paperasse. Et donc, tu es en train de me dire que sept mois plus tard, il fonctionne toujours ?

— J'ai ouvert un dossier, j'ai fait le boulot et j'ai soumis ma requête. L'autorisation d'exercer est sous le coup de ce qu'on qualifie d'« évaluation administrative ». J'attends toujours la décision du *board*.

— Ce qui fait qu'en attendant, le type qu'on y a vu, celui qui se faisait passer pour un médecin, est toujours là-bas à rédiger des ordonnances.

— Je n'ai pas vérifié, mais c'est probablement le cas.

— Merci, Jerry. C'est tout ce que je voulais savoir. Faut que j'y aille.

— Harry…

Bosch avait raccroché. Avant de rappeler Cisco, il prit son portefeuille et en sortit la carte de crédit qu'il avait donnée à Elizabeth pour créer son compte Uber. Il appela le numéro de téléphone porté au dos de la carte et demanda au responsable services de lui lire la liste de ses derniers achats. En dehors d'un Uber le matin même, toutes les autres dépenses étaient les siennes.

Il attrapa le portable qu'Elizabeth avait laissé sur la table de la salle à manger, ouvrit l'application Uber et eut droit à un formulaire destiné à évaluer le chauffeur qu'elle avait choisi ce matin-là. Il lui donna cinq étoiles, fit monter le lien « mes courses » et vit s'afficher une carte montrant celle du matin avec sa destination. Elizabeth avait très clairement appelé l'Uber, puis laissé l'appareil derrière elle quand la voiture était arrivée. Sa destination était le terminal Greyhound de North Hollywood.

Il semblait donc qu'elle ait quitté la ville à bord d'un de ces cars, mais familier de l'endroit comme il l'était à force d'avoir travaillé des affaires dans ce terminal et ses environs au fil des ans, Bosch savait que le quartier grouillait d'individus en transit, dont beaucoup de drogués, et qu'il s'y trouvait plusieurs dispensaires et petites pharmacies familiales qui les approvisionnaient.

Il rappela Wojciechowski.

— L'endroit d'où je l'ai sortie fonctionne toujours, dit-il. Mais je viens de remonter la piste de l'Uber qu'elle a pris ce matin jusqu'à la gare routière de North Hollywood. Elle pourrait déjà être de retour à Modesto. Ou…

— Ou quoi ? le pressa Cisco.

— Tu m'as bien dit que certains toxicos retournent aux endroits qu'ils connaissent. Les alentours de la gare routière sont plutôt crades. Beaucoup de dispensaires, des tas de pharmacies et des tonnes de toxicos. Il y a un parc tout près où ils traînent.

Il y eut un moment de silence avant que Cisco ne réagisse.

— Je t'y retrouve, dit-il enfin.

BALLARD

Après avoir passé la journée avec Aaron Hayes et Lola, Ballard gagna le centre-ville pour un dîner avec Heather Rourke, l'officier de repérage par hélicoptère, au Denny's juste à l'entrée de la Piper Tech, sur le toit de laquelle se trouvait l'unité aérienne du LAPD.

Les deux femmes avaient pris l'habitude de se retrouver une ou deux fois par mois avant leurs prises de service. Un lien s'était établi entre elles. Elles travaillaient l'une et l'autre au quart du cimetière et plutôt deux fois qu'une, Rourke était la coéquipière de Ballard dans les airs, où elle lui repérait des choses et lui servait de renfort. La première fois qu'elles avaient dîné ensemble, c'était Ballard qui avait invité Rourke pour la remercier d'avoir repéré un type encapuchonné qui l'attendait en embuscade. Il s'était avéré que le suspect avait déjà été arrêté par Ballard pour tentative de viol et c'était lui qui, libéré sous caution dans l'attente de son procès, avait passé le faux appel pour cambriolage en espérant que ce soit Ballard qui y réponde.

Rourke avait décelé un signal thermique sur l'écran de l'hélico et avait aussitôt averti Ballard par radio. L'encapuchonné avait été arrêté après une brève course-poursuite. Rourke avait alors dirigé Ballard jusqu'à un sac de marin que le type avait jeté en courant. Il contenait l'attirail complet du violeur : ruban adhésif, menottes et liens en plastique. Après sa dernière arrestation, la justice avait vu en lui un danger public et lui avait refusé toute caution.

Lorsqu'elles se retrouvaient, Ballard et Rourke passaient leur temps à se raconter des cancans sur la police. Très tôt, Ballard avait mis Rourke au courant de sa disgrâce à la division des Vols et Homicides, mais plus tard, elle avait commencé à écouter plus qu'à parler parce qu'elle travaillait essentiellement seule et retrouvait toujours le même groupe d'officiers au quart de nuit d'Hollywood. D'un dîner à l'autre, cet environnement clos ne fournissait donc que peu de choses en termes de potins inédits sur le service. Rourke, elle, faisait partie d'une unité de dix-huit hélicoptères, soit la plus grosse flotte de police aérienne du pays. Les vétérans de la police tournaient tous autour de cette unité parce que les horaires y étaient réguliers et qu'il y avait une prime de risque incluse dans le salaire. Dans les salles de repos, Rourke entendait des tas de choses dans la bouche d'officiers ayant des liens avec tout le service, et était plus qu'heureuse de les répéter à Ballard. Elles étaient devenues de véritables sœurs.

Ballard commandait toujours un petit déjeuner au Denny's, ce repas lui paraissant impossible à rater. Elles avaient choisi cet établissement parce que c'était plus commode pour Rourke et qu'il faisait partie des remerciements que Ballard lui offrait pour l'avoir avertie de l'embuscade. Il y avait aussi que l'une et l'autre étaient de grandes fans du film *Drive*, et que c'était là que l'actrice principale travaillait comme serveuse.

Et ce jour-là, Ballard lui parla du rôle qu'elle jouait dans l'enquête sur le meurtre de Daisy Clayton et de sa rencontre avec Harry Bosch, que Rourke ne connaissait pas, et dont elle n'avait même jamais entendu parler.

— C'est bizarre, dit-elle. J'aime bien travailler avec lui et je pense apprendre des trucs, mais je ne crois pas pouvoir lui faire confiance. Tout se passe comme s'il ne me disait jamais tout ce qu'il sait.

— Ces mecs-là, faut s'en méfier, lui renvoya Rourke. Au boulot et en dehors.

Rourke avait revêtu sa tenue de vol verte qui allait bien avec ses cheveux brun-roux qu'elle gardait courts comme les trois quarts des femmes flics que connaissait Ballard. Petite, elle ne pesait guère plus de cinquante kilos, ce qui devait être un plus dans une unité aérienne où le poids est un facteur essentiel dans la portance et la consommation de carburant des appareils.

Rourke ayant plus envie de l'entendre parler d'autres affaires, Ballard lui raconta l'histoire de la morte qui s'était fait dévorer la figure par son chat et celle des bambins voyeurs perchés sur le toit de la boîte de strip-tease.

Lorsque ce fut l'heure de partir, Ballard régla la facture, Rourke lui disant que ce serait pour elle la prochaine fois.

— Appelle, si tu as besoin de moi, lui lança-t-elle comme elle en avait l'habitude en guise d'au revoir.

— Et toi, vole comme l'aigle, lui renvoya Ballard avec le sien.

De retour dans son van, ce dernier au revoir à Rourke lui revenant, Ballard se rappela un certain Eagle qui s'était fait baptiser le même soir que Daisy Clayton. Elle avait oublié de lancer un suivi d'enquête sur lui et décida de le faire dès qu'elle serait au commissariat et pourrait accéder au dossier des surnoms enregistrés dans la base de données du service.

Puis elle consulta son portable pour voir si elle avait reçu un appel de Bosch pendant le dîner. Elle n'avait toujours pas de messages et se demanda s'il se pointerait ce soir-là. Elle prit la 101 jusqu'à la bretelle de Sunset Boulevard et arriva au commissariat deux heures avant le début de son quart. Elle voulait y être avant que celui de l'après-midi ne s'achève. Elle avait besoin de parler au lieutenant Gabriel Mason, qui avait travaillé au quart de l'après-midi, et avait été sergent neuf ans plus tôt, ayant alors servi d'officier de liaison entre la division d'Hollywood et le détachement du SGS.

Parce que c'était pendant ce quart que l'activité était la plus forte à Hollywood, soit, en gros, de 3 heures de l'après-midi à minuit, deux lieutenants avaient pour tâche de tout superviser. Mason était le premier et Hannah Chavez le second. Ballard ne connaissait pas vraiment Mason, l'expérience limitée qu'elle avait de ce quart s'étant passée avec Chavez. Elle décida que l'approche directe serait la meilleure.

Elle le trouva à la salle de repos, devant des calendriers de déploiement étalés sur une table. Administratif à l'air intello, il portait des lunettes et avait des cheveux noirs, et la raie à gauche. Sa tenue semblait toute neuve et impeccable.

— Lieutenant?

Il leva la tête, visiblement agacé par cette interruption, son air renfrogné disparaissant dès qu'il vit que c'était elle.

— Ballard! dit-il. Vous êtes bien en avance. Merci d'être venue.

Elle hocha la tête.

— Je ne comprends pas. Vous vouliez me voir?

— Oui, je vous ai laissé un message dans votre boîte. Vous l'avez eu?

— Non, mais qu'est-ce qu'il y a? En fait, je m'apprêtais à vous poser une question.

— J'ai besoin que vous me fassiez une vérification d'aide sociale.

— Quoi, pendant le quart du cimetière?

— Je sais que c'est inhabituel, mais y a quelque chose de louche dans cette affaire. L'ordre vient du dixième étage. Il s'agit d'une disparition et le type ne répond ni aux appels téléphoniques ni sur les réseaux sociaux depuis une semaine. On est passés plusieurs fois chez lui aujourd'hui et chaque fois son coloc dit qu'il est sorti. Y a pas grand-chose à faire, mais je me disais que si vous frappiez à sa porte en pleine nuit, ou bien il serait chez lui ou bien il n'y serait pas. Et s'il n'y est pas, on passe à l'étape suivante.

Cette référence au dixième étage du Police Administration Building signifiait que l'ordre venait du grand patron de la police en personne.

— Bon, et c'est qui, ce gars? demanda-t-elle.

— Je l'ai cherché sur Google, répondit Mason, et on dirait que son père est copain avec le maire. Et comme c'est un généreux donateur, on ne peut pas laisser tomber. S'il n'est toujours pas chez lui cette nuit, vous envoyez un rapport au capitaine Whittle qui le transmettra au patron. Et là, on arrête les frais... ou pas.

— D'accord. Vous avez le nom et l'adresse?

— Tout est dans votre boîte. Et je mettrai ça dans votre rapport d'activité pour votre lieutenant.

— Compris.

— Bon et maintenant, vous vouliez me voir pour quelque chose...

Il lui montra la chaise en face de lui, elle s'y assit.

— Je travaille sur un *cold case* qui remonte à 2009, dit-elle. Une jeune ado qui faisait le trottoir et a été retrouvée morte dans une benne à ordures en retrait de Cahuenga Boulevard. Elle s'appelait Daisy Clayton.

Mason réfléchit un instant, puis il hocha la tête.

— Non, ça ne me dit rien.

— Je ne le pensais pas non plus, mais j'ai posé des questions à droite et à gauche et à l'époque, vous étiez l'officier de liaison avec le SGS.

— Ah, nom de Dieu! Ne me rappelez pas ça. Un vrai cauchemar, que c'était!

— Bon, je sais que le LAPD a laissé tomber dès que le nouveau chef s'est pointé, mais ce que je voulais savoir, c'est ce qui est arrivé aux renseignements collectés à Hollywood.

— Quoi ?! Et pourquoi donc ?

— J'essaie de comprendre le meurtre de cette gamine et je me disais que ce serait bien de jeter un coup d'œil à tout ce qui s'est passé dans le secteur de la division, disons cette nuit ou cette semaine-là. Comme vous pouvez le voir, on n'a pas grand-chose et je me raccroche à tout ce que je peux.

— Qui est ce « on » ?

— Juste une figure de style. Et donc, vous savez où sont passées toutes ces infos quand le SGS a été arrêté ?

— Oui, elles sont passées aux toilettes numériques. Elles ont été purgées quand la nouvelle administration a voulu prendre un autre chemin.

Ballard fronça les sourcils et hocha la tête. Encore une impasse.

— Officiellement en tout cas, ajouta Mason.

Elle le regarda. Qu'est-ce qu'il disait ?

— C'est moi qui ai dû collationner et envoyer toutes ces données en centre-ville, reprit-il. Y avait un type qu'on appelait le « gourou du SGS ». Il n'était pas assermenté. C'était un petit génie de l'ordinateur de l'Université de Californie du Sud qui avait inventé tout le bazar et l'avait fait avaler au grand patron. Toutes les données atterrissaient chez lui et il se chargeait des modélisations.

Ballard commença à espérer. Elle savait que les types dans le genre de celui que lui décrivait Mason étaient très attachés à leur travail. Il était peut-être tombé un ordre de mettre fin au programme et de détruire les données, mais il y avait une chance que ce civil dont c'était le bébé les ait conservées.

— Vous vous rappelez son nom ? demanda-t-elle.

— Oui, et je devrais. J'ai travaillé deux ans avec lui, et tous les jours. C'était le professeur Scott Calder. Je ne sais pas s'il est toujours à USC, mais à l'époque, il était en congé sabbatique de l'école des Sciences de l'ordinateur.

— Merci, lieute. Je vais le retrouver.

— J'espère que ça vous aidera. Mais n'oubliez pas ma vérification d'aide sociale.

— Je vais au courrier tout de suite.

Elle se leva, puis se rassit et regarda Mason. Elle allait courir le risque de transformer ce qui pouvait être le début d'une belle relation avec un supérieur en quelque chose de très problématique.

— Autre chose? lui demanda Mason.

— Oui, lieutenant, commença-t-elle. Hier, j'ai arrêté un mec dans une histoire de cambriolage. J'étais en solo et j'ai demandé des renforts. Ils ne sont jamais arrivés. Le type a essayé de m'agresser et je l'ai mis à terre, mais il n'aurait même pas essayé si j'avais eu mes renforts.

— Oui, c'est moi qui ai pris votre appel quand vous êtes passée sur la ligne privée pour demander où étaient les troupes.

— C'est ce que je pensais. Vous avez découvert ce qui s'est passé?

— Je suis désolé, mais non. J'ai été pris par d'autres trucs. Tout ce que je sais, c'est qu'aucun appel à renforts n'a été porté au tableau. Il a dû y avoir une merde entre le centre des communications et le bureau de veille. On n'a pas été entendus et aucun renfort n'est parti.

Elle le regarda longuement.

— Vous me dites donc que le problème n'est pas venu du commissariat, mais du centre de communications.

— Pour autant que je sache, répondit-il.

Et il garda le silence. Ne lui proposa pas de pousser plus loin. Ce n'était pas lui qui allait secouer la barque. Il devint vite clair que c'était à Ballard d'en prendre la décision.

— OK, merci, lieutenant, dit-elle.

Elle se leva et quitta la pièce.

CHAPITRE 26

Ballard se servit de son mot de passe pour entrer dans la base de données du service et lança une recherche sur l'individu qui avait signé « Eagle » sur sa photo à la Moonlight Mission. La base contenait un dossier où l'on trouvait des milliers de surnoms et d'alias extraits de comptes-rendus de crimes, de PV d'arrestations et de fiches d'interpellation.

Il s'avéra qu'« Eagle » était un surnom populaire. Elle eut droit à deux cent quarante et un résultats. Elle réussit à les ramener à soixante-huit en réduisant le champ de sa recherche aux Blancs d'une trentaine d'années. Elle avait la photo vieille de neuf ans du bonhomme qu'elle avait empruntée à la mission pour la guider. Le type qui y était représenté avait dans les vingt-cinq ans à l'époque, ce qui lui en donnait une bonne trentaine maintenant. Ballard réduisit encore le champ de ses recherches en éliminant tous les hommes qui pouvaient faire l'affaire, mais avaient plus de quarante ans.

Seize noms lui restant, elle se mit à sortir leurs dossiers. Elle élimina rapidement ceux qui ne ressemblaient en rien à l'individu dont John le Baptiste lui avait fourni la photo. Elle décrocha le gros lot avec le onzième. Il s'appelait Dennis Eagleton et avait trente-sept ans. Les photos d'identité qu'on avait prises de lui lors de ses nombreuses arrestations entre 2008 et 2013 correspondaient bien à celle de la mission.

Elle se leva et alla imprimer tous les rapports contenus dans la base. Le dossier d'Eagleton regorgeait d'arrestations pour vagabondage et trafic de drogue, mais une seule pour agression caractérisée en 2010, cet acte de violence étant ensuite ramené à coups et blessures. Elle trouva même une fiche d'interpellation numérisée rédigée par Tim Farmer en 2014 – soit la dernière année de sa carrière. Le résumé de son intervention donnait un aperçu très personnel des rues d'Hollywood et de ce citoyen particulier.

> *Ce n'est pas la première fois que nous croisons le chemin de cet « Eagle ». Ce ne sera pas non plus la dernière.*
> *C'est un fleuve profond et cancéreux de haine et de violence qui court dans ses veines.*
> *Je le sens, je le vois.*
> *Il attend. Il hait. Il accuse le monde d'avoir trahi tout espoir.*
> *J'ai peur pour nous.*

Ballard lut deux fois l'appréciation de Farmer. Elle avait été rédigée cinq ans après l'assassinat de Daisy Clayton. Se pouvait-il que cette violence qu'il avait vue vibrer et attendre son heure chez Eagleton ait déjà été libérée en 2009 ? Plutôt que de voir l'avenir, Farmer aurait-il également vu le passé ?

Ballard passa la demi-heure suivante à essayer de localiser Eagleton, mais ne trouva rien. Ni permis de conduire ni arrestations récentes. La dernière trace qu'on avait de lui était cette fiche d'interpellation remplie par Farmer. Il l'avait arrêté et interrogé alors qu'il traînait près de l'entrée du métro d'Hollywood Boulevard, non loin de Vine Street. Dans la case

« Occupation », il avait inscrit : « mendiant ». Rien n'indiquait qu'Eagleton soit vivant ou mort – seulement qu'il avait totalement disparu de l'univers électronique.

Il était maintenant plus de minuit et l'heure était venue d'effectuer cette vérification d'aide sociale dont le lieutenant Mason l'avait chargée. Elle se servit d'un formulaire BOLO[1] pour lancer un avis de recherche sur Eagleton à distribuer à tout le monde lors de l'appel. Après y avoir inclus des captures d'écran de ses trois dernières photos d'identité, elle expédia le dossier à l'imprimante et lâcha l'ordinateur central. Elle était prête à y aller.

Son premier arrêt fut pour la permanence de veille, où elle donna son formulaire BOLO au lieutenant Munroe et lui rappela qu'elle quittait le commissariat pour s'occuper de sa vérification. Munroe l'informa que les officiers assignés à la patrouille du secteur en question finissaient de gérer un appel, mais qu'il les lui enverrait dès que tout serait réglé.

Le disparu s'appelait Jacob Cady. Il habitait dans un bâtiment en copropriété de quatre étages sis dans Willoughby Avenue, à une rue de la limite de West Hollywood. Ballard se gara dans un emplacement interdit et se tourna pour voir si ses renforts arrivaient. Ne voyant rien, elle prit sa radio pour vérifier avec Munroe, qui l'informa que la patrouille n'avait pas terminé son travail.

Elle décida d'attendre dix minutes avant d'y aller seule. Elle sortit son portable et consulta ses textos. Bosch n'avait pas répondu au message qu'elle lui avait envoyé pour John le Baptiste, pas plus qu'Aaron Hayes à celui où elle lui demandait comment il allait. Elle songea qu'il ne fallait pas lui en renvoyer un par peur de le réveiller.

---

1. *Be On the Look Out* : « soyez en alerte ».

Elle regarda ses e-mails et constata que celui qu'elle avait envoyé à Scott Calder à son adresse USC avait déjà reçu une réponse. Elle l'ouvrit, comprit qu'elle avait atteint le bon Calder et lut qu'il serait heureux de la rencontrer le lendemain matin, afin de discuter du défunt programme SGS avec elle. Il lui donnait l'adresse de son bureau dans l'immeuble Viterbi de McClintock Avenue et précisait qu'il avait un créneau à 8 heures.

Au bout de dix minutes, il n'y avait toujours aucun signe d'un quelconque renfort, et elle décida d'aller voir le profil de Jacob Cady en ligne. À peine quelques instants plus tard, elle découvrit qu'âgé de vingt-neuf ans, il était le fils d'un membre important du conseil municipal à la tête de plusieurs contrats de maintenance de la ville. Il semblait bien que ce fils, qui se qualifiait d'« organisateur de fêtes » sur Facebook, n'avait aucune envie de prendre part à l'affaire de son père. Les photos montraient un jeune Cady au style de vie très jet-set. Il donnait l'impression d'apprécier les centres de villégiature mexicains et la compagnie des hommes. Svelte, bronzé et les cheveux blonds et dégradés effilés, il aimait les vêtements moulants et la vodka Tito's.

Vingt minutes plus tard, Ballard descendit de voiture puis, armée de sa radio, elle se dirigea vers l'entrée du bâtiment en copropriété et appela le commandant de veille pour l'informer qu'elle y allait en solo.

D'après les documents laissés dans sa boîte par le lieutenant Mason, Cady était propriétaire du deux-pièces et en louait une moitié à un certain Talisman Prada. Lors des deux dernières vérifications, c'était ce Prada qui avait ouvert et déclaré que Cady avait rencontré un homme dans un bar deux soirs plus tôt, et qu'il était parti avec lui. Mais cela n'expliquait pas pourquoi il ne répondait pas à ses messages, e-mails ou appels téléphoniques. Ni non plus pourquoi sa voiture était toujours garée sur son emplacement réservé, dans le garage souterrain de l'immeuble.

Ballard appuya trois fois sur la sonnette du portail avant qu'une voix endormie finisse par lui répondre.

— Monsieur Cady?

— Non, il n'est pas là.

Et la connexion fut coupée. Ballard réappuya sur la sonnette.

— Quoi?

— Monsieur Prada?

— Qui est-ce?

— La police. Pouvez-vous ouvrir le portail?

— Je vous ai déjà dit que Jacob n'est pas là. Et vous m'avez réveillé.

— Encore une fois, monsieur Prada, c'est la police. Ouvrez le portail.

Il y eut un long moment de silence avant que le portail ne se déverrouille et qu'elle puisse l'ouvrir d'une poussée. Elle regarda dans la rue et ne vit rien. Elle jeta un coup d'œil à l'entrée. Il y avait une rangée de boîtes aux lettres avec dessous une étagère, où des journaux avaient été laissés. Elle en attrapa un et cala la porte avec pour les renforts – s'ils arrivaient jamais. Puis elle entra et rappela Munroe avec sa radio en attendant l'ascenseur. Cette fois, il lui annonça qu'ils s'étaient mis en route.

Elle prit l'ascenseur jusqu'au deuxième étage. Au bout du couloir à droite, elle vit un homme debout devant la porte ouverte d'un appartement. Il portait un pyjama en soie et pas de chemise. Petit mais musclé, il avait les cheveux d'un noir de jais.

Ballard se dirigea vers lui.

— Monsieur Prada?

— Oui, répondit-il. On pourrait faire vite? J'aimerais retourner dormir.

— Désolée de vous ennuyer, mais nous n'avons toujours pas de nouvelles de Jacob Cady. Cela fait quarante-huit heures que nous avons été avertis de sa disparition et nous sommes passés au stade de l'enquête criminelle.

— « Criminelle » ? répéta-t-il. Qu'est-ce qu'il y a de criminel à ce qu'un mec se pieute avec quelqu'un ?

— Nous ne pensons pas qu'il s'agisse de ça. Pourriez-vous reculer, que je puisse entrer ?

Il s'exécuta, elle entra après lui en le jaugeant. Il ne faisait pas plus d'un mètre soixante-cinq et ne pesait guère que cinquante-cinq kilos. Il était clair qu'il n'avait pas d'arme sur lui. Elle laissa la porte ouverte, et Prada le remarqua.

— Vous pourriez fermer cette porte, s'il vous plaît ? lui lança-t-il.

— Non, laissons-la ouverte. J'ai deux ou trois flics en tenue qui arrivent.

— Comme vous voudrez.

Elle passa dans le séjour et balaya la pièce du regard. L'appartement était joliment décoré façon modern style. Parquet chaulé gris, canapé et fauteuils sans accoudoirs, table basse en verre. Ensemble soigneusement arrangé comme dans une photo de magazine. La salle à manger adjacente s'ornait d'une table carrée avec pieds en acier inoxydable et chaises assorties. Sur le mur était accroché un tableau de trois mètres sur un soixante représentant des traits noirs sur fond blanc.

Prada écarta grand les bras pour lui prouver ce qu'il avait avancé : Cady n'était pas là.

— Satisfaite ?

— Et si vous me montriez les chambres ? lui renvoya-t-elle.

— Mais… Il ne vous faudrait pas un mandat pour effectuer une perquisition ?

— Pas pour une vérification d'aide sociale. Si M. Cady est blessé ou a besoin d'aide, nous devons le retrouver.

— Bien mais alors, vous ne cherchez pas au bon endroit.

— Je peux voir les chambres ?

Il lui fit traverser l'appartement et, comme elle s'y attendait, il n'y avait aucun signe de Jacob Cady nulle part. Elle sortit sa minitorche d'une poche et s'en servit pour vérifier la penderie de la chambre de Cady… d'après Prada. Elle regorgeait de vêtements et une valise y était posée sur une étagère. En reculant, Ballard remarqua que le lit était parfaitement net et qu'on n'y avait pas dormi.

La chambre de Prada avait, elle, l'air plus habitée avec son lit défait et des vêtements accrochés à une chaise devant une table de maquillage qu'elle se serait plus attendue à voir dans la chambre d'une femme. La porte de la penderie était ouverte et des vêtements s'entassaient sur le parquet.

— Nous ne sommes pas tous aussi soigneux que Jacob, lança Prada.

Ballard entendit des voix dans le séjour et se tourna vers la porte.

— On arrive ! cria Ballard dans le couloir.

Prada et elle regagnèrent la salle de séjour, où ils trouvèrent les officiers Herrera et Dyson. Ballard leur adressa un petit signe de tête.

— Contente que vous soyez arrivées, dit-elle.

Prada, qui perdait patience, éleva la voix avant que l'une ou l'autre des deux femmes ait le temps de réagir.

— Vous avez bientôt fini ? lança-t-il. J'aimerais dormir un peu, moi. J'ai des rendez-vous, demain.

— Pas tout à fait, lui répondit Ballard. Cette fois, je dois faire un rapport complet. Pourriez-vous me montrer votre permis de conduire ou votre passeport, s'il vous plaît ?

— C'est vraiment nécessaire ?

— Oui, monsieur, ça l'est, et je suis certaine que vous avez envie de coopérer avec nous. Ainsi nous partirons plus rapidement.

Prada disparut dans le petit couloir conduisant à sa chambre et Ballard fit signe à Herrera de le suivre et de le surveiller.

Puis elle étudia de nouveau le séjour. Tout y était soigneusement agencé, mais quelque chose n'allait pas. Elle remarqua que le tapis était trop petit pour l'espace et le mobilier et que son design abstrait de carrés gris, noirs et marron qui se chevauchaient jurait avec le tissu d'ameublement à motif de rayures. Elle jeta un coup d'œil dans la salle à manger voisine et remarqua pour la première fois qu'il n'y avait pas de tapis sous la table carrée à pieds en acier inoxydable.

— Tu penses à quoi ? lui chuchota Dyson.

— Y a quelque chose qui cloche, lui renvoya-t-elle en chuchotant elle aussi.

Prada et Herrera revinrent, et Herrera tendit un permis de conduire à Ballard.

— Je veux que vous sachiez que mon avocat a rempli les papiers pour que je change officiellement de nom, dit Prada. Je ne mentais pas. Je suis DJ et j'ai besoin d'un meilleur nom.

Ballard examina le document. Il avait été émis dans le New Jersey et la photo était bien celle de Prada, mais était au nom de Tyler Tyldus. Ballard posa sa minitorche sur la table basse près d'une sculpture représentant un torse de femme. Elle sortit un petit carnet et un stylo de sa poche et y porta les renseignements du permis.

— C'était quoi, le problème avec Tyler Tyldus ? demanda-t-elle en écrivant.

— Ça manquait d'imagination.

Ballard vérifia la date de naissance et s'aperçut qu'il avait aussi menti sur son âge. D'après ce qu'elle avait trouvé, il avait vingt-six ans alors que le permis ne lui en donnait que vingt-deux.

— Et vos rendez-vous de demain seraient pour…

— C'est personnel, répondit Prada. Rien qui concerne la police.

Ballard hocha la tête, finit d'écrire et lui rendit son permis. Puis elle lui tendit une de ses cartes de visite professionnelles.

— Merci de votre coopération, monsieur, dit-elle. Si vous avez des nouvelles de M. Cady, je vous prie de m'appeler à ce numéro. Et demandez à M. Cady de m'appeler, lui aussi.

— Bien sûr, répondit Prada d'un ton plus amical maintenant qu'il voyait le bout de l'affaire.

— Vous pouvez vous rendormir, ajouta Ballard.

— Merci.

En attendant qu'Herrera et Dyson reprennent le chemin de la porte, Ballard baissa les yeux sur le tapis. Elle vit ce qui au début lui fit l'effet d'une imperfection dans le design, un endroit où le tissu faisait comme un nœud. Puis elle se rendit compte qu'il ne s'agissait que d'une indentation. Le tapis était revenu de la salle à manger si récemment que la marque laissée par un des pieds de la table s'y voyait encore.

Prada les suivit jusqu'à la porte et la referma derrière elles, Ballard l'entendant tourner un verrou.

Les trois femmes gardèrent le silence jusqu'à ce qu'elles montent dans l'ascenseur et en referment la porte.

— Alors ? demanda Dyson.

Ballard tenait toujours son carnet à la main. Elle en déchira la page contenant les renseignements sur Tyler Tyldus et la tendit à Herrera.

— Passe-moi ce nom à l'ordi pour voir ce que ça donne, dit-elle. Je vais appeler un juge. Je veux voir ce qu'il y a sous le tapis.

— On n'aurait pas pu y jeter un œil avant ? demanda Herrera. Pour situation d'urgence ?

Ballard fit non de la tête. Invoquer la situation d'urgence était délicat et il ne fallait pas que ça se retourne contre elle.

— En l'occurrence, cette situation d'urgence concerne le disparu et les dangers qu'il encourt, et on ne cherche pas un disparu sous un tapis. Sous un tapis, ce sont des éléments de preuve qu'on cherche. J'appelle un juge pour qu'on n'ait aucun problème par la suite.

— Y a pas une voiture qu'il faudrait voir ? demanda Herrera.

— La patrouille l'a examinée lors de la première vérification. Elle a même ouvert le coffre. Elle est dans le garage en sous-sol. Mais je vais l'inclure dans la demande de mandat et on revérifiera.

— Tu penses avoir assez d'éléments pour l'obtenir, ce mandat ? voulut savoir Dyson.

Ballard haussa les épaules.

— Si je n'en ai pas assez, j'ai laissé ma minitorche chez lui. J'aurai plus qu'à retourner le réveiller.

CHAPITRE 27

Carolyn Wickwire était le juge de Cour supérieure que Ballard préférait consulter. Elle n'était pas toujours de service de nuit, mais elle aimait bien Ballard et lui avait donné son numéro de portable en lui disant qu'elle pouvait l'appeler à n'importe quelle heure du jour et de la nuit. Wickwire avait été flic et, maintenant juge, avait une longue carrière dans le système judiciaire derrière elle. Elle y avait persévéré malgré tout ce que, une étape après l'autre, elle avait dû y subir de misogynie et de discrimination. Ballard ne lui avait jamais parlé des obstacles qu'elle avait elle-même rencontrés et surmontés, mais certains étant connus dans la communauté des forces de l'ordre, elle pensait que Wickwire en avait conscience et compatissait. Il y avait des affinités entre les deux femmes et Ballard ne dédaignait pas s'en servir si cela permettait de faire avancer un dossier. Elle appela Wickwire du vestibule de l'immeuble.

— Juge Wickwire, dit-elle, je suis désolée de vous réveiller. Inspecteur Ballard à l'appareil.

— Renée ! Ça fait une paie. Tout va bien ?

— Oui, ça fait effectivement une paie et oui, je vais bien. Mais j'ai besoin que vous approuviez un mandat de perquisition par téléphone.

— D'accord, d'accord. Juste une minute, que j'aille chercher mes lunettes et me réveille un peu.

Ballard était toujours en attente lorsque Herrera revint après avoir passé le nom de Prada au terminal de l'ordinateur de bord.

— On peut parler? demanda-t-elle.

— Pendant que j'attends, oui. Y a quelque chose?

— Juste quelques infractions au code de la route dans le New Jersey et l'État de New York. Rien de sérieux.

Des infractions au code de la route. Ballard comprit que ça ne l'aiderait pas à obtenir son mandat.

— OK, dit-elle. Je veux quand même que tu restes dans le coin si j'obtiens mon mandat. Tu peux voir s'il y a un syndic sur site?

— Reçu cinq sur cinq, répondit Herrera qui s'éloigna juste au moment où Wickwire reprenait la ligne.

— Bon alors, c'est quoi, l'histoire, Renée?

— C'est une affaire de disparition, mais je pense qu'il y a un coup fourré et j'aurais besoin d'entrer dans la copropriété et les parties communes de l'immeuble. C'est compliqué parce que l'individu qui m'intéresse est le colocataire du disparu.

— Ils sont en couple, ou juste colocs?

— Juste colocs. Chambres séparées.

— Bien. Dites-moi ce que vous avez.

Ballard lui décrivit son enquête en ordonnant les éléments de façon à l'intriguer et à la pousser à y voir l'existence d'une cause probable[1]. Elle l'informa que Jacob Cady avait disparu depuis quarante-huit heures et ne répondait à aucune forme d'appel sur son portable ou son site Web. Elle lui rapporta encore que le type qui habitait chez lui lui avait donné un faux nom, mais laissa de côté le fait qu'il était le plus légalement du monde en

---

1. En droit américain, aucune fouille n'est autorisée s'il n'y a pas une cause raisonnable l'autorisant.

train d'en changer. Elle ajouta que Prada n'avait coopéré qu'à contrecœur, en laissant là encore de côté le fait qu'elle l'avait réveillé à 1 heure du matin.

Pour finir, elle lui parla du tapis et du soupçon qu'elle avait qu'on l'ait déplacé pour couvrir quelque chose.

Lorsqu'elle eut fini, Wickwire garda le silence en réfléchissant à la présentation de cause probable que Ballard venait de lui faire.

— Renée, dit-elle enfin, je ne pense pas que ça suffise. Vous avez des faits intéressants et des soupçons, mais je ne vois pas la preuve d'un coup tordu là-dedans.

— C'est justement ça que j'essaie d'avoir. Je veux savoir pourquoi ce tapis a été déplacé.

— Sauf que vous mettez la charrue avant les bœufs. Vous savez que j'aime bien vous aider quand je peux, mais là, c'est un peu maigre.

— Vous auriez besoin de quoi ? Le type n'envoie pas de textos, ne tweete pas, ne se sert pas de sa voiture et ne s'occupe pas de son affaire. On dirait qu'il a laissé tous ses vêtements derrière lui et pour moi, il s'est très clairement passé quelque chose.

— J'entends bien. Mais vous n'avez rien qui indiquerait ce qui a pu se passer. Ce type pourrait très bien se balader sur une plage de nudistes à Baja où il n'aurait aucun besoin de ses vêtements. Il pourrait être amoureux. Il pourrait s'être lancé dans des tas de trucs. Ce que je vous dis, c'est qu'il y a quelqu'un qui vit chez lui et que vous n'avez pas le droit de fouiller ce domicile sans une cause probable.

— OK, madame le juge, merci. Je vous rappelle dès que j'ai ce qu'il vous faut.

Elle raccrocha. Dyson était toujours là.

— Pas de syndic, dit-elle.

— Bien. Va voir si Herrera et toi ne pourriez pas descendre jeter un coup d'œil au garage.

— T'as ton mandat?

— Non, et je vais aller chercher ma lampe-torche. Si tu n'as pas de nouvelles de moi dans dix minutes, tu montes.

— C'est entendu.

Ballard reprit l'ascenseur jusqu'au deuxième et frappa à la porte de Cady. Quelques instants plus tard, elle entendit du mouvement à l'intérieur, puis la voix de Prada de l'autre côté de la porte.

— Ah mon Dieu! Mais quoi encore?

— Monsieur Prada, pouvez-vous m'ouvrir?

— Qu'est-ce que vous voulez maintenant?

— Pouvez-vous m'ouvrir, qu'on n'ait pas à parler aussi fort? Y a des gens qui dorment, ici.

La porte s'ouvrit brutalement. La colère était visible sur le visage de Prada.

— Je le sais, qu'il y a des gens qui dorment! Et j'aimerais bien en faire partie! Qu'est-ce qu'il y a?

— Je suis désolé, mais j'ai laissé ma lampe-torche. Dans la penderie de Jacob, je crois. Vous pourriez aller me la chercher?

— Putain de Dieu!

Il fit demi-tour et se dirigea vers le couloir conduisant aux chambres. Elle remarqua qu'il portait un tee-shirt orné d'une baleine rose.

Dès qu'il fut hors de vue, elle passa dans le séjour et gagna la table basse. Elle attrapa sa lampe en partie cachée par la sculpture et la glissa dans sa poche. Puis elle recula et écarta du coin du tapis une chaise munie d'un coussin. Elle la reposa ensuite sur le parquet sans faire de bruit, se baissa, tira le tapis aussi loin en arrière que possible et l'étala sur la table basse.

Puis elle s'agenouilla et examina le parquet. Le bois chaulé gris avait été décoloré à la Javel. Quelqu'un l'avait frotté avec un nettoyant très puissant. Elle remarqua les lignes entre les planches. Ces dernières étant à rainures et languettes, cela voulait dire qu'il y avait de grandes chances pour que des restes de ce qui avait été nettoyé se soient infiltrés dans le sous-plancher.

Sentant les pas lourds de Prada qui revenait, elle remit le tapis en place, se releva et reposa vite la chaise à sa place au moment où il entrait.

— Rien, dit-il. Elle n'est pas dans la penderie.

— Vous êtes sûr? Je sais que je l'avais quand je regardais dedans.

— Oui, j'en suis sûr. Vous pouvez aller voir si vous voulez.

— Non, je vous fais confiance.

Elle décrocha sa radio de sa ceinture et l'enclencha deux fois avant de parler.

— Ici Six Adam Quatorze, lança-t-elle. L'une de vous deux n'aurait pas ramassé ma lampe-torche dans l'appartement?

Prada leva les bras de consternation.

— Vous n'auriez pas pu le leur demander avant de me réveiller encore une fois?! s'exclama-t-il.

Elle garda le doigt appuyé sur le bouton de sa radio pour continuer à transmettre.

— Calmez-vous, monsieur Prada, dit-elle. Ça vous dérangerait que je vous pose encore une question avant qu'on ne soit plus dans vos pattes?

— Comme vous voudrez. Posez et partez, juste ça.

— Qu'est-il arrivé au tapis de votre séjour?

— Quoi?

Elle avait vu le signe qui ne trompe pas lorsqu'elle lui avait posé sa question : un rien de surprise dans le regard. C'était lui qui avait déplacé le tapis.

— Vous m'avez bien entendue, reprit-elle. Qu'est-il arrivé à ce tapis?

— Ben, il est là, répondit-il comme s'il parlait à une idiote.

— Non, ça, c'est celui de la salle à manger. Vous voyez, il a encore les marques des pieds de table. Vous l'avez mis ici parce que vous vous êtes débarrassé de celui qui y était avant, et donc : que lui est-il arrivé ? Pourquoi avez-vous dû vous en débarrasser ?

—- Écoutez... Moi, j'en ai assez de tout ça. Vous pourrez le demander à Jacob quand il rentrera et vous verrez qu'il n'y a rien qui cloche.

— Sauf qu'il ne reviendra pas et nous le savons tous les deux. Dites-moi ce qui s'est passé, Tyler.

— Ce n'est pas mon nom. Mon nom...

Soudain il chargea, traversa la pièce et leva les mains comme des serres pour prendre Ballard à la gorge. Mais elle était prête – elle savait que ce qu'elle disait pouvait le pousser à des gestes extrêmes. Elle se tourna, pivota et l'évita comme un toréador, leva sa radio derrière lui, lui en enfonça le bout dans le bas du dos et lui fit un croche-pied. Il s'écrasa tête la première dans le coin de la pièce. Elle laissa tomber sa radio, lui planta son pied dans le dos et lui pointa son arme de poing sur la tête.

— Vous essayez de vous lever et je vous fais un trou dans la colonne vertébrale. Vous ne pourrez plus jamais marcher.

Elle le sentit se tendre et évaluer la force avec laquelle elle faisait pression sur lui. Mais il finit par se calmer et renonça.

— Voilà qui est plus intelligent, dit-elle.

Elle était en train de lui passer les menottes en lui récitant ses droits lorsqu'elle entendit s'ouvrir la porte de l'ascenseur, puis les pas d'Herrera et de Dyson qui se précipitaient dans le couloir.

Bientôt, elles furent dans l'appartement avec elle.

— Relevez-le et collez-le-moi sur une chaise, leur ordonna-t-elle. Je vais devoir appeler les Homicides.

Les deux officiers attrapèrent Prada par les bras.

— Il allait me tuer ! lança soudain Prada. Il voulait mon affaire, tout ce que j'avais travaillé à mettre en route. Je me suis battu avec lui. Il est tombé et s'est cogné la tête. Je ne voulais pas qu'il meure.

— Et c'est pour ça que vous l'avez enroulé dans un tapis et balancé quelque part? demanda Ballard.

— Personne ne m'aurait cru. Et vous ne me croyez même pas maintenant.

— Avez-vous compris les droits que je viens de vous réciter? lui renvoya-t-elle.

— Il allait me couper en morceaux!

— Arrêtez ça et répondez à ma question : comprenez-vous les droits que je vous ai récités? Voulez-vous que je vous les répète?

— Non, je comprends, je comprends.

— OK. Où est le corps de Jacob Cady?

Il hocha la tête.

— Vous ne le trouverez jamais. Je l'ai jeté dans une benne à ordures. Il est là où le camion poubelle est allé. Et c'est ce qu'il méritait.

Ballard passa dans le couloir pour appeler le lieutenant McAdam, le chef des inspecteurs de la division d'Hollywood et son vrai chef à elle bien qu'elle ne le voie que rarement. Elle devait l'avertir directement de toute affaire de cette importance. Elle prit un plaisir coupable à le réveiller. Il était du type strictement 9 heures-5 heures.

— Hé, patron! lui lança-t-elle. Ballard à l'appareil. On a un homicide.

CHAPITRE 28

Elle rentrait à la salle des inspecteurs après avoir passé l'affaire Jacob Cady à une équipe des Homicides du West Bureau lorsqu'elle trouva Harry Bosch installé au bureau qu'il avait pris la nuit précédente. Il fouillait dans un carton de fiches d'interpellation.

— Vous ne dormez donc jamais ? lui lança-t-elle.

— Pas ce soir, non.

Elle vit la tasse de café devant lui. Il était allé se servir à la salle de repos.

— Ça fait longtemps que vous êtes là ?

— Non. J'ai cherché quelqu'un toute la nuit.

— Et vous avez trouvé votre homme ?

— C'est une femme et non, pas encore. Et vous, qu'est-ce que vous fabriquiez ?

— Je travaillais sur un homicide. Et maintenant, faut que je me tape la paperasse, ce qui fait que je ne vais pas pouvoir trier des fiches aujourd'hui.

— Pas de problème. J'avance.

Il lui montra le tas qu'il avait mis de côté pour examen ultérieur. Elle allait lui rappeler qu'il ne devait pas entrer seul dans le commissariat et y travailler sans elle lorsqu'elle décida de laisser filer. Elle tira un siège et s'assit à un bureau dans le même espace que lui.

Elle alluma l'ordinateur et commença à rédiger un rapport d'incident à envoyer à l'équipe qui prendrait la suite dans l'affaire Cady.

— C'était quoi, votre truc? demanda-t-il. Votre homicide, je veux dire…

— Un homicide sans cadavre, répondit-elle. Enfin… pour l'instant. Ça a commencé comme une disparition et c'est pour ça que j'ai été appelée. Et j'ai hérité d'un type qui reconnaît avoir tué son coloc, l'avoir coupé en morceaux et jeté dans une benne à ordures. Oh… et il parle de légitime défense!

— Évidemment.

— On a vérifié avec le gérant de l'immeuble… et comme la benne à ordures a été ramassée hier, ils vont aller à la décharge aujourd'hui, dès qu'ils auront trouvé qui est le transporteur et où il la vide. C'est une des rares fois où je suis contente de ne pas suivre une affaire jusqu'au bout. Les deux mecs qui en ont hérité n'avaient pas l'air ravi.

— Moi aussi, j'ai eu un meurtre sans cadavre un jour. Même chose. On a dû aller à la décharge, mais comme c'était une semaine après… On a dû y rester quinze jours. Et on a bien trouvé un corps, mais c'était pas le bon. Du Los Angeles tout craché.

— Vraiment? C'était aussi une victime de meurtre, mais pas la bonne?

— Ouais. Et on n'a jamais retrouvé celle qu'on cherchait. Et comme on y était allé suite à un appel anonyme, peut-être même qu'il n'y avait pas eu de meurtre du tout. Le cadavre qu'on a trouvé était celui d'un type de la mafia et on a fini par résoudre l'affaire. Mais les quinze jours là-bas… J'ai mis des mois à me débarrasser de l'odeur que j'avais dans le nez. Sans parler de mes vêtements. J'ai tout jeté.

— J'ai entendu dire que ça pouvait cocoter méchant dans ce genre d'endroit, dit-elle avant de retourner à son travail.

Mais moins de cinq minutes s'écoulèrent avant qu'il ne l'interrompe à nouveau.

— Vous avez pu vérifier pour les infos du SGS?

— Figurez-vous que oui. Elles étaiet censées avoir toutes été effacées, mais j'ai retrouvé le professeur d'USC qui avait conçu le programme et aidé à le faire fonctionner. J'espère qu'il les aura gardées. Je dois le voir à 8 heures. Si ça vous intéresse...

— Ça, pour m'intéresser... Je vous offre le petit déjeuner.

— Je n'aurai pas le temps pour ça si je n'arrive pas à terminer ma paperasse.

— Pigé. Je la ferme.

Elle sourit en se remettant au travail. Elle avait attaqué la partie résumé et rapportait les déclarations *pro domo* que Tyldus avait lancées après son arrestation – il avait été incarcéré sous son nom légal et allait devoir essayer de se disculper d'un assassinat. Son ardent plaidoyer de légitime défense avait perdu beaucoup de sa crédibilité lorsqu'en ressortant le filtre de vidange de la baignoire, l'équipe de médecine légale appelée à l'appartement y avait trouvé du sang et des tissus. C'est alors que Tyldus avait reconnu avoir découpé le corps et en avoir emballé les morceaux dans des sacs-poubelle en plastique – ce qui est une mesure plutôt extrême pour de la légitime défense.

Ballard en eut de la peine pour les parents et les proches de Cady. Dans les quelques heures et jours suivants, ils allaient découvrir que leur fils était présumé mort, démembré et enterré quelque part dans une décharge. Et l'histoire de Bosch n'arrivant pas, lui non plus, à retrouver un corps dans une décharge l'inquiétait. Il était capital qu'on retrouve celui de Cady de façon que les blessures autres que celles dues au démembrement puissent être analysées et confrontées aux détails fournis par Tyldus. Si elles racontaient une autre histoire, ce serait une façon pour Jacob d'aider à confondre son assassin.

Ballard avait peut-être dit être contente de ne pas avoir à suivre l'affaire jusqu'au bout, mais elle avait bien l'intention de se porter volontaire pour retrouver le cadavre. Elle en éprouvait le besoin.

Son service se terminait à 7 heures du matin, mais elle avait déjà envoyé son rapport par e-mail au West Bureau une heure plus tôt lorsqu'elle gagna le centre-ville avec Bosch. Tradition du LAPD qui coûtait cher quand on se trouvait en face du commissariat de la Rampart Division, ils prirent leur déjeuner au Pacific Dining Car. Ils ne parlèrent guère de l'affaire et préférèrent se raconter leur passé au LAPD. Les premières années, Bosch avait été pas mal baladé, avant d'en passer plusieurs aux Homicides d'Hollywood et d'y finir sa carrière aux Vols et Homicides. Il lui révéla aussi qu'il avait une fille actuellement en fac dans le comté d'Orange.

Lui en parler le poussa à sortir son portable.

— Vous n'allez quand même pas lui envoyer un texto à cette heure, si ? lui demanda-t-elle. Aucun étudiant n'est réveillé aussi tôt.

— Non, je vérifie juste où elle est, répondit-il. Je vois si elle est chez elle. Elle a vingt et un ans maintenant et je croyais que ça atténuerait mon inquiétude, mais ça ne fait que la renforcer.

— Elle sait que vous pouvez la suivre ?

— Oui, on a conclu un marché. Je peux la suivre et elle, elle peut faire pareil avec moi. Je crois qu'elle se fait autant de souci pour moi que moi pour elle.

— C'est bien, mais vous savez qu'elle peut juste laisser son portable dans sa chambre pour que vous ayez l'impression qu'elle y est.

Il la regarda.

— Vraiment? Et il fallait que vous me mettiez ça dans le crâne?

— Je suis navrée, dit-elle. Je voulais juste dire que si j'étais en fac et que mon père pouvait me suivre, je ne pense pas que j'aurais toujours mon portable avec moi.

Il rangea son téléphone et changea de sujet.

Puis, comme promis, il régla la note et ils reprirent la direction d'USC. Chemin faisant, elle lui parla de Dennis Eagleton et lui raconta qu'il était monté dans le van de la Moonlight Mission le même soir que Daisy Clayton. Elle ajouta qu'il n'y avait pas grand-chose de plus pour les relier, mais Eagleton n'en étant pas moins une ordure de criminel, elle voulait l'interroger si elle arrivait à le localiser.

— Et Tim Farmer lui a parlé, reprit-elle. Il a rempli une fiche en 2014, où il dit qu'« Eagle » est plein de haine et de violence.

— Mais toujours pas de trace d'une quelconque violence avérée?

— Non, juste cette agression réduite à coups et blessures. Ce fumier n'a fait qu'un mois à la prison du comté pour avoir fendu le crâne d'un type à coups de bouteille.

Bosch ne réagit pas. Il se contenta de hocher la tête comme si la légère peine qu'avait reçue Eagleton n'était que parfaitement caractéristique de ce genre de situations.

À 8 heures du matin, ils frappèrent à la porte du bureau de Scott Calder à l'Université de Californie du Sud. L'homme ayant maintenant quasiment la quarantaine, Ballard en déduisit qu'il était âgé d'une vingtaine d'années lorsqu'il avait conçu ce programme de recherche des criminels adopté par le LAPD.

— Monsieur le professeur? lança-t-elle. Inspectrice Ballard. Nous nous sommes parlé au téléphone. Et voici mon collègue, l'inspecteur Bosch.

— Entrez donc, je vous en prie, dit-il.

Il leur offrit des sièges en face de lui, puis s'assit à son tour. Il était habillé relax, d'une chemise de golf mauve avec le logo USC en lettres d'or sur sa poitrine gauche. Crâne rasé et longue barbe à la steampunk[1]. Ballard se dit qu'il devait s'imaginer que ça le rapprochait des étudiants du campus.

— Le LAPD n'aurait jamais dû démanteler le SGS, déclara-t-il. Ç'aurait rapporté gros maintenant s'ils l'avaient gardé.

Ni Ballard ni Bosch ne se précipitant pour tomber d'accord avec lui, il se lança dans un bref résumé de la façon dont ce programme était sorti de son travail sur le profil des crimes commis à USC et aux alentours après une série d'agressions et de vols d'étudiants à quelques rues à peine du campus. Après avoir collecté ses renseignements, il avait eu recours à la statistique pour faire des projections sur la fréquence et les lieux des crimes à venir dans les quartiers proches de l'université. Le LAPD en ayant eu vent, le patron de la police lui avait demandé de tester sa modélisation sur la ville, en commençant par trois zones : celle de la division d'Hollywood à cause du caractère transitoire de ses habitants et de la variété des crimes qui s'y commettaient ; celle de la Pacific Division à cause de la nature tout à fait singulière de ceux perpétrés à Venice et celle de la Southwest Division du fait que cette dernière zone incluait l'université elle-même. Une subvention de la ville finançant le projet, Calder et plusieurs de ses étudiants s'étaient mis à collecter les renseignements nécessaires après avoir suivi une formation par les policiers de ces trois divisions. Le projet avait tenu deux ans et demi, jusqu'au jour où le mandat de cinq ans du grand patron se terminant, la commission municipale de la police n'avait plus gardé Calder à son service. Dès sa nomination, le nouveau grand chef avait arrêté le programme et annoncé qu'on en revenait à la bonne vieille méthode de la police de proximité.

1. Courant littéraire de l'ère industrielle du xixe siècle.

— Une vraie honte, poursuivit Calder. On commençait juste à obtenir des résultats. Le SGS aurait marché si seulement on lui en avait donné la possibilité.

— On le dirait bien, répondit Ballard, faute de trouver d'autres mots de sympathie – aussi bien avait-elle ses propres idées sur la nature prévisible de certains crimes.

Bosch, lui, ne dit rien.

— Nous apprécions beaucoup la perspective historique que vous venez de nous donner sur ce programme, enchaîna Ballard. Mais nous sommes surtout venus ici pour vous demander si vous n'auriez pas conservé certaines de ces données. Nous enquêtons sur un meurtre toujours non résolu perpétré en 2009, soit la deuxième année de votre SGS. À l'époque, ce programme fonctionnait toujours et des données y étaient collectées. Nous nous sommes dit qu'il pourrait être utile d'avoir une espèce de photographie de la criminalité ambiante cette nuit-là, voire de toute la semaine de l'assassinat.

Calder garda le silence un instant pour étudier la question de Ballard. Puis il parla prudemment.

— Vous savez que le nouveau patron de la police a purgé toutes les données après avoir enterré le programme, n'est-ce pas? demanda-t-il. Il ne voulait pas qu'elles tombent dans de mauvaises mains. Non mais, vous le croyez, vous?

L'amertume qui s'était glissée dans sa voix révéla toute la colère qu'il avait retenue pendant près d'une décennie.

— Ça semble en effet un peu contradictoire avec le fait que le service adore conserver toutes sortes d'autres choses, lui proposa Ballard en essayant de bien séparer l'enquête du moment de décisions politiques avec lesquelles elle n'avait rien à voir.

— C'était bête, renchérit Bosch. Cette décision était parfaitement stupide.

Ballard comprit que l'approche de Bosch pouvait leur gagner la coopération de Calder. Mais Bosch, lui, ne répondait à personne. Il pouvait dire tout ce qu'il voulait – et surtout ce que Calder avait envie d'entendre.

— La police m'a ordonné d'effacer jusqu'à mes propres données ! s'exclama Calder.

— Et dire que c'était votre bébé ! Mais je devine que vous n'avez pas tout purgé et, si je ne me trompe pas, vous pourriez peut-être même nous aider à résoudre un meurtre. Ça serait un sacré « va te faire foutre » à envoyer au grand patron, non ?

Ballard eut du mal à ne pas sourire. Bosch jouait parfaitement le coup, elle le voyait. Si Calder avait encore quoi que ce soit, il allait le leur donner.

— Que cherchez-vous précisément ? demanda-t-il.

— On aimerait voir tous les crimes perpétrés pendant quarante-huit heures dans le périmètre de la division, en nous concentrant sur la nuit où notre victime a été enlevée en pleine rue, lança Bosch avec toute l'urgence nécessaire.

— Quarante-huit heures avant ou quarante-huit heures après ? demanda Calder.

— Disons quarante-huit avant et après, répondit Bosch.

Ballard sortit son carnet et en arracha la première page. Elle y avait déjà porté la date. Calder lui prit sa feuille.

— Comment voulez-vous ces infos ? Numérique ou papier ?

— Numérique, répondit Ballard.

— Papier, répondit Bosch en même temps qu'elle.

— Bon d'accord, dit Calder. Vous aurez les deux.

Il regarda de nouveau la feuille où était notée la date du crime, comme si à elle seule, elle avait un grand poids moral.

— OK, dit-il. Ça, je peux faire.

CHAPITRE 29

Calder les informa qu'il lui faudrait une journée pour retrouver le disque dur sur lequel il avait conservé les données. Celui-ci ne se trouvait en effet pas à la fac, mais dans un entrepôt de stockage privé. Il ajouta qu'il les appellerait dès qu'il aurait le matériel.

Ballard avait emmené Bosch dans sa voiture de fonction pour qu'ils n'aient pas à se soucier de trouver un endroit où garer leurs véhicules personnels, mais avant qu'ils ne partent, Bosch lui demanda de le déposer à l'Exposition Park tout proche.

— Pourquoi ? lui demanda-t-elle.

— Je n'ai jamais vu la navette spatiale, répondit-il. Je me suis dit que ça serait bien de le faire.

Déclassée, la navette spatiale *Endeavour* avait été amenée à Los Angeles par avion six ans plus tôt, puis très lentement tractée dans les rues de South Central et mise en exposition permanente au centre aérospatial du parc.

Ballard sourit en imaginant Bosch dans ce musée.

— Vous ne me faites pas vraiment l'effet d'un grand fan des voyages dans l'espace, dit-elle.

— Je ne le suis pas. Je veux juste la regarder pour être sûr qu'elle est réelle.

— Vous voulez dire que… vous feriez dans la conspiration-nite? Genre, le programme spatial ne serait qu'une supercherie? Une *fake news*?

— Non, non, rien de tel. J'y crois. C'est juste vraiment étonnant de penser qu'on a pu envoyer ces trucs en l'air, leur faire faire le tour de la planète, arranger des satellites, tout ça à l'époque, alors que nous, on ne peut rien arranger ici-bas. J'ai toujours voulu la voir depuis qu'ils l'ont amenée ici. Je…

Il n'acheva pas sa phrase comme s'il n'était pas certain de devoir la continuer.

— Qu'est-ce qu'il y a? le pressa-t-elle.

— Nan, j'allais juste dire que j'étais au Vietnam en 69, répondit-il. Bien avant votre naissance, je sais. Et ce jour-là précisément, j'étais revenu au camp de base avec l'Airmobile après une opération particulièrement effrayante, où on nous avait ordonné de virer l'ennemi de tout un dédale de tunnels. C'est ce que je faisais là-bas : je nettoyais les tunnels. C'était à la fin de la matinée et le camp de base était complètement désert. On aurait dit une ville fantôme parce que tout le monde s'était assis dans les tentes pour écouter la radio. Neil Armstrong allait marcher sur la Lune et on voulait l'entendre…

« Et c'était la même chose à l'époque, vous savez? Comment était-on arrivé à faire sautiller un type sur la Lune alors que tout était si merdique en bas, sur cette Terre? Non parce que ce matin-là, pendant l'opération… J'avais été obligé de tuer un type. Dans le tunnel. J'avais dix-neuf ans.

Il regardait par sa vitre et donnait presque l'impression de parler tout seul.

— Harry, je suis vraiment désolée, dit-elle. Qu'on vous ait mis dans cette situation à cet âge-là. À n'importe quel âge, en fait.

— Oui, bah… C'était comme ça.

Il ne poussa pas plus loin. Elle sentit la fatigue qui montait de lui comme une vague.

— Vous voulez toujours voir la navette? reprit-elle. Comment allez-vous faire pour reprendre votre voiture au commissariat?

— Lâchez-moi ici. Je prendrai un taxi ou un Uber.

Elle démarra et parcourut les quelques blocs qui les séparaient du parc. Ils se taisaient. Elle le rapprocha au plus près du gigantesque bâtiment abritant la navette.

— Je ne suis pas sûre que ce soit déjà ouvert, dit-elle.

— C'est pas grave, répondit-il. Je trouverai quelque chose à faire.

— Après, vous devriez rentrer chez vous dormir un peu. Vous avez l'air crevé, Harry.

— Bonne idée.

Il ouvrit sa portière, puis se retourna vers elle avant de descendre.

— Juste pour que vous le sachiez, dit-il. C'est fini à San Fernando et je suis donc à cent pour cent sur l'affaire de Daisy.

— Ça veut dire quoi, ce « c'est fini »? demanda-t-elle. Qu'est-ce qui s'est passé?

— Disons que j'ai merdé. Le témoin tué, ça va être pour moi. Je n'ai pas fait tout ce qu'il fallait pour le mettre à l'abri. Et hier, il s'est passé des trucs entre moi et le type qui avait fuité l'info, et le chef m'a suspendu. Et comme je suis de la réserve, je n'ai pas de protection et... je suis cuit. C'est fini.

Elle attendit de voir s'il allait en dire plus, mais ce fut tout.

— Et donc... La fille que vous avez cherchée toute la nuit... Ça ne faisait pas partie de l'affaire?

— Non, c'était la mère de Daisy. Je suis arrivé à la maison et elle était partie. C'est dommage que vous n'ayez pas pu lui parler.

— Oh, ça ira. Vous pensez qu'elle a replongé?

Il haussa les épaules.

— Cette nuit, je suis passé dans tous les endroits où elle avait l'habitude d'aller et… personne ne l'avait vue. Mais ce n'était que les endroits que je connaissais. Elle aurait pu en avoir d'autres… Des lieux où trouver sa dose et dormir. Et des gens prêts à l'accueillir. Peut-être aussi qu'elle a sauté dans un Greyhound pour filer. C'est ce que j'espère. Mais je vais continuer à chercher quand je pourrai.

Elle acquiesça d'un signe de tête. Ils semblaient être arrivés au bout de la conversation, mais elle voulait lui dire quelque chose. Juste au moment où il allait descendre, elle parla :

— Mon père y est allé aussi… au Vietnam. Vous me faites penser à lui.

— C'est vrai? Il est ici, à L.A.?

— Non, je l'ai perdu quand j'avais quatorze ans. Mais pendant la guerre, il est venu à Hawaï en… Comment ça s'appelait? En permission?

— On disait aussi « en congé de liberté ». Hawaï… J'y suis allé plusieurs fois. Comme ils ne voulaient pas qu'on rentre aux CONUS, on pouvait aller à Hongkong, Sydney et d'autres endroits. Mais le mieux, c'était Hawaï.

— Aux « CONUS »? répéta-t-elle.

— Oui, dans les Continental United States. Ils ne voulaient pas qu'on retourne au pays à cause de toutes les manifestations. Mais en arrangeant bien le coup à Honolulu, on pouvait monter dans un avion en civil et rentrer à Los Angeles.

— Je ne crois pas que mon père l'ait fait. Il avait rencontré ma mère à Hawaï et après la guerre, c'est là qu'il est revenu, et est resté.

— C'est ce qu'ont fait beaucoup de mecs.

— Il était originaire de Ventura et après ma naissance, on allait y voir ma grand-mère… une fois par an… mais ça ne lui plaisait pas. Il voyait les choses comme vous. Le monde était foutu. Tout ce qu'il voulait, c'était camper sur la plage et faire du surf.

Bosch hocha la tête.

— Je le comprends. Il était malin, et moi, j'étais con. Je suis revenu et je croyais pouvoir changer les choses.

Avant qu'elle ait le temps de répondre, il descendit de voiture et referma la portière. Elle le regarda s'avancer vers le bâtiment où la navette spatiale était exposée et remarqua qu'il boitait légèrement.

— Je ne l'entendais pas comme ça, Harry, dit-elle tout haut.

CHAPITRE 30

Lorsque Ballard eut changé de véhicule, roulé jusqu'à Venice, repris Lola et atteint la plage, la matinée était bien avancée et le vent avait levé un clapot de soixante centimètres à la surface de l'eau, faisant de toute tentative de paddling un véritable défi qui ne lui donnerait pas l'apaisement qu'elle en tirait d'habitude. Aussi fort qu'elle eût besoin de l'exercice, elle savait que c'était le sommeil qui lui manquait le plus. Elle planta sa tente, posta Lola devant et y entra en rampant pour se reposer. Elle repensa à son père en s'endormant, le revit à califourchon sur sa planche, l'entendit lui parler de la guerre du Vietnam, lui dire la mort à infliger, tout cela dans les mêmes termes que Bosch : il avait été obligé de le faire et avait dû vivre avec après. Pour lui, toute son expérience vietnamienne se résumait en une seule expression : *Sin Loi* – « pas de pot ».

Quatre heures plus tard, sa montre vibra et la réveilla. Elle avait plongé fort, revenir à la réalité lui prit du temps et la désorienta. Enfin, elle se mit sur son séant, écarta les pans de la tente d'un geste et chercha Lola. Elle était toujours là à se chauffer au soleil. Elle se retourna vers sa maîtresse et la regarda d'un œil plein d'espoir.

— Tu as faim, ma fille ? lui demanda Ballard, puis elle sortit de la tente et s'étira.

Elle regarda le poste de sécurité de Rose Avenue et vit qu'Aaron Hayes était toujours dans son nid, à observer les vagues. Aucun nageur ne s'était aventuré dans l'eau.

— Allez, Lola ! dit-elle.

Et elle longea la plage de sable jusqu'au poste, Lola sur ses talons.

— Aaron ! lança-t-elle.

Il se tourna et la regarda du haut de son perchoir.

— Renée ! J'ai vu ta tente, mais je ne voulais pas te réveiller. Tout va bien ?

— Oui. Et toi ?

— Bah, retour au boulot. Mais c'est assez calme aujourd'hui.

Elle regarda vite la mer comme pour confirmer qu'il y avait vraiment peu de nageurs.

— Tu veux qu'on dîne ensemble ce soir ? lui demanda-t-il.

— Je pense être de service, répondit-elle. Je passe un coup de fil, je vois ce qu'il en est et je te dis.

— Je serai ici.

— Tu as ton portable ?

— J'ai mon portable, oui.

Il violait le règlement en ayant avec lui son téléphone personnel alors qu'il était en service. Plus haut sur la côte, un scandale avait éclaté un an plus tôt lorsqu'un maître-nageur qui envoyait un texto n'avait pas vu une femme qui se noyait agiter les bras en signe de détresse. Ballard savait qu'Aaron n'aurait jamais fait une chose pareille, mais se repasser un message sans lâcher l'océan des yeux, il savait faire.

Elle regagna sa tente, sortit son portable de la poche de son sweat de plage et appela le numéro que lui avait donné Travis Lee, un des inspecteurs qui avait pris l'affaire Jacob Cady ce matin-là. Elle lui demanda où on en était dès qu'il décrocha. Plus tôt dans la matinée, Lee lui avait fait remarquer que pour lui et son coéquipier Rahim Rogers, se mettre à enquêter sur une affaire alors que le tueur, qui avait reconnu les faits, était déjà incarcéré et que leur travail ne consisterait donc qu'à retrouver les restes de la victime, était bien inhabituel.

— On a suivi le camion qui avait chargé la benne, dit-il. Il a commencé par rejoindre un centre de tri de Sunland Boulevard, tout ce qui n'avait pas été pris pour recyclage étant ensuite jeté à la décharge de Sylmar. Tu le crois si tu veux, mais c'est dans Sunshine Canyon[1]! On est en train d'enfiler nos tenues lunaires pour commencer à fouiller.

— Vous en avez une de rab?

— Quoi? Tu te portes volontaire?

— Oui. Je veux aller au bout de l'affaire.

— Eh bien mais, viens! On va t'arranger ça.

— J'arrive dans une heure.

Après avoir ramassé ses affaires et déposé Lola au chenil, elle prit la 405 direction nord, traversa les collines carbonisées du col de Sepulveda et arriva dans la Valley. Elle avait déjà appelé Aaron et lui avait laissé un message pour lui dire qu'ils ne dîneraient pas ensemble ce soir-là.

Sylmar se trouve au nord de la Valley, et Sunshine Canyon dans l'espèce d'aisselle puante créée par l'intersection des autoroutes 405 et 14. Ballard la sentit bien avant d'y arriver. Appeler une décharge « Sunshine Canyon » était de l'iconographie classique : on prend quelque chose de laid ou d'horrible et on lui donne un joli nom.

À peine arrivée, Ballard fut conduite au site de recherches dans un véhicule tout-terrain. Lee, Rogers et une équipe de médecine légale se servaient déjà de ce qui ressemblait à des bâtons de ski pour fouiller une zone de détritus fermée au public par un ruban jaune. L'affaire mesurant dans les trente mètres de long sur dix de large, Ballard supposa que telle était l'étendue

1. Le Canyon ensoleillé.

du contenu du camion poubelle qui avait chargé la benne de l'immeuble de Jacob Cady.

Une table avait été installée sous un dais érigé par les légistes sur le chemin de terre qui faisait le tour de la zone de vidage des camions. De l'équipement supplémentaire y avait été déposé, dont des salopettes en plastique antimatières dangereuses, des masques respiratoires, des lunettes de protection, des boîtes de gants et de bottines, des casques de chantier, du ruban adhésif et une caisse de bouteilles d'eau. Près de la table se trouvaient des piques de fouille supplémentaires, certaines s'ornant de drapeaux orange pour signaler l'emplacement d'une découverte.

Aussitôt à terre, Ballard fut informée par le conducteur du véhicule tout-terrain que le port du casque de chantier était obligatoire dans la zone. Elle commença par mettre un masque respiratoire. S'il ne faisait pas grand-chose pour atténuer l'odeur, il était réconfortant de savoir qu'il pouvait réduire l'ingestion d'ordures particulaires plus importantes. Elle enfila ensuite une tenue lunaire par-dessus ses vêtements et remarqua qu'aucun des préposés à la fouille n'avait remonté sa capuche par-dessus sa combinaison. Elle le fit, enfouit toute sa chevelure mi-longue dans le réceptacle en plastique et tira sur les cordons pour le resserrer autour de son visage.

Après avoir enfilé ses gants et ses bottines, elle prit de l'adhésif pour resserrer les ourlets des manches et des jambes de sa combinaison autour de ses poignets et chevilles. Elle chaussa encore ses lunettes de protection et couronna le tout avec un casque de chantier orange orné du nombre 23 de chaque côté. Elle était prête. Elle s'empara d'une des piques rangées dans le tonneau et s'avança vers les autres. Ils formaient une ligne de cinq personnes qui remontait la zone de recherches.

Parce qu'ils n'avaient pas fermé leurs bottines, elle n'eut aucun mal à identifier Lee et Rogers.

— Vous voulez que je me mette dans la ligne ou que je fasse autre chose ? leur demanda-t-elle.

— C'est bien toi, Ballard ? lui lança Lee. Oui, mets-toi ici. Ça nous donnera une chance de plus de ne pas rater quelque chose.

Lee se déporta à gauche et Rogers à droite pour lui permettre de s'insérer dans la ligne.

— On cherche des sacs-poubelle en plastique noir, dit Rogers. Avec des cordons de couleur bleue.

— OK, compris.

— Hé, tout le monde ! cria Lee. Je vous présente Renée. C'est elle qu'il faut remercier d'être tous ici. Renée, je te présente tout le monde.

Elle sourit, mais personne ne le vit.

— Ça doit être ma faute, dit-elle.

— Non, c'est bien, la reprit Rogers. Sans toi, ce fumier du New Jersey aurait pu s'en tirer indemne. Même qu'ici, on nous a dit que si on était passé deux ou trois jours plus tard, on n'aurait jamais pu isoler ce coin de décharge. On a eu de la chance.

— Espérons seulement qu'on va encore en avoir, ajouta Lee.

Ils avançaient lentement, en s'enfonçant à chaque pas de trente centimètres, voire plus, dans les ordures et se servant de leurs piques en acier pour fouiller dans les détritus. La régularité de la ligne était vague, un chercheur pouvant s'arrêter pour écarter ceci ou cela à la main.

À un moment donné, Lee s'inquiéta du temps qui passait et demanda aux autres d'accélérer l'allure. Il leur restait encore un minimum de quatre heures de soleil, mais s'ils commençaient à trouver des bouts de corps, il faudrait lancer une analyse de scène de crime et il voulait que ça se fasse avant la nuit.

Une heure après que Ballard se fut jointe à la fouille, les premiers morceaux de cadavre étaient découverts. Une des techniciennes venait de tomber sur un sac-poubelle en plastique noir et l'avait déchiré avec sa pique.

— Ici! cria-t-elle.

Tous se réunirent autour de ce qu'elle avait trouvé. Dans le sac déchiré s'entassaient une paire de pieds et deux bas de jambes tranchés juste au-dessous du genou. Pendant que la technicienne en prenait des photos avec son portable, Rogers regagna la table d'équipement pour y prendre une pique à drapeau. La fouille ne reprendrait qu'après que le premier sac aurait été signalé. Lee sortit son portable et appela le bureau du légiste qui se mit aussitôt en route.

La deuxième pièce à conviction découverte fut le tapis du séjour, Ballard le repérant dans sa zone de recherches. Il était presque au sommet du tas, mais disparaissait derrière un sac crevé contenant ce qui ressemblait aux ordures d'un restaurant chinois. Le tapis avait été enroulé d'une manière assez lâche. Une fois extrait de la décharge et déroulé, il révéla la présence d'une énorme tache de sang, mais sans morceaux de corps.

Ballard en marquait l'emplacement avec une pique à drapeau lorsque Kokoro, la criminaliste qui avait découvert le premier sac noir, cria qu'elle venait d'en repérer deux autres. Une fois encore on se réunit lugubrement autour. L'un contenait la tête de Jacob Cady, l'autre ses bras.

Cady ne montrait aucun signe de traumatisme au visage et, les yeux et la bouche fermés, semblait presque aussi calme que s'il dormait. Kokoro prit d'autres photos.

Les bras, eux, faisaient apparaître des traumatismes allant bien au-delà des dommages évidents dus à leur séparation d'avec le reste du corps. On y découvrait de profondes lacérations sur les avant-bras et dans les paumes des mains.

— Blessures de défense, déclara Rogers. Il a levé les mains pour repousser l'attaque.

— Ce qui nous donne un meurtre en bonne et due forme, conclut Lee.

Ils signalèrent l'endroit des trouvailles avec des piques à drapeau et continuèrent. Lorsque le van du bureau du légiste arriva avec une équipe de techniciens de scène de crime, deux autres sacs contenant le reste du corps, et un troisième les grands couteaux et la scie à métaux utilisés pour le démembrement, avaient été retrouvés. Jacob Cady était maintenant entièrement recouvré et prêt à être enterré. C'était ça de moins qui ne hanterait pas la famille.

Ballard regagna la table sous le dais, abaissa son masque respiratoire et descendit une demi-bouteille d'eau d'un coup, Lee arrivant à son tour. Tous les chercheurs avaient quitté le monceau d'ordures pour que les enquêteurs du coroner et le photographe de scène de crime puissent tout répertorier.

— Quel monde merveilleux ! s'exclama Lee.

— Quel monde merveilleux[1], répéta Ballard.

Lee ouvrit une bouteille d'eau et se mit à boire.

— Où en êtes-vous avec Tyldus ? lui demanda Ballard.

— On l'a sur bande en train de nous raconter son histoire de légitime défense, mais j'en ai vu assez ici pour savoir que ça ne tiendra pas. Il est cuit.

— Et les parents de la victime ? Qu'est-ce que vous leur avez dit ?

— On leur a dit qu'on avait arrêté quelqu'un et qu'ils devaient se préparer. On n'est pas entrés dans les détails. Mais maintenant…

— Contente que ce ne soit pas moi qui aie à faire ça.

— C'est pour ça que nous autres, on gagne des tonnes de fric. Et… t'étais bien aux Vols et Homicides avant, non ?

---

1. *What a Wonderful World*, célèbre chanson interprétée par Louis Armstrong.

— J'y ai passé quelques années, oui.

Lee ne poussa pas plus loin, laissant la question de savoir ce qui s'était passé planer dans l'air comme une puanteur de décharge.

— C'est pas par choix que j'ai atterri à la dernière séance, reprit-elle. Mais j'aime bien ce que je fais.

Et elle en resta là. Elle but une autre gorgée d'eau, puis remit son masque en place et eut l'impression que, comme tout le reste, celui-ci ne servait à rien. L'odeur lui envahissant les pores, elle sut que dès qu'elle aurait fini, elle allait se ruer à Ventura par la 118 pour y retrouver sa grand-mère et rester au moins une demi-heure sous la douche pendant que ses vêtements passeraient à la machine à laver. Elle viderait complètement l'eau chaude du ballon.

— Bon, moi, je me tire, dit-elle à Travis. Vous avez les restes et moi, faut que j'aille me nettoyer avant mon service.

— Ouais, ben bonne chance ! lui renvoya Lee.

Il la remercia de s'être portée volontaire et prit sa radio pour appeler un tout-terrain pour la ramener à sa voiture garée au parking.

Lee retourna au tas d'ordures auprès de son coéquipier pour superviser l'enquête. Ballard attendait qu'on l'emmène lorsqu'elle vit les deux enquêteurs du coroner ouvrir une housse mortuaire. Elle se détourna et regarda vers l'ouest. Le soleil allait bientôt disparaître derrière le monticule de déchets, et le ciel était orange au-dessus de Sunshine Canyon.

BOSCH

CHAPITRE 31

Bosch sentit vibrer son portable. L'écran indiquait APPEL MASQUÉ, mais il se dit que ce devait être encore Bella. Les deux fois précédentes, il avait laissé l'appel filer à la messagerie, et elle lui en avait laissé d'autres pour dire qu'elle voulait lui parler de sa suspension et du fait qu'il avait tout pris sur lui pour le plan Luzon alors qu'ils l'avaient concocté tous les deux avant de l'exécuter, et une fois encore, tous les deux. Mais Bosch n'avait aucune envie de parler de ça pour l'instant.

Il avala une autre gorgée de café noir et garda les yeux rivés sur l'entrée du dispensaire de Van Nuys Boulevard. Il y régnait une grande activité depuis deux heures, mais il n'avait toujours pas vu Elizabeth Clayton parmi les gens qui y entraient ou en sortaient. Il était près de 8 heures du soir et l'établissement allait fermer.

Il vérifia encore une fois ses textos. Il en avait envoyé un à sa fille pour lui demander s'il pouvait prendre le train pour descendre lui offrir le petit déjeuner ou un dîner, voire un match des Angels pendant le week-end, mais vingt minutes s'étaient écoulées depuis et il n'avait toujours pas reçu de réponse. Il avait son emploi du temps et savait qu'elle n'avait pas de cours du soir, mais pouvait être en train de travailler à la bibliothèque avec son portable éteint. Il repensa à ce que Ballard lui avait dit sur le fait que sa fille pouvait très bien ne pas avoir son portable avec elle quand elle ne voulait pas qu'il la suive à la trace, et se demanda si ce n'était pas le cas.

Il ouvrit l'application localisation, mais avant même qu'il puisse y retrouver sa fille, son appareil vibra de nouveau. Cette fois l'appel n'était pas masqué, il le prit.

— Quoi de neuf, Renée ? dit-il.

— Hé Harry, où vous êtes ?

Il comprit qu'elle conduisait.

— À Van Nuys. Je surveille un dispensaire où pourrait être Elizabeth.

— Je croyais vous avoir entendu dire que vous l'aviez suivie jusqu'à North Hollywood.

— C'est vrai, mais ça, c'était hier soir. Et je n'ai vu aucun signe d'elle. Ce soir, je surveille un dispensaire où elle avait l'habitude d'aller. Peut-être qu'elle s'y pointera. Et vous, vous êtes où ? On dirait que vous êtes sur l'autoroute.

— Sur la 101. Je reviens de Ventura.

Elle lui raconta la fouille à la décharge et comment elle avait dû aller se nettoyer chez sa grand-mère.

— Je vous vois à la boutique ce soir ? demanda-t-elle.

— À moins qu'il se passe des trucs ici, j'y serai, répondit-il.

— J'ai eu un message du professeur Calder. Il dit avoir le dossier SGS sur une clé USB pour nous. Il l'apportera demain à la fac. J'y retournerai après mon service. Si ça vous intéresse de m'y retrouver... On pourrait vous en faire une copie papier.

— Oui, comptez sur moi. J'y serai.

— D'accord. Peut-être que j'aurai la chance d'avoir un service tranquille et de finir les fiches.

— Bonne chance.

Elle raccrocha et Bosch se remit à surveiller le dispensaire.

Il ne savait pas trop pourquoi il le faisait. Il y avait certes eu un lien entre Elizabeth et le docteur Ali Rohat, le médecin douteux à la tête de l'établissement, mais il y avait des milliers de dispensaires à Los Angeles et elle pouvait se trouver dans n'importe lequel d'entre eux. Il songea qu'il faisait tout ça pour faire quelque chose. L'alternative était de rentrer, retrouver une maison vide et penser à elle.

Il décida de jouer le coup de chance. Se concentrer sur le dispensaire l'empêchait d'avoir toujours ses erreurs récentes à l'esprit. Il savait qu'il repoussait ainsi une auto-évaluation d'importance et qui pouvait même le pousser à conclure qu'il n'avait plus ce qu'il fallait pour le boulot. Ce serait à lui d'en décider, mais il savait aussi qu'il se mettait la barre nettement plus haut que tous ceux et celles qu'il avait croisés. S'il pensait que l'heure était venue de se retirer, tout serait dit.

Son portable vibra de nouveau. Appel masqué. Cette fois, il décida d'en finir avec l'entretien que désirait Lourdes. Il prit l'appel.

Mais ce n'était pas elle.

— Hé, connard!

Il ne reconnut pas la voix. Accent espagnol, âge : milieu de la trentaine. Et ça semblait sérieux.

— Qui est à l'appareil?

— Aucune importance. Ce qui en a, c'est que tu fais chier les gens qui faut pas.

— Et ces gens seraient?…

— Tu vas le savoir, 'spèce d'enculé! Et très bientôt!

— Cortez? C'est Cortez à l'appareil?

Mais l'inconnu avait raccroché.

Bosch avait reçu bien des menaces au fil des ans. La plupart anonymes, comme celle-là. La recevoir ne le fit pas hésiter. C'était forcément Cortez ou un SanFer. Ç'aurait expliqué que l'inconnu avait son numéro. Bosch l'avait inscrit sur la carte de visite professionnelle qui, passée à Martin Perez, avait fini coincée entre ses dents après son assassinat. C'était là une énième erreur qu'il avait commise, la première étant d'accepter la demande de Perez de ne pas avoir de protection, et la dernière de s'être fait avoir par un Luzon qui l'avait viré de sa cellule pour essayer de se suicider.

Il décida de rappeler Lourdes et de lui parler de cette menace. Elles étaient rarement mises à exécution, mais il se disait qu'il devait y en avoir une trace si jamais elle s'avérait être une exception à la règle. Il l'attrapa alors qu'elle était encore au bureau à faire de la paperasse qui s'était accumulée.

— Harry, dit-elle, j'ai essayé de te joindre toute la journée.

— Je sais. Je suis très occupé et j'ai pas pu t'appeler avant. Qu'est-ce qu'il y a ?

— À un moment ou à un autre, il va falloir qu'on parle de Luzon et de cette suspension à la con, mais pour l'instant, il y a quelque chose de plus important. Les mecs de l'Antigang ont eu des infos aujourd'hui même : les SanFers ont lancé un contrat sur toi.

Bosch garda le silence un long moment en pensant à la menace qu'il venait de recevoir.

— Hé, Harry ! T'es toujours là ?

— Oui, je réfléchissais. Et ces renseignements sont fiables ?

— D'après eux, ils l'étaient assez pour que je t'avertisse.

— Eh bien... Je viens de recevoir un appel anonyme. Sur mon portable. Un type qui me menaçait.

— Merde ! Tu as reconnu sa voix ?

— Pas vraiment. Ç'aurait pu être Cortez ou n'importe qui d'autre. Mais pourquoi m'avertir si c'est vraiment un contrat ? Ça n'a pas grand sens, si ?

— Non, pas vraiment, mais il faut que tu prennes ça au sérieux.

— Tu crois qu'ils savent où j'habite ?

— Aucune idée. Mais tu devrais peut-être ne pas rentrer chez toi, histoire d'être en sécurité.

Il vit une femme avec un bandana autour de la tête sortir du dispensaire et prendre Van Nuys Boulevard vers le sud. Elle était aussi frêle qu'Elizabeth, mais se détourna de lui si rapidement qu'il fut incapable de confirmer que c'était bien elle. Son bandana cachait la longueur et la couleur de ses cheveux.

— Bella, faut que j'y aille, dit-il. Tiens-moi au courant. Je pense que c'est que du baratin, mais appelle-moi si c'est autre chose.

— Harry, tu devrais…

Il avait raccroché et mis la voiture en route. Il descendit lentement la rue sans lâcher la femme des yeux. Elle était presque au bout, il décida de la dépasser, de s'arrêter le long du trottoir et de descendre de son véhicule pour voir si c'était Elizabeth. Il comprit alors qu'il s'était tellement concentré sur l'idée de la retrouver qu'il n'était maintenant plus trop sûr de savoir comment gérer la situation si c'était bien elle.

Puis la femme tourna le coin de la rue et il la perdit de vue. Le plan qu'il avait prévu de suivre pour l'identifier et l'affronter dans un Van Nuys Boulevard bien éclairé changea. Il accéléra, prit le même tournant qu'elle et tout de suite il la vit debout avec deux hommes dans l'ombre d'un magasin de peintures fermé. L'un d'eux avait mis les mains en coupe et elle y déposait quelque chose. Mais Bosch ne pouvait toujours pas bien la voir. Il s'arrêta le long du trottoir juste devant eux.

Aussitôt l'un des deux hommes s'enfuit dans une ruelle perpendiculaire au boulevard, le second et la femme se figeant sur place. La vieille Cherokee ne ressemblait en rien à un véhicule de la police. Bosch attrapa une minitorche sur la console centrale, sauta de sa Jeep et leva les mains pour qu'ils les voient au-dessus du toit.

— Y a pas de problème, dit-il. Je veux juste parler. Rien d'autre.

Alors qu'il s'approchait, il vit l'homme sortir quelque chose de sa poche revolver en se servant du corps de la femme comme d'un écran. Pas moyen de savoir s'il s'agissait d'une arme à feu, d'un couteau ou d'un paquet de cigarettes. Mais par expérience, Bosch savait que quand on a un flingue, on le montre.

Il s'arrêta à deux mètres d'eux, les bras toujours levés.

— Elizabeth ? lança-t-il en scrutant les ténèbres.

Impossible de le savoir et elle ne répondit pas. Les mains toujours au-dessus de la tête, il alluma sa minitorche et en braqua le rayon sur elle.

Ce n'était pas Elizabeth.

— OK, désolé, erreur sur la personne, dit-il. Je vous laisse. Et il recula.

— Et comment qu'il y a erreur sur la personne ! s'écria le type. C'est quoi, cette merde ! Suivre des gens comme ça dans la rue !

— Je vous l'ai dit, je cherche quelqu'un, d'accord ? Excusez-moi.

— J'aurais pu avoir un flingue, espèce d'andouille ! J'aurais pu te faire sauter le crâne !

Bosch glissa la main sous sa veste et décrocha son arme de sa ceinture. Puis il la tint canon en l'air et s'avança d'un pas vers le couple.

— Tu veux dire un flingue comme celui-là ? C'est ça que t'as ?

Le type lâcha ce qu'il avait et leva les mains en l'air.

— Désolé, mec, désolé ! cria-t-il.

— Range ce truc ! hurla la femme. On fait de mal à personne.

Bosch baissa les yeux sur le trottoir et vit ce que le type avait laissé tomber : un broyeur à comprimés en plastique. Ils s'apprê-taient à réduire en poudre les cachets qu'elle avait obtenus au dispensaire pour les sniffer. Bosch en avait eu un exactement semblable lorsqu'il avait travaillé sous couverture l'année précédente.

Tout d'un coup, il fut frappé par le pitoyable des existences que vivaient les deux individus qu'il avait devant lui. Il se demanda comment Elizabeth avait pu y retourner. Il remit son arme dans son holster et regagna la Cherokee sous le regard des deux drogués.

— Parce que t'es quoi, toi? Une espèce de flic? reprit la femme.

Bosch la regarda avant de remonter dans la Cherokee.

— Quelque chose comme ça, oui, lui répondit-il.

Il s'assit au volant, passa en *drive* et s'en alla.

Et décida qu'il en avait fini pour la journée. Si elle se trouvait quelque part là-bas toute seule, Elizabeth ne l'aurait plus, lui, pour la chercher. Il reprit le chemin de sa maison, résigné à reconnaître qu'il avait fait tout ce qu'il pouvait. Il continuerait à chercher l'assassin de sa fille, mais la retrouver, elle, ne serait plus une priorité.

Il se prit des tacos au Poquito Mas de Cahuenga Boulevard et remonta la colline vers chez lui. Et décida de manger, prendre une douche et enfiler des vêtements propres. Après quoi, il filerait à Hollywood pour y examiner des fiches d'interpellation avec Ballard.

Tout était plongé dans le noir parce qu'il avait oublié de laisser la lumière. Il entra par la porte de la cuisine et prit une bouteille d'eau dans le frigo avant de passer sur la terrasse pour y manger ses tacos.

Il traversait le séjour lorsqu'il remarqua que la porte coulissante était à moitié ouverte. Il s'immobilisa. Il savait qu'il ne l'avait pas laissée ouverte. C'est alors qu'il sentit le canon d'une arme sur sa nuque.

Une image de sa fille lui vint à l'esprit. Elle remontait à quelques années, à une époque où il lui apprenait à conduire et lui disait qu'elle se débrouillait bien. Toute fière, elle lui souriait.

BALLARD

CHAPITRE 32

Ballard avait eu le genre de nuit qu'elle espérait depuis le début de la semaine. Aucun appel demandant la présence d'un inspecteur, aucun appel pour avoir des renforts, aucun appel pour aller aider un officier en danger. Elle avait passé tout son service à la salle des inspecteurs et avait même commandé de la nourriture à faire livrer à la réception. Cela lui avait donné le temps de se concentrer sur les fiches d'interpellation et d'analyser toutes celles qui restaient.

Les deux premiers cartons n'avaient donné que de maigres résultats en termes de suivi nécessaire. Elle n'en avait ajouté que deux au tas de celles qui s'accumulaient depuis le début du projet. Mais le troisième lui en avait dispensé cinq, dont trois qui, à son avis, devaient être traitées immédiatement.

Trois semaines avant le meurtre de Daisy Clayton, deux policiers avaient arrêté leur voiture pour inspecter une camionnette à panneaux latéraux garée en stationnement interdit dans Gower Street, au sud de Sunset Boulevard. Ils s'en approchaient lorsqu'ils avaient vu de la lumière et entendu des voix à l'intérieur. Il y avait des vitres aux portières arrière, ils avaient remarqué qu'un rideau de fortune avait été tiré en travers de l'une d'entre elles. Et là, par un petit espace, ils avaient vu un homme et une femme avoir une relation sexuelle sur un matelas pendant qu'un deuxième type les filmait en vidéo.

Les policiers avaient interrompu la fête et vérifié les identités des trois occupants de la camionnette. Avec la femme – qui avait déjà été arrêtée pour prostitution –, ils avaient eu confirmation que la petite sauterie et son enregistrement vidéo étaient consensuels. Elle leur avait affirmé qu'aucun argent n'avait changé de mains et qu'elle-même ne se livrait à aucun acte de prostitution.

Aucune arrestation n'avait eu lieu parce qu'aucun crime dont on aurait pu accuser le trio n'avait été commis. La loi stipule en effet qu'on ne peut arrêter quelqu'un pour conduite obscène que si le public en étant témoin, un citoyen s'en déclare offensé. Les trois individus n'avaient eu droit qu'à un avertissement avant d'être priés de dégager.

Mais trois fiches d'interpellation avaient été remplies. Ce sur quoi elle se focalisa – en plus de la camionnette – était qu'un des deux hommes avait droit à la mention « acteur porno » après son nom. Répertorié sous l'identité de Kurt Pascal, il avait vingt-six ans à l'époque et habitait Kester Street, à Sherman Oaks.

D'après les quelques détails mentionnés dans leurs fiches, Ballard conclut que les policiers avaient très vraisemblablement interrompu le tournage d'une scène porno. Pascal et le cameraman, identifié sous le nom de Wilson Gayley, trente-six ans, avaient payé la prostituée Tanya Vickers, trente et un ans, pour jouer la scène dans la camionnette. En poussant les choses un peu plus loin, Ballard repensa à une autre nuit où, trois semaines plus tard, ils avaient embarqué une autre prostituée pour tournage de scène porno et après les faits, s'étaient aperçus que le trio avait commis un crime parce que c'était une mineure. Et que, solution à leur problème, ils auraient pu éliminer la fille et faire croire à l'œuvre d'un sadique.

Ballard savait qu'il ne s'agissait que d'hypothèses. Que d'une extrapolation après une autre. Mais quelque chose dans ce scénario la retenait. Il allait falloir chercher plus loin et elle savait exactement où commencer.

Elle jeta un coup d'œil à la pendule murale et s'aperçut que son service s'était passé rapidement. Il était déjà 5 heures du matin et Bosch ne s'était toujours pas montré comme il avait promis de le faire. Elle songea à l'appeler, mais elle ne voulait pas le réveiller si jamais il avait décidé de s'octroyer une nuit complète de sommeil.

Elle regarda les trois fiches posées sur le bureau devant elle. Elle voulait s'y plonger tout de suite, mais elle était liée à Bosch et respectait la manière dont il lui avait dit que le travail devait être fait. Elle passa au dernier carton et examina d'autres fiches.

Deux heures plus tard, elle avait fini. Elle n'en avait extrait aucune fiche, et Bosch ne s'était toujours pas montré. Elle vérifia son portable pour voir si par hasard elle n'avait pas raté un appel ou un texto de lui, mais non, il n'y avait rien. Elle lui rédigea un message : « Je file à USC dans trente minutes. Vous venez ? », l'envoya et attendit. Mais il n'y eut pas de réponse immédiate.

Elle se remit au travail et consacra sa dernière demi-heure de service à passer les trois individus de la camionnette à l'ordinateur pour tenter d'avoir leurs adresses et leurs statuts juridiques actuels. Elle découvrit que pendant les quatre ans qui avaient suivi l'incident, Tanya Vickers avait été arrêtée neuf fois pour prostitution et infractions liées à la drogue avant de mourir d'une overdose d'héroïne à l'âge de trente-cinq ans.

Kurt Pascal, l'acteur porno, n'avait pas de casier et d'après le Department of Motor Vehicles[1] il habitait toujours Kester Street, à Sherman Oaks, mais cela remontait à loin. Son permis de conduire avait expiré deux ans plus tôt et n'avait pas été renouvelé.

---

1. Équivalent de notre service des cartes grises.

Wilson Gayley, le cameraman, s'était lui aussi évanoui dans la nature. En 2012 il avait été condamné à de la prison après avoir sciemment infecté quelqu'un avec une maladie sexuellement transmissible. Il avait fait trois ans de taule, un an de conditionnelle et disparu de la circulation, Ballard étant alors incapable de lui trouver un quelconque renouvellement de permis de conduire dans aucun État.

Elle avait du pain sur la planche, mais il était maintenant 8 heures du matin et elle était censée retrouver le professeur Calder une demi-heure plus tard à la fac afin d'y prendre les données du programme SGS. Elle ne pouvait pas louper le créneau qu'il lui avait donné : il avait une séance de travaux pratiques d'informatique à 9 heures.

Elle posa les quatre cartons de fiches sur les meubles classeurs qui couraient le long de la salle des inspecteurs, attrapa une radio à la station de chargement et se dirigea vers la porte de derrière.

Il était un peu plus de 8 h 30 lorsqu'elle sortit du parking, elle n'avait plus à s'inquiéter de réveiller Bosch en lui téléphonant, mais son appel fila directement à la boîte vocale.

— Bosch, c'est Ballard, dit-elle. Qu'est-ce qui vous arrive ? Je croyais qu'on devait faire ça ensemble. Je vais à USC. Appelez-moi. Je suis tombée sur des fiches d'interpellation qui me plaisent beaucoup.

Elle raccrocha en pensant à moitié qu'il allait la rappeler immédiatement.

Mais il ne le fit pas.

Elle chercha un numéro dans son répertoire et l'appela. Beatrice Beaupre était devenue réalisatrice de films pour adultes après y avoir joué comme actrice. Tout bien considéré, elle avait donné presque vingt ans de sa vie à ce métier. Ballard la connaissait parce que l'année précédente, elle l'avait sauvée des griffes d'un type qui voulait la tuer. Beaupre lui en devait donc une, et Ballard l'appelait pour qu'elle passe à la caisse.

Elle savait qu'à cette heure de la matinée, ou bien Beaupre arrivait à la fin d'une nuit de travail à son studio de Canoga Park, ou bien elle dormait et n'était plus là pour personne.

Une seule sonnerie et l'on décrocha.

— Quoi?

— Beatrice, c'est Renée Ballard.

Beaupre était connue sous divers pseudos dans le business du porno. Rares étaient ceux qui l'appelaient par son vrai nom, voire le connaissaient.

— Qu'est-ce que tu fous, Ballard? J'allais sombrer. J'ai bossé toute la nuit.

— Contente de t'avoir attrapée juste avant. J'ai besoin de ton expertise.

— Mon « expertise »? Quoi, tu veux t'initier au bondage?

— Pas tout à fait, non. Je veux te lire des noms, histoire de voir si tu connais ces types.

— OK.

— Le premier est Kurt Pascal. A priori, un acteur du porno. En tout cas, c'en était un il y a neuf ans.

— Il y a neuf ans? Merde, Ballard, l'industrie a complètement changé au moins deux fois depuis. Et les acteurs, ça va, ça vient... Sans jeu de mots.

— Donc, tu ne le connais pas.

— C'est-à-dire que ces mecs-là, je les connais par leurs noms de scène et Kurt Pascal, c'en est pas un. Laisse-moi aller chercher mon ordinateur. Je regarde s'il est dans la base de données sous son vrai nom.

— C'est quoi, cette base?

— Casting adulte. Une minute.

Ballard l'entendit taper sur son clavier, puis ce fut :

— Pascal, P-a-s-c-a-l?

— C'est ce que j'ai, oui.

— OK, oui, je l'ai. Comme je ne le reconnais pas sur sa photo, je dirais que j'ai jamais travaillé avec lui. Qu'est-ce qu'il a fait?

— Rien. Ta base te dit-elle où il habite?

— Non, y a rien de tel. Y a juste son listing, son âge et des détails physiques. Corps parfait, ce qui explique qu'il se soit mis au porno et qu'apparemment il ait continué. Mais aujourd'hui il a trente-cinq ans et c'est un peu vieux pour le boulot.

Ballard réfléchit un instant à la meilleure manière d'entrer en contact avec lui. Puis elle passa à autre chose.

— Et j'ai aussi un certain Wilson Gayley, reprit-elle. Peut-être un cameraman.

— C'est son nom de scène? demanda Beaupre. Comme je fais pas dans le porno gay, je risque pas de la connaître.

— Non, c'est son vrai nom, je crois.

Ballard l'entendit taper à nouveau sur son clavier.

— Il est pas dans la base de données, répondit Beaupre. Mais ça me dit vaguement quelque chose. Genre, un mec avec un nom pour le porno gay, mais qui reste dans l'hétéro. Je vais demander.

— Il y a cinq ou six ans, il est allé en taule pour avoir volontairement infecté quelqu'un avec une maladie sexuellement transmissible, précisa Ballard.

— Oh, attends une minute. Quoi? Ce gars-là?

— De quel gars parles-tu?

— Oui, je crois que c'est lui. À peu près à ce moment-là, y avait un type qu'en avait après une fille… une actrice… parce qu'elle avait débiné un de ses copains. Alors il l'a embauchée pour une scène où il s'est invité. Elle a fini par récolter la syph et ça l'a exclue du boulot. Elle est allée voir les Mœurs parce que quelqu'un lui avait dit que le producteur… et ça m'a tout l'air d'être ton Gayley… l'avait fait exprès. Comme s'il savait qu'il avait la syph quand il l'a baisée. Les Mœurs ont ouvert une enquête. Ils ont récupéré son dossier médical, prouvé qu'il savait, et il est allé en taule.

— As-tu entendu parler de lui depuis ? Il est sorti de prison depuis deux ou trois ans.

— Je ne crois pas. Je me rappelle juste cette histoire. C'est à peu près ce qu'il y a de plus terrifiant dans ce boulot.

Ballard comprit qu'elle allait devoir reprendre le dossier Gayley pour confirmer l'histoire de Beaupre. Mais il semblait bien qu'on parlait du même bonhomme.

— Pour le premier mec, Pascal..., reprit-elle. Tu pourrais l'embaucher pour un tournage par ta base de données ?

— Faudrait que j'envoie un message à son manager pour voir s'il est disponible.

— Et ça donnerait lieu à une audition ?

— Non, dans ce boulot, on visionne ce qu'il a fait et ça, c'est le manager qui envoie les vidéos, et on le prend ou ne le prend pas. C'est du trois cents dollars le coup. Et ça reste dans la base.

— Tu pourrais l'embaucher pour un tournage aujourd'hui ?

— Mais de quoi tu parles ? Quel tournage ?

— Non, y aurait pas de tournage. Je veux juste qu'il vienne chez toi pour que je puisse lui parler.

Il y eut une pause avant que Beaupre ne réponde.

— Je sais pas, Ballard. Si ça se sait que j'ai fait ça pour les flics, ça pourrait me gêner quand je voudrai embaucher des gens après. Surtout avec son groupe de management. C'est un des plus gros.

Ballard marqua une pause en espérant que son silence lui fasse comprendre ce qu'elle ne voulait pas dire : *Tu m'en dois une, Beaupre.*

Sa stratégie fonctionna.

— OK, bon, je pourrais prétendre que je ne savais pas, reprit Beaupre. Dire que je croyais que t'étais une productrice comme il faut.

— Tu fais tout ce qu'il faut, lui renvoya Ballard.

— Quel jour?

— Qu'est-ce que tu dirais d'aujourd'hui?

— Un engagement pour le jour même est toujours suspect. Personne ne le fait.

— Bon d'accord. Demain?

— À quelle heure?

— 9 heures?

— Du soir, non?

— Non, du matin.

— Personne ne bosse le matin.

— OK, alors demain après-midi?

— Je le booke pour 4 heures et je te le fais savoir. Et tu seras là?

— J'y serai.

Elles raccrochèrent. Ballard essaya encore une fois d'avoir Bosch et une fois encore l'appel fila directement à la messagerie.

Tout se passait comme s'il avait éteint son portable.

CHAPITRE 33

La circulation était un vrai cauchemar. Même avec sa voiture de fonction qui lui permit de se garer sur un emplacement interdit du campus, elle n'arriva au bureau du professeur Calder qu'au moment même où celui-ci en refermait la porte pour gagner le labo.

— Je suis désolée d'être aussi en retard, lança-t-elle dans son dos. J'aurais encore une chance de pouvoir prendre les données du SGS?

Elle se rendit compte qu'elle avait adopté le ton implorant d'une étudiante. C'était gênant.

Calder se retourna, vit que c'était elle et déverrouilla sa porte.

— Entrez, inspecteur, dit-il.

Il posa un sac à dos sur une chaise, passa derrière son bureau et resta debout en en ouvrant le tiroir du milieu.

— Vous savez, je ne vois vraiment pas pourquoi je fais ça, dit-il. Le LAPD m'a très mal traité.

Il sortit une clé USB du tiroir et la lui tendit par-dessus le bureau.

— Je sais, dit-elle. C'était la politique du moment. (Elle prit la clé et la leva en l'air.) Mais je peux vous assurer que si ça nous aide à attraper un assassin, je le ferai savoir.

— J'espère bien, dit-il. Il faudra que vous tiriez ça sur papier vous-même pour votre collègue. C'est la fin du semestre et il s'avère que je n'ai plus ni le budget ni le papier.

— Aucun problème, professeur. Merci.

— Dites-moi comment ç'aura marché.

Lorsqu'elle revint à sa voiture pas plus de dix minutes après l'avoir quittée, il y avait une contredanse sous l'essuie-glace.

— Vous vous foutez de moi? lança-t-elle.

Elle la sortit brutalement de dessous l'essuie-glace et fit le tour complet du campus à la recherche du responsable des parkings qui l'avait rédigée. Il n'y avait que des étudiants qui se rendaient en cours.

— C'est une bagnole de flic, bordel! hurla-t-elle.

On la regarda un instant, puis on poursuivit son chemin. Elle monta dans son véhicule et colla la contredanse sur le tableau de bord.

— Connards! ajouta-t-elle.

Elle repartit vers Hollywood. Elle avait à décider de la suite des événements. Elle pouvait rendre sa voiture, prendre son van et filer à la plage pour y faire du paddle avant de dormir, comme à son habitude. Mais elle pouvait aussi poursuivre l'enquête. Elle avait maintenant cinquante-six fiches d'interpellation méritant un deuxième examen. Sans parler des données du SGS qui lui fournissaient un autre angle d'attaque.

Cela faisait deux jours qu'elle n'avait plus glissé sur l'eau et elle avait besoin et de faire de l'exercice et de l'équilibre que ça lui apporterait. Mais l'affaire l'appelait. Avec ce nombre de fiches bien réduit et les données du SGS, elle devait absolument continuer sur sa lancée.

Elle sortit son portable et appela Bosch pour la troisième fois de la matinée. Encore une fois son appel fila droit sur la messagerie.

— Mais putain, Bosch, c'est quoi, ça ? On bosse là-dessus tous les deux ou pas ?

Elle raccrocha, agacée qu'un portable ne permette pas de le faire avec colère.

Elle se traînait dans la circulation lorsque son agacement contre Bosch se dissipa, puis se mua en inquiétude. Une fois revenue à Hollywood, elle prit Highland Avenue direction nord et gagna le col de Cahuenga. Elle savait que c'était là qu'il habitait. Il lui avait donné son adresse pour quelle puisse s'entretenir avec Elizabeth Clayton. Elle ne se rappelait pas le numéro, mais elle avait la rue.

Woodrow Wilson Drive remonte dans la colline jusqu'au col et offre des vues de Los Angeles entrecoupées par des maisons bien ancrées sur leurs pilotis en béton et acier. Mais ce n'était pas ces vues qui l'intéressaient. Elle cherchait la vieille Cheerokee verte qu'elle avait vu Bosch conduire plus tôt dans la semaine. Elle espéra qu'il n'ait pas un garage fermé.

Elle était à trois virages du haut de la colline lorsqu'elle la repéra garée sous un abri auto attaché à une petite maison du côté vue de la rue. Elle passa devant et se rangea le long du trottoir.

Elle gagna la porte d'entrée et frappa. Recula d'un pas et scruta les fenêtres pour y découvrir un rideau ouvert. Mais non, rien, et personne ne lui répondit. Elle essaya la porte : elle était fermée à clef.

Elle rejoignit l'abri auto et examina la porte de côté. Elle aussi était fermée à clef.

De retour dans la rue, elle traversa et regarda l'édifice de loin en pensant à la manière dont Bechtel, le voleur de tableaux, s'y était pris pour s'emparer des Warhol. Elle vit alors que l'abri auto était soutenu par de la ferronnerie avec un quadrillage de carrés qu'elle estima assez larges pour servir de prises de pied.

Elle retraversa la rue.

Et exactement comme elle l'avait fait trois jours avant, elle monta jusqu'au toit et en gagna le bord arrière. Toutes les maisons avec vue avaient une terrasse à l'arrière, et celle de Bosch ne la déçut pas. Elle chercha une gouttière avec de solides ancrages, l'agrippa à deux mains et la descendit jusqu'à la terrasse. Et sauta le dernier mètre sans problème.

Il y avait manifestement quelque chose de bizarre dans ce qu'elle voyait. La baie vitrée était assez largement ouverte pour qu'elle se glisse à l'intérieur sans avoir à la pousser davantage. Elle se retrouva au milieu d'un petit séjour faiblement meublé. À vue de nez, rien ne semblait clocher.

— Harry?

Pas de réponse. Elle fit quelques pas et remarqua une étrange odeur de nourriture.

Une alcôve était occupée par une table de salle à manger avec, derrière, un mur d'étagères pleines de livres, de dossiers et de vieux vinyles et CD. Sur la table, une bouteille d'eau pas encore ouverte et un sac en papier de chez Poquito Mas taché de graisse. Elle les effleura, tous les deux étaient à la température de la pièce. Le sac était ouvert, elle regarda à l'intérieur, découvrit des victuailles dans leurs emballages et comprit qu'on n'y avait pas touché depuis longtemps et que c'était ça qui sentait.

— Harry? lança-t-elle plus fort cette fois, sans que cela change quoi que ce soit à l'absence de réponse.

Elle rejoignit le vestibule par la porte d'entrée et jeta un coup d'œil dans la cambuse conduisant à l'abri auto. Rien n'y semblait de travers, mais elle vit un jeu de clés sur le comptoir.

Elle fit demi-tour et suivit le couloir menant aux chambres, toute une série de pensées l'assaillant tandis qu'elle avançait. Bosch lui avait dit qu'Elizabeth Clayton avait très mystérieusement déménagé. Était-elle revenue pour lui faire mal? Le voler? Était-il arrivé autre chose?

Puis elle repensa à son âge et à la façon dont il avait boité de sa voiture jusqu'au centre spatial. Allait-elle le retrouver effondré dans son lit ou dans la salle de bains? Avait-il poussé trop loin à force d'épuisement et de manque de sommeil?

— Harry? C'est moi, Ballard. Vous êtes là, Harry?

La maison resta silencieuse. Elle entrouvrit la porte d'une chambre qui, avec ses affiches et ses photos sur les murs, et encore ses animaux en peluche sur le lit, son phonographe et une maigre collection de disques, était manifestement celle de sa fille. Sur la table de nuit se trouvait la photo d'une adolescente enlaçant une femme. Ballard en déduisit qu'il s'agissait de la fille de Bosch et de sa mère.

De l'autre côté du couloir, il y avait une autre chambre, avec un lit et une commode. Tout cela était très basique et spartiate. La chambre d'Elizabeth, se dit-elle. La pièce donnait dans une salle de bains commune. Enfin, elle trouva la chambre principale, celle d'Harry.

Elle y entra et cette fois ne fit que murmurer le prénom de Bosch, comme si elle s'attendait à le trouver endormi. Le lit était fait avec une précision militaire, et le couvre-lit parfaitement bordé.

Elle vérifia la salle de bains pour aller au bout de sa fouille, mais elle savait déjà que Bosch était parti. Elle fit demi-tour et retraversa toute la maison pour repasser sur la terrasse. Le dernier endroit qu'elle devait vérifier était le remblai très raide sous l'édifice à plusieurs niveaux.

L'arroyo en dessous était envahi de broussailles, d'acacias et de pins de Virginie. Ballard longea le bord de la terrasse en changeant d'angles de vue pour scruter le terrain en dessous. Il n'y avait aucune trace de corps ni la moindre fracture dans la forme naturelle de la canopée.

Satisfaite de constater que côté domicile et terrain en dessous, tout était normal, elle croisa les bras et s'appuya à la rambarde pour décider de la suite. Elle consulta sa montre. Il était maintenant 10 heures et elle savait que la salle des inspecteurs du commissariat d'Hollywood tournait à plein régime. Elle sortit son portable et appela son patron, le lieutenant McAdam, sur sa ligne directe.

— Lieute, Ballard à l'appareil.

— Ballard, répéta-t-il. Justement je cherchais le journal de bord de cette nuit et n'arrivais pas à mettre la main dessus.

— Parce que je ne l'ai pas tenu. La nuit a été calme. Aucun appel.

— Ben ça, c'est du un sur un million. Bon, qu'est-ce qu'il y a?

— Vous vous rappelez que j'ai pris ma nuit de congé plus tôt cette semaine parce que je travaille sur l'affaire non résolue de la fillette qui s'est fait enlever il y a neuf ans?

— Oui. Daisy quelque chose, c'est bien ça?

— Oui, voilà. Et je travaille avec Harry Bosch.

— Sans ma permission, mais oui, je sais que Bosch est dans le coup.

— Il avait celle du commandant de veille. Toujours est-il que voilà ce qui se passe : il était censé venir examiner de vieilles fiches d'interpellation avec moi ce matin, et il ne s'est pas pointé.

— OK.

— Et après, on avait un rendez-vous avec un type d'USC et il ne s'y est pas pointé non plus.

— Vous l'avez appelé?

— J'ai pas arrêté de toute la matinée. Aucune réponse. Je suis chez lui et… La porte de derrière était ouverte, il y a de la nourriture pas consommée qui date d'hier soir sur la table et on dirait bien qu'il n'a pas dormi dans son lit.

Il y eut un long silence tandis que McAdam réfléchissait à tout ce que Ballard venait de lui dire. Elle croyait qu'il serait sur la même longueur d'onde qu'elle, mais quand enfin il parla, il fut évident qu'il n'en était rien.

— Ballard, dit-il, vous et Bosch ne seriez pas disons... dans quelque chose qui dépasse le cadre de cette affaire ?

— Non. Vous vous moquez de moi, dites ? Je crois qu'il lui est arrivé quelque chose. Et je ne suis pas dans... Il a disparu, lieutenant. Il faut agir. C'est pour ça que je vous appelle. Qu'est-ce qu'il faut faire ?

— Bon d'accord, mais calmez-vous. Je me suis trompé, OK ? Oubliez tout ce que j'ai dit. Et donc, quand devait-il se pointer à ce truc exactement ?

— Il n'y avait pas d'heure exacte. Mais il m'avait dit qu'il y serait tôt. Je le cherche depuis quatre ou cinq heures.

Nouveau silence.

— Renée, on n'en est encore qu'à six, maximum.

— Je sais, mais y a quelque chose qui cloche. Son dîner est sur la table. Sa voiture est là, mais pas lui.

— Il est encore trop tôt. Il faut attendre.

— Attendre ? Mais qu'est-ce que vous racontez ? Ç'a été un des nôtres ! Il faut lancer un avis de recherche, au moins le faire passer au RACER.

RACER était un système d'alerte interne par textos permettant d'avertir des milliers d'officiers d'un coup.

— Non, c'est trop tôt, répondit McAdam. Attendons de voir ce qui va se passer d'ici à quelques heures. Textez-moi son adresse et j'envoie une voiture de patrouille après le déjeuner. Pour vous, la journée est finie.

— Quoi ?!

Il y avait de l'exaspération dans sa voix. McAdam ne voyait pas ce qu'elle voyait, ne savait pas ce qu'elle savait. Il ne gérait pas la situation comme il fallait.

— Vous avez fini votre service, Renée, répéta-t-il. J'enverrai un véhicule plus tard pour voir si ça va. Il faut attendre au minimum douze heures. Je vous rappelle dès qu'on en sait plus. C'est probablement rien.

Elle raccrocha sans même reconnaître qu'il lui avait donné un ordre. Elle craignait qu'à dire quoi que ce soit de plus, sa voix ne monte dans les aigus de l'hystérie ou pas loin.

Elle ne rangea pas son portable et y chercha le numéro du commissariat de San Fernando. Elle appela et demanda qu'on la mette en relation avec la salle des inspecteurs. Une femme lui répondit, mais en s'identifiant si vite qu'elle fut incapable de saisir son nom.

— Harry Bosch est-il chez vous ? demanda-t-elle.

— Non, il n'est pas là. Quelqu'un d'autre peut-il vous aider ?

— Je suis l'inspectrice Renée Ballard du LAPD. Est-ce que je pourrais parler à son coéquipier, s'il vous plaît ? C'est urgent.

— Nous n'avons pas de « coéquipiers » ici. Nous sommes interchangeables. Nous…

— J'ai besoin de parler à la personne avec laquelle il travaillait… sur le meurtre de gang où le témoin a été tué.

Il y eut une pause avant qu'on réponde.

— C'est moi. Comment êtes-vous au courant de cette affaire ?

— Comment vous appelez-vous déjà ?

— Je suis l'inspectrice Lourdes. Comment…

— Écoutez-moi. Je crois qu'il est arrivé quelque chose à Harry. Je suis chez lui, il n'est pas là et on dirait… on dirait qu'il a été enlevé.

— « Enlevé » ?

— On était censés se retrouver tôt ce matin et il n'est pas venu. Son portable est éteint et il n'est pas là. Il y a de la nourriture non consommée depuis hier sur la table, le lit est toujours fait et la porte de derrière était ouverte.

— OK, OK, maintenant, c'est à vous de m'écouter. Hier, l'Antigang a appris que les SanFers avaient mis un contrat sur sa tête parce qu'ils savaient qu'il montait un dossier contre un de leurs anciens. Aujourd'hui, on travaillait dessus. Mais hier soir, j'ai averti Harry. Je le lui ai dit. Et donc, y a peut-être une chance qu'il soit allé se planquer.

Ballard sentit sa poitrine se comprimer fortement – la peur.

— Je... Non, ce n'est pas du tout à ça que ça ressemble ici. Ses clés sont sur la table. Et sa voiture n'a pas bougé.

— Il s'est peut-être dit qu'on pouvait la suivre. Écoutez, j'essaie pas de minimiser les choses. Si vous me dites que tout ça a l'air involontaire, on mobilise les troupes de notre côté. Avez-vous pu parler à sa fille?

Ballard se rendit brusquement compte que dans le courant de la semaine Bosch lui avait révélé quelque chose qui pouvait être utile.

— Non, répondit-elle. Mais je vais le faire tout de suite. Je vous rappelle.

Et elle raccrocha.

CHAPITRE 34

Elle réintégra la maison pour y mener une fouille d'un genre différent. Elle avait besoin du numéro de téléphone de la fille de Bosch. Dans la grande chambre, elle avait repéré un petit bureau comme ceux qui meublent les chambres d'hôtel. Elle en ouvrit les tiroirs jusqu'à ce qu'elle en trouve un contenant des carnets de chèques et des tas d'enveloppes retenues par des élastiques.

L'un de ces tas ne comprenait que des factures de téléphone. Elle ouvrit vite l'enveloppe du dessus et découvrit que Bosch avait souscrit un abonnement familial avec paiement pour deux portables. Elle reconnut le premier comme étant le sien, l'autre devant être celui de sa fille. Elle ouvrit ensuite le carnet de chèques et chercha dans les talons jusqu'à ce qu'elle tombe sur celui d'un chèque de quatre cents dollars adressé à Madeline Bosch.

Elle avait ce qu'il lui fallait, elle passa l'appel. Il fila sur la messagerie, ce qui ne la surprit pas dans la mesure où la fille de Bosch n'aurait eu aucune raison de reconnaître son numéro.

— Madeline, dit-elle, je suis l'inspectrice Ballard du LAPD. Il est très important que vous m'appeliez dès que vous entendrez ce message. Je vous en prie, rappelez-moi.

Elle donna son numéro alors même que le portable de Madeline l'avait enregistré. Puis elle raccrocha, remit tout dans le tiroir et se leva du bureau. Bosch avait un jour mentionné en passant que sa fille était à la fac de Chapman, dans le comté d'Orange, à une heure de voiture et encore. Ballard envisageait d'appeler le bureau de la sécurité de la fac pour voir s'il y avait un moyen de localiser sa fille lorsque son portable vibra, l'écran lui renvoyant le numéro qu'elle venait d'appeler.

— Madeline?

— Oui, qu'est-ce qui se passe? Où est mon père?

— On essaie de le trouver et on a besoin de votre aide.

— Ah mon Dieu! Qu'est-ce qui est arrivé?

— Pas de panique, Madeline. C'est bien comme ça qu'on vous appelle? « Madeline »?

— Non, c'est Maddie. Dites-moi ce qui se passe.

— Je n'en suis pas certaine. Il a loupé deux rendez-vous avec moi et je n'arrive pas à le joindre. Je suis chez lui, sa voiture est sous l'abri auto, il y a de la nourriture sur la table, mais il n'est pas là. Quand avez-vous eu des nouvelles de lui pour la dernière fois?

— Euh… Il m'a envoyé un texto hier soir. Il voulait qu'on se retrouve ce week-end.

— Lui et votre mère ont-ils divorcé? Serait-il en contact avec…

— Ma mère est morte.

— Oh, je suis navrée, je ne savais pas. C'est là que j'ai besoin de votre aide. Votre père m'a dit que vous aviez conclu un deal tous les deux. Il pouvait suivre votre portable si vous, vous pouviez suivre le sien. Je pense qu'il est éteint, mais je voudrais que vous passiez en fonction traçage et me disiez où se trouve son dernier point de suivi. Vous pouvez faire ça?

— Oui. J'ai juste besoin… Je vous mets sur haut-parleur pendant que je…

— Allez-y.

Ballard attendit et Maddie finit par reprendre la parole.

— OK, le signal ne va que jusqu'à 23 h 42 hier soir. Après, il s'arrête.

— Bien, c'est parfait. Et où le portable est-il localisé à ce moment-là ?

Un silence s'ensuivit tandis que Maddie vérifiait. Ballard espéra que ce ne soit pas chez Harry. Cela n'aurait rien fait avancer.

— Euh... C'est quelque part dans la Valley. Un truc appelé Saddletree Open Space.

Ballard sentit son cœur la lâcher. Ça ressemblait fort à un endroit où on se débarrasse des corps.

— Vous pourriez être plus précise ? demanda-t-elle en essayant de ne pas trahir ses pensées dans le ton de sa voix. Vous pourriez agrandir l'écran ou...

— Un instant.

Ballard attendit.

— Hmm, c'est... On dirait que c'est près de Sylmar, répondit Maddie. La rue la plus proche s'appelle Coyote Street.

— Vous pouvez raccrocher, me faire une capture d'écran et me la texter ?

— Oui, mais pourquoi était-il à cet endroit ? Qu'est-ce qui...

— Maddie, écoutez-moi. Il faut qu'on raccroche pour que vous puissiez m'envoyer cette capture d'écran et que moi, je la passe aux gens compétents de façon à voir si c'est bien là qu'est votre père. Je sais que vous avez peur et que ce coup de fil est horrible. Mais là, faut que j'y aille. Je vous rappelle dès que je sais quelque chose. OK ?

Ballard crut entendre pleurer la jeune femme.

— Maddie ?

— Oui, OK, je raccroche.

— Encore une chose : je sais que si vous êtes un tant soit peu comme votre père, vous allez m'envoyer cette capture et sauter dans une voiture pour venir ici. Ne le faites surtout pas.

Il faut que vous restiez hors de cette maison… D'accord? Ça pourrait ne pas être sûr.

— Vous plaisantez?

— Non, je ne plaisante pas. J'ai besoin que vous restiez à l'écart tant que vous n'aurez pas de nouvelles de moi ou de votre père, OK?

— OK.

— Bien. Envoyez-moi ce truc.

Ballard raccrocha. Elle savait qu'Heather Rourke était probablement en train de dormir, mais cela n'avait aucune importance. Elle appela son amie et, chose surprenante, la réponse fut immédiate.

— Mais qu'est-ce que tu fais à être encore debout, Renée?

— Je bosse et j'ai un problème. J'ai besoin d'un hélico pour survoler la Valley. Qui crois-tu qui pourrait m'emmener?

— Ça, c'est facile. Moi.

— Quoi?

— Je fais des heures sup et aujourd'hui, justement j'ai droit à la Valley. On s'apprête à y aller. Où ça dans la Valley?

— Vers Sylmar. Combien de temps avant…

— Dans trente minutes. Qu'est-ce que tu cherches exactement?

— On cherche un officier de police qui manque à l'appel. Je vais te texter une capture d'écran du lieu qu'on a sur une carte. Ça s'appelle le Saddletree Open Space. Je veux savoir ce qu'il y a dans le coin. Maisons, édifices, tout quoi. Et s'il n'y a rien, faudra chercher un corps.

— C'est parti. Envoie-moi ta capture.

— Dès que je l'ai, je te l'envoie. Tu gardes ça hors antenne, si tu peux. Appelle-moi sur mon portable.

— Compris.

Ballard raccrocha juste au moment où la capture d'écran de Maddie lui arrivait. Elle la fit suivre à Heather Rourke et se mit à déambuler dans la maison en songeant brusquement que c'était peut-être devenu une scène de crime. Elle laissa la porte coulissante ouverte, sortit par celle de devant et la referma derrière elle.

Elle n'eut pas de réseau bien net avant de redescendre Woodrow Wilson Drive et de reprendre la 101 vers le nord. Alors elle rappela Lourdes au commissariat de San Fernando.

— Vous savez quelque chose sur le Saddletree Open Space ? lui demanda-t-elle.

— Euh… Je ne sais même pas ce que c'est.

— C'est au nord de Sylmar, en retrait de Coyote Street. On a suivi le portable de Bosch jusqu'à un endroit dans ce coin-là… Hier soir aux environs de minuit. C'est là que l'appareil a cessé de fonctionner. J'ai un hélico qui va survoler les lieux et nous dire ce qu'il y a. J'y pars.

— Je suis plus près. Je peux y monter tout de suite.

— Attendez le survol. On ne sait pas ce qu'il y a là-bas. Il pourrait y avoir un corps, mais ça pourrait aussi être un piège.

— Nom de Dieu !

— Mais… Si vous saviez qu'il y avait un contrat sur lui, pourquoi n'était-il pas sous protection ?

— Il a refusé de l'être. Pour moi, il ne pensait pas que c'était sérieux. On ne sait toujours pas si ça a quelque chose à voir avec ça. Il pourrait très bien être allé dans un endroit sans réseau.

— Peut-être, mais j'en doute. Je veux garder ma ligne disponible, je vous rappelle dès que j'ai des nouvelles de l'hélico.

— J'attends. Et, écoutez… Harry m'a sauvé la vie un jour et…

Elle ne termina pas sa phrase.

— Je vois, dit Ballard.

La circulation de cette fin de matinée était faible et Ballard roulait bon train. De la 101 elle gagna la 170, puis la 5 avant de retrouver les voies de surface à Roxford Street. Elle n'arrêtait pas de regarder l'écran de son portable, mais elle n'avait toujours rien de Rourke sur le survol. Elle alla même jusqu'à se pencher vers le pare-brise pour voir si elle ne pourrait pas repérer l'hélico sur le fond des montagnes qui entourent la Valley. Mais il n'y avait rien.

Elle croisait San Fernando Road lorsqu'au lieu d'un texto, elle reçut un appel de Rourke. Aucun bruit de moteur d'hélico en arrière-plan, elle devint livide.

— T'es toujours à Piper Tech?

— Non, on a une plate-forme d'atterrissage dont on peut se servir au Davis.

Ballard savait qu'aux environs de Sylmar, le LAPD avait un centre d'entraînement qui avait reçu le nom de l'ancien grand patron de la police Edward Davis.

— T'as fait ton survol? Y avait quelque chose?

Elle entendit à quel point elle avait la voix étranglée par la tension du moment.

— Pas de corps, répondit Rourke. Mais une centaine de mètres plus au nord, dans les broussailles du lieu marqué sur la capture d'écran que tu m'as envoyée, on dirait qu'il y a une espèce de chenil ou de centre de dressage d'animaux abandonné. Avec deux ou trois baraques et des pistes d'entraînement autour. Mais non, aucun véhicule et aucun signe de vie.

Ballard souffla fort. Au moins le corps de Bosch ne traînait-il pas quelque part en plein soleil.

— Et on peut y accéder? demanda-t-elle.

— Ça pourrait être dur pour les suspensions, répondit Rourke. On dirait bien que l'eau a dévalé tout le long de la route en terre.

— Vous avez pris des photos?

— Oui. Je vais te les envoyer, mais je me disais qu'il vaudrait mieux qu'on se parle avant.

— Pas de problème.

— Tu veux rester en contact ?

— Je pense être à environ un quart d'heure de l'endroit. Si tu pouvais remonter dans ton hélico, je ne serais pas contre.

— OK, on ne bouge pas d'ici avant d'avoir un appel.

— Compris.

Ballard raccrocha et rappela Lourdes. Elle lui donna les résultats du survol et l'invita à la retrouver au bout de Coyote Street pour y mener des recherches au dernier endroit signalé par le portable d'Harry Bosch.

— Je démarre, lui renvoya Lourdes.

BOSCH

Le bruit de l'hélicoptère au-dessus de sa tête lui redonna courage. Mais il fit paniquer le type qui le surveillait. Toute la nuit durant, Bosch avait essayé de communiquer avec lui en lui demandant son nom, en lui demandant de lui desserrer ses liens, en lui demandant la permission de sortir de la cage pour étendre ses jambes à l'étroit. En lui demandant s'il avait vraiment envie d'avoir le meurtre d'un flic sur la conscience.

Mais l'homme avait refusé de dire quoi que ce soit. Il se contentait de le dévisager et de temps en temps de pointer son arme sur lui entre les barreaux. Bosch savait que c'était une menace creuse. On le maintenait en vie pour autre chose. Autre chose ou quelqu'un, et pour Bosch, ce devait être Tranquillo Cortez.

Le type avait le regard dur du taulard, et les tatouages qui vont avec. Encre bleue décolorée. VSF ou 13, Bosch n'avait repéré sur lui aucun des symboles associés aux SanFers tels qu'il les avait vus sur tous ceux qu'il avait croisés au SFPD. Et cela incluait Tranquillo Cortez.

Il avait eu toute la nuit pour comprendre ce qui se passait et était maintenant sûr et certain que le bonhomme faisait partie de la mafia mexicaine, l'Eme, et que Cortez avait pu lâcher les SanFers pour mener à bien ce qui pouvait être une opération voyou. Enlever un flic était une décision énorme qui mettait une pression maximum sur la VSF. En tuer un était encore pire. Et Cortez voulait pouvoir nier.

Il avait fallu trois hommes pour l'arracher à sa maison, quatre en comptant le chauffeur de la Jeep qui l'avait fait monter dans les collines accidentées jusqu'à cette sinistre destination, et maintenant, depuis quatre heures, un seul individu absolument muet pour le garder. Attaché et enfermé dans une cage à chien minuscule, Bosch contemplait sa mort prochaine. Dans la Jeep, il avait compris assez de mots espagnols pour savoir qu'il allait être jeté aux chiens. Cela dit, il n'était pas tout à fait clair qu'il s'agisse d'une figure de style. Et si ce n'en était pas une, il n'était pas non plus très clair que cela se fasse alors qu'il serait vivant.

Dans tout cela, une seule chose le hantait : sa fille. Ne pas lui avoir dit ses derniers mots. Ne pas la voir s'épanouir dans sa vie d'adulte. Ça le déchirait de penser que jamais plus il ne pourrait la voir ou lui parler. La culpabilité le submergea lorsque force lui fut de reconnaître qu'il avait bousillé ses derniers mois de père à essayer de sauver une femme qui ne voulait pas l'être. Dans les heures les plus sombres de la nuit, juste avant l'aube, de chaudes larmes de regret avaient coulé sur ses joues.

Mais c'est alors qu'il avait entendu le bruit d'un hélicoptère juste au-dessus de sa tête. En un instant, tout avait changé et pour lui et pour le type qui le gardait. Bosch avait vu assez de scènes de crime et entendu assez d'appels à l'aide d'officiers en danger au fil des ans pour reconnaître le hurlement suraigu du moteur du puissant Bell 206 JetRanger. Il savait que l'appareil qui tournait au-dessus du baraquement était un hélico du LAPD et que peut-être on le cherchait déjà. Cela lui redonna l'espoir de peut-être revoir sa fille un jour et de pouvoir réparer ses torts.

Pour le gardien qui se taisait, ce même bruit fit naître la terreur et avec elle, fuir ou se battre, tous les instincts qui l'accompagnent. Il gagna la porte, l'entrouvrit un rien et regarda le ciel. Et voyant l'appareil, il eut confirmation de ce que Bosch savait déjà. Il fit demi-tour, revint vers la cage et leva le canon de son arme.

Bosch mit les mains en l'air du mieux qu'il pouvait dans l'espace restreint de la cage et lui parla dans un espagnol rudimentaire.

— Tu tues flics, ils traquent toi sans fin.

L'homme hésita, Bosch continua de parler. Il n'avait jamais étudié l'espagnol comme il faut, ne connaissait en fait que celui qu'une vie entière il avait entendu parler dans les rues, en plus de celui de coéquipières telles que Lucia Soto et Bella Lourdes.

— Que dira Tranquillo ? Il veut moi vivant. Tu vas lui enlever ça ?

L'homme resta immobile, son arme toujours braquée sur Bosch.

Au début de sa vie, Bosch avait passé quinze mois au Vietnam. À cette époque, il n'était pas un seul jour sans qu'il n'entende des hélicos. Ils étaient la musique de fond de la guerre. À se cacher encore et encore dans l'herbe à éléphants pour attendre un appareil de secours, il avait vite appris à reconnaître le bruit qu'ils faisaient et à en déduire où ils se trouvaient et à quelle distance. Il n'eut aucun mal à savoir que l'appareil décrivait des cercles de plus en plus grands au-dessus d'eux.

Son gardien regagna la porte et regarda dehors. Il avait senti ce que Bosch avait compris : l'hélico virait plus au large. Puis le bruit changea de nouveau. Il se fit étouffé et Bosch comprit que l'appareil était passé de l'autre côté de la montagne. Et que le pilote ne pouvait plus voir le baraquement.

L'homme armé se retourna et le regarda longuement : il prenait sa décision et Bosch comprit que c'était sa vie qui se jouait. Il soutint son regard.

Soudain l'homme fit demi-tour et ouvrit plus grand la porte d'une poussée.

Regarda dehors, puis leva la tête vers le ciel. Le bruit de l'hélico était toujours lointain.

— *Sali!* hurla Bosch. *Ahora!*

En espérant que ça veuille dire : « Va-t'en tout de suite » ou quelque chose d'approchant.

L'homme ouvrit grand la porte et la pièce fut alors envahie par une lumière aveuglante. Puis il glissa son arme dans la ceinture de son pantalon et repartit dans le coin où une moto verte était appuyée contre une paroi en ferraille rouillée. Il l'enfourcha, la fit démarrer d'un coup de kick et fonça dehors par la porte ouverte.

Bosch s'accommoda à la luminosité et souffla fort. Écouta. L'hélico revenait faire un tour, franchissait à nouveau la montagne et redevenait plus bruyant.

L'intérieur du baraquement étant maintenant très éclairé, Bosch changea de position dans sa cage et en étudia les moindres recoins et jointures pour y déceler la faille. Il était impossible de savoir si le pilote le cherchait, n'effectuait qu'un simple vol d'entraînement ou décrivait des cercles au-dessus d'un coyote. Ses kidnappeurs, c'est vrai, avaient commis une erreur la veille au soir en ne lui prenant son téléphone qu'au moment où ils l'avaient transféré du van à la Jeep, mais Bosch savait bien qu'il ne pouvait compter que sur lui-même pour sauver sa peau.

Il fallait travailler vite et trouver le moyen de sortir de cette cage. Ce n'était qu'une question de temps avant que le type à moto ne revienne.

BALLARD

Ballard attendait Bella Lourdes à l'entrée de Coyote Street
où la voie pompiers montait dans les collines jusqu'aux bâtiments abandonnés du centre de dressage. Elle regarda les photos
aériennes qu'Heather Rourke lui avait envoyées et se demanda
s'il valait mieux s'en approcher à pied ou tenter d'y arriver en
voiture en empruntant la voie pompiers très accidentée.

Pas très éloigné, le centre se trouvait dans un lieu dégagé
interdisant toute approche furtive en voiture. Ballard décida
d'effectuer le trajet à pied et d'appeler l'hélico s'il s'avérait nécessaire de montrer toute la force du LAPD.

Lorsque Lourdes arriva, Ballard s'aperçut qu'elle avait un coéquipier avec elle. Lourdes le présenta comme étant l'inspecteur
Danny Sisto et, comprenant l'inquiétude de Ballard, répondit
de lui comme de quelqu'un en qui Bosch lui-même aurait eu
confiance. Ballard accepta ses assurances et les mit tous les deux
au courant de la situation. Puis elle leur montra les photos prises
par l'hélico lors de son survol.

— OK, dit Lourdes, je crois voir le lien.

— Quoi ? demanda Ballard.

Lourdes répondit en regardant Sisto pour confirmation.

— Il y a deux ou trois ans de ça, l'Animal Control a effectué une grosse descente sur ce complexe. C'était un genre de

centre de dressage pour animaux utilisés dans le cinéma et à la télé, mais il était abandonné depuis longtemps. Les SanFers l'avaient découvert et y donnaient des combats de coqs et de chiens. Jusqu'au jour où l'Animal Control en a entendu parler et l'a fermé.

— Je m'en souviens bien, dit Sisto. Ç'a été un gros truc. Et je crois que vous autres y avez pris part.

C'était à Ballard qu'il avait dit ça, pour lui rappeler que le LAPD s'était effectivement joint à l'Animal Control pour mettre un terme aux activités illégales du centre. Ballard ne se rappelait ni l'événement ni l'attention que les médias y avaient portée. Cela étant, qu'il soit ainsi confirmé que l'endroit était connu des SanFers et utilisé par eux avait son importance. Ballard savait maintenant qu'ils ne s'étaient pas trompés de lieu.

Sisto lui montra son portable dont l'écran en affichait toujours une vue aérienne.

— On va fouiller tout ça, d'accord ? dit-il. On a un mandat ? Parce qu'abandonnée ou pas, c'est toujours une propriété privée.

— On n'a pas le temps pour ça, lui renvoya Ballard.

— Situation d'urgence d'un bout à l'autre, dit Lourdes.

En examinant les photos, ils repérèrent deux chemins d'accès en plus de la voie incendie qui traversait l'étendue de broussailles et remontait jusqu'au bâtiment. Avant de partir chacun de son côté, Ballard appela Rourke, lui expliqua le plan et lui demanda de rester en stand-by. L'hélico était toujours au sol au centre de formation du LAPD et Rourke l'assura qu'on était prêt à réagir.

— OK, allons chercher Harry, dit-elle.

Ballard avait choisi l'itinéraire le plus direct – la voie pompiers. Elle resta tout près des hautes broussailles qui la bordaient, mais cela lui permit une montée plus facile et rapide jusqu'à la clairière où se trouvait le centre.

Au dernier virage avant d'y arriver, elle commença à entendre des coups violents en provenance du baraquement. Violents et intermittents. Cinq à six impacts, puis le silence. Et ça recommençait au bout de quelques secondes.

Elle sortit son portable pour appeler Lourdes ou lui envoyer un texto, mais s'aperçut qu'elle n'avait plus de réseau. Elle avait laissé sa radio dans la voiture parce qu'elle voulait que l'opération reste secrète. Chacun allait devoir s'approcher du centre seul et sans savoir où se trouvaient les autres.

Elle atteignit la clairière, sortit son arme et la tint à son côté en s'approchant des deux bâtiments en ruines. Elle tourna le coin du premier et vit Lourdes émerger d'un sentier sur sa droite. Sisto, lui, restait invisible.

Ballard s'apprêtait à faire signe à Lourdes de la rejoindre de façon à pouvoir sécuriser la première bâtisse lorsque les coups reprirent. Elle comprit qu'ils provenaient de la deuxième qui, plus petite, se trouvait à l'arrière de la clairière. Elle la montra à Lourdes, qui acquiesça, et toutes les deux, elles partirent dans cette direction.

Une porte coulissante à roulettes était ouverte sur un peu plus d'un mètre. Cela leur donna une vue de l'intérieur, mais la structure étant rectangulaire, ne leur permit pas de la voir entièrement de l'extérieur.

Elles arrivaient à quelques pas de l'ouverture lorsque les coups cessèrent.

Elles s'immobilisèrent et attendirent. Ils ne reprirent pas. Sans lâcher la porte ouverte des yeux, Ballard parla fort.

— Harry ?

Un moment de silence, puis :

— Par ici !

Ballard regarda Lourdes.

— Couvrez-moi. J'y vais, dit-elle.

Ballard entra dans la baraque arme levée. Il lui fallut un moment pour s'adapter à la pénombre, puis elle tourna à droite. En deux rangées de quatre l'une sur l'autre, des niches rouillées s'alignaient sur le mur du fond. Bosch était recroquevillé dans la troisième du haut, les genoux ramenés sur la poitrine tant il manquait de place. À travers le grillage en acier, Ballard vit qu'il avait les mains et les chevilles attachées, du sang sur la chemise et une lacération en travers de la joue gauche, juste au-dessous de son œil gonflé.

Ballard balaya tout l'espace avec son arme pour être sûre.

— Il n'y a personne, lui lança Bosch. Mais ils ne vont probablement pas tarder à revenir.

Il leva les pieds et frappa la porte de la niche, créant ainsi le bruit que Ballard avait entendu dehors. Encore une tentative sans résultat pour se libérer et prendre la fuite.

— OK, Harry, dit-elle. Tenez bon, on va vous sortir de là. Comment vous sentez-vous? On appelle une APS?

— Non, pas d'ambulance. Tout va bien. À part deux ou trois côtes amochées et des crampes aux jambes comme c'est pas permis... Et je vais probablement avoir besoin de quelques points de suture sous l'œil. Ils ne voulaient pas me rosser trop avant que Tranquillo se ramène avec ses chiens.

Ballard ne s'attendait pas à ce qu'il accepte une ambulance. Pas son style. Elle s'approcha de la cage et examina le cadenas qui la fermait.

— Ils ont laissé la clé quelque part?

— Pas que j'aurais vu, répondit-il.

— Je pourrais tirer dessus, mais il y a des chances que le ricochet vous atteigne.

— Ça ne marche qu'au cinéma.

— Bella? Tout est OK.

Lourdes entra dans le baraquement.

— Harry, ça va? demanda-t-elle d'un ton plein d'urgence.

— Ça ira dès que vous m'aurez sorti de là, dit-il. Mon genou me tue.

— Bon, je retourne à la voiture, reprit Ballard. On devrait pouvoir passer un pied-de-biche dans l'anse du cadenas et l'ouvrir en tournant.

Bosch regarda Ballard à travers le grillage.

— L'idée semble bonne, dit-il. C'est vous qui m'avez envoyé l'hélico ?

— Oui.

Il la remercia d'un hochement de tête.

Sisto était arrivé dans la clairière et, dos au baraquement, surveillait les lieux. Ballard passa devant lui pour rejoindre la route conduisant aux véhicules.

— Vous avez sécurisé l'autre bâtiment ? lui demanda-t-elle.

— Rien à signaler.

— Je vais avoir besoin de vous pour péter un cadenas.

— Je suis prêt. Bosch va bien ?

— Ça ira, oui.

— Génial.

Elle redescendait la voie pompiers lorsque son portable retrouvant du réseau, un texto de Rourke lui arriva. Elle voulait les dernières nouvelles. Ballard l'appela et lui demanda de continuer à rester en stand-by. Dès que Bosch serait libre, ils allaient devoir décider de la suite : tendre un piège à ses ravisseurs ou dégager et procéder autrement.

Elle récupéra le pied-de-biche dans le kit d'urgence de sa voiture, arracha la radio de son poste de chargement et repartit vers la voie pompiers. Elle arrivait à mi-parcours lorsqu'elle entendit les pétarades d'une moto de cross derrière elle. Elle se retourna et vit un type sur un engin vert citron s'arrêter dans Coyote Street et la regarder. Il portait un casque assorti à sa moto et muni d'une visière teintée. Ils se dévisagèrent quelques instants, puis l'inconnu décrivit un demi-tour complet avec sa moto et disparut.

Ballard savait maintenant que la première option, qui consistait à attendre le retour des ravisseurs, était sans objet. Elle appela Rourke par radio et lui ordonna de refaire décoller l'hélico, de décrire des cercles au-dessus du centre et d'avoir la moto vert citron à l'œil.

Elle était à bout de souffle à force de foncer vers le baraquement en haut de la colline. Elle tendit le pied-de-biche à Sisto comme si elle lui passait un relais, il l'emporta à l'intérieur tandis qu'elle se traînait derrière lui. Elle se pencha en avant, posa les mains sur ses cuisses et regarda Sisto enfiler le pied-de-biche dans l'anse et le faire tourner. Le cadenas lâcha à ses points de soudure et il ouvrit la porte. Ballard se joignit à Lourdes pour aider très précautionneusement Bosch à sortir de sa cage avant de le remettre sur ses pieds. Puis Lourdes prit un canif et trancha les liens qu'il avait aux mains et aux pieds.

— Ça fait du bien de se tenir debout, dit Bosch.

Il essaya de faire péniblement quelques pas en passant un bras autour du cou des deux femmes.

— Harry, dit Lourdes, je crois qu'on va avoir besoin d'une ambulance.

— Non, j'ai pas besoin de ça! protesta-t-il. Je peux marcher. Laissez-moi juste…

Il leur lâcha le cou et boitilla tout seul jusqu'à la porte. Le bruit de l'hélico se rapprochait.

— Renvoyez-le, dit-il. Ces gars-là pourraient bien revenir et on se les fera.

— Non, j'ai merdé, dit Ballard. Ils savent qu'on est là. La moto vert citron?

Bosch acquiesça d'un signe de tête.

— Ah oui, lui, dit-il.

— Il m'a vue quand je suis allée chercher le pied-de-biche. Il a repéré les bagnoles.

— Merde.

— Désolée.

— C'est pas votre faute.

Il passa dans la clairière et, Ballard le surveillant, il regarda le soleil. Elle se dit que dans le courant de la nuit il avait dû en arriver à la sinistre conclusion qu'il ne reverrait plus jamais la grosse boule orange.

— Harry, faut te faire examiner et qu'on te recouse la joue, insista Lourdes. Après, on va voir le livre des gangs et on se paie des mandats d'arrestation pour tous les enfoirés que tu identifieras.

Ballard savait que le SFPD devait avoir de gros albums de photos de tous les membres connus de la SanFer. Si Bosch identifiait ceux qui s'étaient montrés à lui pendant la nuit, ils pourraient les arrêter.

— Pour moi, c'était pas des SanFers, dit-il. Pour ce truc-là, Tranquillo a fait appel à l'Eme. Et il s'est probablement aussi assuré que tous ses gars aient des alibis pour la nuit.

— Et Cortez ne s'est jamais pointé? demanda Lourdes.

— Non. Je pense qu'il devait passer aujourd'hui. Avec ses chiens.

Il se tourna vers Ballard.

— Comment m'avez-vous retrouvé? demanda-t-il.

— Votre fille. Le trackeur sur votre portable.

— Elle est montée à la maison?

— Non, je lui avais dit de se tenir à l'écart.

— Faut que je l'appelle. Ils m'ont broyé mon portable.

— Tu pourras te servir du mien dès qu'on aura du réseau, dit Lourdes en sortant l'appareil de sa poche. (Puis elle le regarda et le tint en l'air.) Deux barres.

Elle le tendit à Bosch, il y entra un numéro, Ballard n'entendant plus que son côté de la conversation.

— Hé, c'est moi, dit-il. Tout va bien.

Il écouta, puis reprit d'un ton apaisant :

— Non, vraiment. Je me suis fait un peu chahuter, mais rien de grave. Où es-tu ?

Ballard vit le soulagement s'afficher sur le visage de Bosch. Maddie l'avait écoutée et était restée loin de chez lui.

— Mon portable est complètement écrabouillé, alors si t'as besoin de moi, appelle l'inspectrice Lourdes à ce numéro, dit-il. Tu peux aussi appeler l'inspectrice Ballard. T'as son numéro, non ?

Il écouta, puis il hocha la tête alors même que sa fille ne pouvait pas le voir.

— Euh, non. Elle n'y est plus, répondit-il. Elle est partie y a deux ou trois jours. On pourra parler de tout ça plus tard.

Il continua d'écouter encore un bon moment avant de lui lancer sa dernière réponse :

— Je t'aime fort, moi aussi. On se voit bientôt.

Il raccrocha et rendit l'appareil à Lourdes. Il avait l'air très ébranlé par cet appel, ou peut-être était-ce qu'il se rendait compte à quel point il avait été près de tout perdre.

— Je passerai voir le livre de l'Eme, reprit-il à l'adresse des deux femmes. Là, je veux juste rentrer chez moi.

— Vous ne pouvez pas, lui renvoya Ballard aussi sec. C'est devenu une scène de crime. Tout comme ici. Il faut faire ça dans les règles : on appelle la Major Crimes de façon à voir comment ils sont arrivés à vous. Comment ils ont pu monter chez vous.

— Et t'as besoin de points de suture, ajouta Lourdes.

Ballard vit Bosch prendre conscience de la situation. Il avait une longue journée devant lui.

— OK, je vais passer aux urgences. Et vous pouvez appeler les troupes. Mais moi, je ne veux plus être ici.

Il partit tant bien que mal vers le chemin de terre. Ballard s'aperçut que son boitillement était plus prononcé.

Elle le vit regarder l'hélico au-dessus de sa tête. Il tendit le bras et leva les deux pouces en l'air en guise de remerciement.

CHAPITRE 37

Lorsqu'enfin elle fut libérée par les inspecteurs de la Major Crimes, il était presque 6 heures et elle n'avait pas dormi depuis plus de vingt-quatre heures. Son quart l'attendant cinq heures plus tard, elle comprit qu'il ne valait pas la peine de descendre à la plage ou de rejoindre la maison de sa grand-mère à Ventura dans cette circulation d'heure de pointe. Elle prit vers le sud et regagna le commissariat d'Hollywood. Elle laissa son véhicule de fonction au parking, sortit un change de son van et prit un Uber jusqu'au W Hotel d'Hollywood Boulevard. Pour y être descendue bien des fois, elle savait qu'ils faisaient un gros rabais aux forces de l'ordre, qu'on pouvait compter sur le service en chambre et qu'ils étaient coulants sur l'heure de départ. Il y avait bien un lit de camp dans une réserve connue sous le nom de Suite nuptiale au commissariat, mais Ballard savait d'expérience qu'elle ne pourrait pas y trouver le sommeil. Trop de va-et-vient. Confort, bouffe et un bon gros dodo, voilà ce qu'elle voulait pour le temps dont elle disposait.

Elle prit une chambre avec vue sur les montagnes de Santa Monica, le Capitol Records Building et le panneau « Hollywood » au nord. Mais elle tira les rideaux, commanda une salade poulet grillé et prit une douche. Une demi-heure plus tard, elle mangeait assise sur son lit, emmitouflée dans un peignoir de bain trop grand pour elle et ses cheveux mouillés tirés en arrière dans son cou.

Ouvert sur le lit, son ordinateur portable la tenait bien loin des quatre heures de sommeil, et encore, qui lui restaient. Mais ç'avait été plus fort qu'elle : elle avait téléchargé les dossiers SGS de la clé USB que le professeur Calder lui avait donnée ce matin-là. Elle s'était juré de ne faire que les survoler avant de dormir, mais la douche l'avait aidée à repousser la fatigue et bientôt elle fut complètement fascinée par ce qu'elle découvrait.

Ce qui avait attiré son attention au début était qu'un crime avait effectivement été commis sur le territoire de la division deux jours avant que Daisy Clayton ne soit enlevée et assassinée. D'après les données, l'affaire s'était conclue par une arrestation.

Incapable d'entrer dans la base de la police à distance, elle réussit néanmoins à accéder à deux rapports du *Los Angeles Times* dans le journal des meurtres où le quotidien recensait tous les assassinats perpétrés dans la ville. Dans le premier, il était dit que le crime s'était produit dans un salon de tatouage de Sunset Boulevard, le Zoo Too. Une tatoueuse du nom d'Audie Haslam y avait été tuée par un client. Propriétaire de l'établissement, elle travaillait seule lorsqu'un inconnu était entré dans le magasin, avait sorti un couteau et l'avait volée. Après quoi, il l'avait poussée dans une pièce servant de réserve à l'arrière et l'avait poignardée à de multiples reprises dans un combat féroce. Elle s'était vidée de son sang sur le sol.

L'excitation que ressentait Ballard à l'idée d'un lien possible avec l'affaire Clayton retomba vite lorsqu'elle lut le deuxième rapport d'arrestation du suspect – un certain Clancy Devoux affilié à un gang de motards –, dès le lendemain, après que la police eut obtenu une correspondance entre lui et une empreinte sanglante découverte sur la scène de crime. Devoux était en possession de plusieurs flacons d'encre et d'une aiguille de tatouage. Les flics avaient aussi découvert un tatouage récent qui cicatrisait sur son avant-bras, un crâne surmonté d'un halo. Apparemment, il était entré en client, le vol et l'assassinat n'intervenant qu'après qu'Haslam lui avait fait son tatouage. On ne savait pas clairement s'il s'agissait d'un meurtre d'impulsion provoqué par quelque chose qu'Haslam aurait dit ou fait, ou si Devoux avait planifié son coup.

D'après le rapport de suite, Devoux était maintenant détenu à la Men's Central Jail sans possibilité de libération sous caution. Ce qui voulait dire qu'il était en prison le soir où Daisy Clayton avait été enlevée et qu'on ne pouvait tout simplement pas le soupçonner d'un second meurtre. Dépitée, Ballard nota de sortir le livre du meurtre de l'affaire. Peut-être y lirait-elle les noms de gens qui se trouvaient à Hollywood à ce moment-là et savaient des choses sur l'affaire. Elle visait loin, elle en avait conscience, mais peut-être y avait-il besoin de le faire.

Cinq viols ayant été signalés dans les données SGS de ces quatre jours-là, elle y prêta aussi une grande attention. Elle sortit autant de renseignements de son ordinateur qu'elle pouvait et détermina que deux de ces crimes avaient été qualifiés de viols par agresseurs inconnus, les trois autres étant considérés comme des viols par des connaissances, rien à voir avec l'œuvre d'un prédateur qui suit des femmes qu'il ne connaît pas. Une de ces dernières affaires s'était produite un jour avant le meurtre de Clayton, une autre le jour suivant. D'après les résumés, ces viols n'avaient pas été commis par le même homme. Il y avait donc deux prédateurs.

Elle entra les numéros du meurtre et des deux affaires de viol dans une demande de communication des dossiers et l'envoya à l'unité des Archives. Elle exigea qu'on les lui livre rapidement en sachant que sa requête ne serait guère prioritaire dans la mesure où elle concernait des affaires non résolues et qu'en plus, ce meurtre et ces deux viols avaient dépassé le délai de prescription de sept ans.

Une fois ces e-mails envoyés, elle sentit toute son excitation se dissiper, et toute sa fatigue revenir. Elle ferma son ordinateur et le laissa sur le lit. Puis elle mit le réveil de son portable pour qu'il sonne trois heures plus tard, se glissa sous les couvertures et s'endormit dans l'instant.

Elle rêva que quelqu'un la suivait, mais disparaissait chaque fois qu'elle se retournait pour regarder derrière elle. Quand le réveil sonna, elle était plongée dans un sommeil profond et, complètement désorientée, ne reconnut pas ce qui l'entourait lorsqu'elle rouvrit les yeux. Ce fut le tissu éponge épais de son peignoir qui la ramena à la réalité.

Elle commanda un Uber et enfila les vêtements propres qu'elle avait rapportés du van. La voiture l'attendait lorsqu'elle prit l'ascenseur pour descendre et sortir de l'hôtel.

L'enlèvement d'Harry Bosch fut l'objet du rapport du sergent à l'appel. Il fut mentionné parce qu'il s'était produit à son domicile, soit à cheval sur les divisions d'Hollywood et de North Hollywood, sa maison étant maintenant gardée par des policiers en tenue et en civil de la Metropolitan Division afin de dissuader Tranquillo Cortez d'envoyer d'autres types pour le kidnapper à nouveau.

En dehors de ça, l'appel fut des plus courts. Un front froid était monté de l'océan et traversait la ville, ces températures plus basses ayant un des meilleurs effets dissuasifs sur les criminels. Le sergent Klinkenberg, et c'était un vétéran qui se tenait en forme et portait la même taille d'uniforme que le jour où il avait décroché son diplôme de l'Académie de police, déclara que tout était bien mou dans les rues d'Hollywood. Les troupes quittant la salle, Ballard avança à contre-courant des corps qui se dirigeaient vers la porte et arriva devant Klinkenberg toujours debout derrière son pupitre.

— Quoi de neuf, Renée ? lui demanda celui-ci.

— J'ai raté les deux derniers appels, répondit-elle. Je voulais juste voir si vous aviez lancé l'avis de recherche que j'ai donné au lieutenant Munroe pour un dénommé Eagleton.

Klinkenberg se tourna et lui montra le mur sur lequel un panneau en liège disparaissait sous ces avis.

— Tu veux dire pour ce mec-là? demanda-t-il. Oui, on l'a mis hier soir.

Elle vit celui concernant son Eagleton.

— Une chance qu'on y redonne un petit coup au prochain appel? demanda-t-elle. Je le veux vraiment, ce mec.

— Si c'est aussi mou que ce soir, pas de problème. Donne-m'en une autre pile et je les distribue.

— Merci, Klink.

— Comment va Bosch? Je sais que tu es impliquée dans ce truc.

— Il va bien. Il s'est fait chahuter et s'est pété quelques côtes. On a fini par le convaincre de passer une nuit à l'Olive View Medical Center. Avec un garde à sa porte.

Klinkenberg acquiesça d'un signe de tête.

— C'est un bon. Il a eu droit à des trucs pas bien ici, mais c'est un des bons.

— Vous avez travaillé avec lui?

— Pour autant qu'un type en tenue puisse travailler avec un inspecteur. On était ici en même temps. Je me rappelle que c'était un mec à qui on ne la faisait pas. Je suis content qu'il aille bien et j'espère qu'ils attraperont l'enfoiré qui l'a enlevé.

— Ils le feront. Et quand ils le feront, lui et le type qui a pris part au kidnapping iront en taule pour un bon bout de temps. Enlever un des nôtres, c'est franchir la ligne rouge, et le message sera fort et clair.

— Très bien, ça!

Ballard descendit à la salle des inspecteurs, où elle s'installa à un bureau proche de celui, vide, du lieutenant. La première chose qu'elle fit fut de passer sur le Net et de se connecter aux caméras du centre de soins pour animaux domestiques où elle avait laissé sa chienne. Cela faisait plus de vingt-quatre heures qu'elle n'avait pas vu Lola et celle-ci lui manquait beaucoup. Ballard savait depuis toujours que lorsqu'elle lui frottait le cou ou lui grattait la tête, elle en tirait encore plus de satisfaction que sa chienne.

Elle la repéra sur un des écrans. Elle dormait sur un lit ovale. Un chien plus petit s'y était poussé et enroulé avec elle. Ballard sourit et tout de suite éprouva la culpabilité qui lui venait chaque fois qu'elle récoltait une affaire qui lui bouffait son emploi du temps et l'obligeait à laisser trop longtemps Lola dans une garderie. Ce n'était pas le niveau des soins qui l'inquiétait. Elle vérifiait souvent les caméras et payait pour des suppléments du genre promenades dans le quartier d'Abbot Kinney. Cela dit, elle ne pouvait pas s'empêcher de penser qu'elle faisait peut-être une bien mauvaise propriétaire de chien et se demandait souvent si Lola ne serait pas plus heureuse si elle la faisait adopter.

N'ayant aucune envie de s'attarder sur la question, elle coupa la connexion, se mit au travail et passa les deux heures suivantes de son quart à étudier les fiches d'interpellation qu'elle avait mises de côté pour examen approfondi et recherches sur le passé des individus ayant attiré l'attention des policiers de la patrouille d'Hollywood dans les mois qui avaient précédé, et suivi, le meurtre de Daisy Clayton.

Peu après 2 heures du matin, elle reçut son premier appel et passa les deux heures suivantes à interroger les témoins d'une bagarre qui avait éclaté dans un bar d'Highland Avenue lorsque le videur voulant mettre tout le monde dehors à la fermeture, quatre étudiants d'USC avaient râlé parce qu'ils avaient encore des bouteilles de bière pleines à boire. Blessé à la nuque par l'une d'elles, le videur avait été soigné sur les lieux par des infirmiers. Ballard commença par prendre les déclarations de ce dernier, mais il fut incapable de dire avec certitude lequel des quatre gaillards avait lancé la bouteille qui l'avait frappé. Après avoir reçu confirmation qu'il entendait bien déposer plainte contre ses assaillants, le LAPD l'avait laissé aux bons soins des infirmiers qui l'avaient alors transporté à l'Hollywood Presbyterian Hospital. Elle parla ensuite au barman, puis au gérant de l'établissement avant de s'attaquer aux étudiants.

Ils avaient été attachés deux par deux sur la banquette arrière des voitures de patrouille. Ballard avait fait exprès de mettre ensemble les deux qui avaient l'air le plus effrayé et avait secrètement laissé son magnéto numérique continuer à fonctionner sur le siège de devant, où aucun d'eux ne pouvait l'atteindre. C'était une des astuces qui de temps en temps permettait d'obtenir des aveux involontaires.

Mais lorsqu'elle reprit l'appareil, ce fut tout le contraire d'une confession auquel elle eut droit. Les deux jeunes gens étaient en colère et avaient peur d'être arrêtés alors que ni l'un ni l'autre, ils n'avaient jeté la canette sur le videur.

Cela lui laissait les pensionnaires de l'autre voiture, mais ceux-là, elle ne les avait pas enregistrés. Elle les sortit du véhicule un à la fois aux fins d'interrogatoire. Le premier nia avoir initié la bagarre ou frappé le videur. Mais lorsqu'il se retrouva confronté à la facture de vingt-six bouteilles de bière, il reconnut avoir trop bu et insulté le barman et le videur à l'annonce de la fermeture. Il s'excusa auprès de Ballard et affirma être prêt à faire de même pour le personnel de l'établissement.

L'interrogatoire du dernier étudiant suivit un cours différent. Il déclara être fils d'avocat et avoir une parfaite connaissance de ses droits. Il ajouta qu'il n'y renoncerait pas et refusait donc de lui parler sans un avocat.

Lorsque ce fut fini, Ballard conféra avec le sergent Klinkenberg qui supervisait la patrouille.

— Qu'est-ce que tu en penses ? lui demanda-t-il. Y en a un qui doit payer, non ? Sinon, ces petits merdeux d'étudiants vont revenir ici et recommencer.

Elle acquiesça en regardant son carnet de notes pour ne pas se tromper dans les noms.

— Bien, dit-elle. Vous pouvez laisser partir Pyne, Johnson et Fiskin. On boucle Bernardo… Il a le crâne rasé et croit que son avocat de père va le sauver. Et assurez-vous que les trois que vous allez laisser filer ne prennent pas le volant.

— Ç'a déjà été demandé, répondit Klinkenberg. Ils ont pris un Uber.

— OK, je fais les papiers dès que je rentre à l'étable et je vous les laisse à la prison.

— C'est un vrai plaisir de bosser avec toi.

— Pour moi aussi, Klink.

Une fois de retour au bureau, il lui fallut moins de deux heures pour rédiger le procès-verbal d'incident et le mandat d'arrestation pour Bernardo. Après avoir laissé la paperasse au commis aux dossiers, elle jeta un coup d'œil à la pendule du bureau de veille et s'aperçut qu'il ne lui restait plus que deux heures à tuer.

Elle était crevée et ne rêvait plus que de dormir cinq ou six heures au W. Y songer lui rappela le rêve où elle avait l'impression d'être suivie. Elle en vint à regarder derrière elle en descendant le couloir de derrière qui, complètement vide, conduisait à la salle des inspecteurs.

Elle n'y vit personne.

CHAPITRE 38

L'appel téléphonique arriva à midi et la sortit d'un autre puits de sommeil profond. Ses lourds rideaux tirés, la chambre d'hôtel était plongée dans le noir. L'écran de son portable affichait un numéro qu'elle ne reconnut pas, mais qui avait au moins l'avantage de ne pas être masqué.

Elle prit l'appel, sa voix toute cassée lorsqu'elle dit bonjour à son correspondant.

— Ballard, c'est Bosch. Vous dormiez?

— Qu'est-ce que vous croyez? C'est quoi, ce numéro?

— C'est un fixe. Je n'ai pas encore remplacé mon portable.

— Ah.

— Vous avez dû travailler hier soir? Même après avoir passé la journée à me tirer d'affaire?

— Je n'étais pas au boulot quand j'ai fait ça. Où êtes-vous? Toujours au centre médical d'Olive View?

— Non, ils m'ont libéré ce matin. Six points, deux côtes cassées et le reste est parfait. Je suis au commissariat de San Fernando.

— Ils ont ramassé Tranquillo?

— Pas encore, mais ils pensent l'avoir encerclé. Les mecs de la SIS surveillent une maison de Panorama City où ils pensent qu'il s'est réfugié. Elle appartient à sa tante… Celle qui était mariée à Uncle Murda. Ils sont en planque et attendent qu'il bouge pour le cueillir.

La Special Investigation Section était l'unité d'élite de surveillance à laquelle on faisait appel pour suivre des criminels particulièrement violents. Équipée d'armes de grande puissance, elle effectuait des filatures de style militaire. Ballard savait aussi que ses tactiques faisaient depuis des décennies l'objet d'attaques des médias et de beaucoup de critiques des forces de l'ordre dans tout le pays. Nombre de leurs missions de surveillance se terminaient par des fusillades meurtrières. La quantité de morts à son actif dépassait celle de toutes les autres unités et divisions de la police.

— OK, répondit-elle. Espérons qu'ils y arrivent.

— Bon alors, y a quoi au menu aujourd'hui? reprit Bosch en changeant de sujet.

— Techniquement, je suis en congé, mais mon coéquipier ne reviendra pas avant lundi et un peu d'heures sup ne me feraient pas de mal. Je m'apprêtais à bosser. Mais ma priorité n° 1 est de me lever et aller voir ma chienne. Il y a toutes les chances qu'elle me déteste.

— Vous avez une chienne?

— Ouais.

— Chouette. Et donc vous allez voir votre chienne, et après? On en est où côté fiches d'interpellation?

Ballard n'eut pas l'impression que Bosch était un grand fan des chiens.

— J'ai terminé les dernières et vous seriez le bienvenu si vous vouliez passer derrière moi, répondit-elle. J'en ai écarté une vingtaine et ordonné le reste par priorités. J'ai rendez-vous à 4 heures avec un des types tout en haut de la liste.

— Un « rendez-vous »? répéta-t-il. Qu'est-ce que vous entendez par là?

Elle lui parla de la fiche du policier tombé sur le tournage d'une scène de porno dans un van. Elle lui précisa que les deux noms qu'elle avait retenus étaient ceux de Kurt Pascal et de Wilson Gayley.

— Je connais une fille dans ce métier, ajouta-t-elle. Elle m'a arrangé un rendez-vous de casting avec Pascal. C'était lui qui baisait dans la camionnette. Je vais…

— Où est ce rendez-vous ?

— À Canoga Park. La fille y a son studio de tournage. J'ai fait sa connaissance l'année dernière au cours d'une…

— Vous ne devriez pas y aller seule. Je viens.

— Non, vous, vous avez à vous inquiéter de Tranquillo Cortez.

— Non, non. Je ne fais que rester assis à attendre. Mais ma voiture est toujours chez moi. Vous pourriez me prendre en passant ?

— Bien sûr. Donnez-moi juste deux ou trois heures pour aller voir ma chienne.

— Quelque chose dans les dossiers de la SGS ?

— Oui, je les ai récupérés hier avant que ça commence à merder de votre côté. Le professeur m'avait donné une clé USB. J'en ai fait des tirages papier pour vous avant de quitter le boulot ce matin.

— Bien. Vous y avez jeté un coup d'œil ?

— Pas très appuyé. J'ai vu qu'il y avait eu un meurtre deux jours avant l'enlèvement de Daisy, mais comme le suspect était en taule avant que Daisy ne disparaisse…

— On devrait quand même regarder ça de près de toute façon.

— J'ai demandé le livre du meurtre hier soir. Avant d'aller vous rejoindre. Je vais voir s'il est arrivé.

— Bon plan, ça.

— Bien.

— Et… Renée ?

— Oui ?

— Hier, vous m'avez sauvé la vie. Quand j'étais enfermé dans ma cage… je ne pensais qu'à ma fille et au fait qu'elle était seule… et à tout ce que j'allais rater de pas être avec elle… Toujours est-il que… Merci. C'est pas grand-chose, mais… Oui, un grand merci.

Elle acquiesça d'un signe de tête.

— Vous savez à quoi je pensais, Harry? lui renvoya-t-elle. Je pensais à toutes les affaires qui ne seraient jamais résolues si vous disparaissiez. Parce que vous avez encore du boulot à faire.

— J'imagine. Oui, peut-être.

— Je vous retrouve dans quelques heures.

Elle raccrocha, roula hors du lit et se prépara à aller voir sa chienne.

CHAPITRE 39

Bosch attendait devant le quartier général du SFPD lorsque Ballard s'y arrêta avec son van. Il regarda les planches arrimées au toit, puis lui ouvrit sa portière. Ballard remarqua que le bleu qu'il avait à l'œil avait viré au violet intense et qu'il avait une rangée de points en haut de la joue gauche.

Bosch monta dans le véhicule et en contempla l'arrière en passant sa ceinture de sécurité par-dessus son épaule.

— C'est un van à la Scooby-Doo ou quoi? demanda-t-il. Avec les planches de surf et tout et tout?

— Non, répondit-elle. Mais je me suis dit que si j'étais venue avec la voiture de fonction, notre mec pourrait la repérer et filer avant l'interrogatoire.

— Bien vu, ça.

— Sans compter que ça m'a évité de passer au commissariat. J'ai appelé pour le livre du meurtre de Zoo Too, mais il n'est toujours pas arrivé. Le samedi, il y a deux fois moins de coursiers.

— « Zoo Too »?

— C'était le nom du salon de tatouage où a eu lieu le meurtre.

— D'accord.

— Et donc, vous pensez qu'il était sage d'attendre comme ça devant le commissariat?

— Si on n'est plus à l'abri devant un commissariat, où le sera-t-on? Bref... Comment voulez-vous qu'on s'occupe du bonhomme?

Ballard y avait réfléchi pendant la demi-heure qu'il lui avait fallu pour aller d'Hollywood à San Fernando.

— Il ne saura pas de quoi il retourne, répondit-elle. Et donc, je me disais qu'on s'identifie d'entrée de jeu et qu'on l'attire dans le petit jeu du bon Samaritain.

— « Le petit jeu du bon Samaritain »?

— Oh allez! Vous avez dû faire ça des millions de fois! On s'arrange pour qu'il s'imagine aider la police. On l'attire dans la partie, on l'enferme dans ses bobards et *pouf*, on lui retourne tout dessus et il passe du gros héros au petit zéro.

Bosch acquiesça.

— Pigé, dit-il. Nous on appelait ça « ficeler le gros niais ».

— Même idée, dit-elle.

Ils continuèrent de discuter du plan tandis qu'elle traversait la partie nord de la Valley pour gagner Canoga Park, lieu où plus de la moitié de la pornographie légale du monde entier était produite.

Ils arrivèrent au hangar anonyme de Beatrice Beaupre vingt-cinq minutes avant Kurt Pascal. Beaupre leur ouvrit. Noire, elle avait des yeux d'un vert surprenant que Ballard attribuait à des lentilles de contact. Beaupre regarda par-dessus l'épaule de Ballard et fronça les sourcils.

— Tu m'avais pas dit que t'amenais quelqu'un, dit-elle.

— C'est mon coéquipier sur l'affaire, répondit Ballard. L'inspecteur Harry Bosch.

Celui-ci hocha la tête, mais garda le silence.

— Bah, du moment qu'on est au clair, dit Beaupre. C'est un business que je gère ici, je veux pas d'embrouilles et pour moi, un mec, c'est ça que ça veut dire. Vu qu'on en a déjà un qui arrive, vous, Harry Bosch, vous restez bien calme.

Bosch leva les mains en l'air en signe de reddition.

— C'est vous la patronne, dit-il.

— Et comment ! s'écria-t-elle. La seule raison pour laquelle je fais ce truc et que je me mets en avant comme ça, c'est parce que l'année dernière votre coéquipière m'a sauvé mes petites fesses juste à l'entrée de la mort. Je lui en dois une et c'est aujourd'hui que je paie mes dettes.

Bosch regarda Ballard d'un air interrogatif.

— Elle sauverait donc encore plus de gens que John le Baptiste ? dit-il.

La plaisanterie tomba dans les oreilles d'une sourde avec Beaupre, mais Ballard réprima un petit rire.

Ils franchirent la porte, gagnèrent la pièce que Ballard avait prise pour le bureau de Beaupre, descendirent un couloir et passèrent devant l'affiche encadrée d'un film intitulé *Opération Desert Stormy* où l'on voyait Stormy Daniels[1] chevaucher un missile en maillot de bain. Ballard chercha le nom de Beaupre dans le casting, mais ne le trouva pas.

— C'est un de tes films ? lui demanda-t-elle.

— J'aimerais bien, répondit Beaupre. Tous les films de Stormy sont sacrément demandés. J'ai mis l'affiche pour faire semblant, tu vois. Ça peut pas faire de mal si on pense que j'ai fait partie du truc.

Arrivés au bout du couloir, ils entrèrent dans une pièce avec tapis et barre de strip-tease installés sur une estrade de trente centimètres. Plusieurs chaises pliantes s'alignaient le long d'un mur.

— C'est ici qu'on fait les castings, reprit Beaupre. Mais les trois quarts du temps, c'est pour les filles. Pour les mecs, on va

1. Actrice de films porno qui aurait eu des relations sexuelles consenties avec Donald Trump.

voir les bobines et les références. C'est ici que vous devriez parler à ce type, à mon avis. À condition qu'il se pointe.

— Des raisons de penser qu'il ne le ferait pas ? demanda Bosch.

— Le porno n'est pas un business des plus sûrs, répondit-elle. Les gens ne sont pas fiables. Je ne sais rien sur ce type. Ça pourrait être un barjo qui ne viendra pas. Mais il pourrait aussi être pile à l'heure. On verra. En attendant, j'ai une question : je suis censée être avec vous ?

— Non, ça ne sera pas nécessaire, répondit Ballard. Si tu peux nous l'envoyer ici, on prendra la suite.

— Et y a pas de retour de bâton pour moi, d'accord ?

— Aucun, répondit Ballard. On te couvre.

— Bien. Je serai à mon bureau. L'Interphone sonnera chez moi et je vous l'amène.

Elle quitta la pièce et referma derrière elle.

Ballard regarda Bosch en essayant de deviner ce qu'il pensait du plan. Pas moyen de savoir. Elle était sur le point de lui demander s'il voulait en changer lorsque Beaupre passa la tête à la porte.

— Voyez-vous ça ! s'écria-t-elle. C'est un lève-tôt. Vous êtes prêts ?

Ballard adressa un signe de tête à Bosch, qui le lui renvoya.

— Envoyez ! dit-il.

Ballard jeta un coup d'œil autour de la pièce et se dépêcha de disposer deux chaises côte à côte, en face d'une troisième au centre.

— Dommage qu'on n'ait pas de table, dit-elle. Ça me fait tout drôle de pas en avoir une.

— C'est mieux sans, lui renvoya-t-il. Il ne pourra pas cacher ses mains. Les mains, ça dit beaucoup de choses.

Ballard pensait à sa remarque lorsque la porte se rouvrant, Beaupre leur amena le bonhomme.

— Je vous présente Kurt Pascal, dit-elle. Et voici Renée et…
C'est bien Harry ?

— C'est bien ça, Harry, répondit Bosch.

Ballard et Bosch serrèrent la main de Pascal, Ballard lui montrant alors la chaise vide du doigt. Il portait un pantalon de sport en polyester et un sweat à capuche. Il était plus petit que ce à quoi s'attendait Ballard, ses vêtements amples dissimulant son physique. Longs cheveux bruns avec une mèche décolorée rouge, le tout noué sur le haut du crâne.

Il hésita avant de s'asseoir.

— Vous voulez que je m'assoie ou vous préférez que je vous montre mes trucs ? demanda-t-il en passant les pouces dans la ceinture élastique de son sweat.

— On préfère que vous vous asseyiez, répondit Ballard.

Bosch et elle attendirent qu'il le fasse avant que Ballard ne s'assoie à son tour. Bosch, lui, resta debout, les mains appuyées sur le dossier de la chaise pliante vide de façon à stopper tout mouvement que Pascal pourrait avoir envie de faire pour gagner la porte.

— OK, je m'assois, dit ce dernier. Que voulez-vous savoir ?

Ballard sortit son badge et le lui montra.

— Monsieur Pascal, dit-elle, Mme Beaupre ne le sait pas, mais nous ne sommes pas vraiment des producteurs de films. Je m'appelle Ballard et je suis inspectrice au LAPD, et voici mon coéquipier, l'inspecteur Bosch.

— Mais c'est quoi, cette merde ?! s'écria Pascal.

Et il se mit en devoir de se lever. Aussitôt Bosch lâcha sa chaise et se redressa, prêt à l'empêcher de bouger.

— Asseyez-vous, monsieur Pascal, lui ordonna Ballard. Nous avons besoin de votre aide.

Pascal se figea. Ça semblait être la première fois de sa vie qu'on lui demandait son aide.

Il se rassit lentement.

— De quoi s'agit-il ? demanda-t-il.

— Nous essayons de retrouver un type… un type dangereux… et nous pensons que vous pourriez nous aider, reprit Ballard. Parce que vous l'avez connu.

— Qui est-ce ?

— Un certain Wilson Gayley.

Pascal se mit à rire et hocha la tête.

— Vous vous foutez de moi ? s'exclama-t-il.

— Non, monsieur Pascal, nous ne nous foutons pas de vous, lui renvoya Ballard.

— Wilson Gayley « dangereux » ? Qu'est-ce qu'il a fait ? Il a grillé un stop ? Il s'est fait une nonne ?

— On ne peut pas vous donner les détails parce qu'il s'agit d'une enquête en cours. Elle est confidentielle et tout ce que vous pourrez nous dire le sera également. Savez-vous où il se trouve en ce moment ?

— Quoi ? Non. Ça fait au moins deux ou trois ans que je n'ai pas revu ce type. Quelqu'un lui avait fait une fête à sa sortie de prison et c'est là que je l'ai vu. Mais ça fait… Oui, bien trois ans de ça.

— Vous n'avez donc aucune idée de l'endroit où il pourrait être actuellement ?

— J'ai idée d'un endroit où il n'est sûrement pas, et c'est à L.A. Non parce que s'il y était, je l'aurais vu, vous savez ?

Et il glissa les mains dans le manchon de son sweat, Ballard se rendant alors compte qu'il pouvait les cacher même sans table.

— Bon, dit Bosch, ceci pour commencer… Comment avez-vous fait sa connaissance ?

Pascal haussa les épaules comme s'il n'était pas certain de savoir comment répondre.

— Il faisait du cinéma de rue, dit-il enfin. Des courts-métrages. Il leur avait donné un nom. C'était comme une série. Je crois que ça s'appelait : « Les putes d'Hollywood », enfin…

quelque chose comme ça. Il m'avait embauché dans une pièce comme celle-là après avoir vu mon paquet, vous voyez? Et donc, on se baladait en voiture et lui, il payait des filles des rues pour monter dans sa bagnole et baiser avec moi pendant qu'il nous filmait. C'est même comme ça que j'ai commencé dans ce métier, vous voyez?

Ballard et Bosch le regardèrent longuement avant que Ballard ne reprenne ses questions.

— Et ça se passait en…? demanda-t-elle.

— Je ne sais plus, répondit-il. Y a… dix ans? Quelque chose comme ça.

— Et de quel genre de véhicule vous serviez-vous?

— De… « véhicule »? C'était un van, répondit-il. Un vieux VW comme dans *Les Disparus*. Les gens faisaient toujours le rapport : c'était un truc à deux tons. Blanc en haut et bleu en bas.

— Et les femmes? Qui les incitait à y monter?

— Surtout lui, répondit Pascal. C'est lui qui savait causer. Il disait souvent qu'il aurait pu vendre des allumettes au diable. Mais ça ne manquait pas de filles qui voulaient bien! Et de toute façon, les trois quarts d'entre elles étaient des professionnelles.

— Des prostituées, dit Ballard.

— C'est ça.

— Y avait-il des fugueuses?

— Oh, j'imagine. On posait pas des tonnes de questions, vous savez? Dès qu'elles montaient, elles étaient payées et elles savaient ce qu'il y avait à faire.

— Des mineures? risqua Ballard.

— Euh… non, répondit-il. Ç'aurait été illégal.

— Pas de problème, lui renvoya-t-elle. Ça remonte à dix ans… Le délai de prescription est dépassé. Vous pouvez nous dire…

Cette déclaration sur le délai de prescription n'était pas tout à fait vraie, mais cela n'avait aucune importance. Pascal n'avait aucune envie de partir dans cette direction.

— Non, pas de mineures, dit-il. On vérifiait les identités, mais bon, y aurait pu y en avoir de fausses de temps en temps si vous voyez ce que je veux dire. C'était pas de notre faute si elles mentaient.

— Et vous faisiez ça souvent ? demanda Bosch.

— Je ne sais pas, répondit Pascal. Disons deux fois par mois. Il m'appelait quand il avait besoin de moi. Mais il se servait aussi d'autres mecs pour des soirs différents. Pour la variété du produit, vous voyez ?

— Et vous connaissez les noms de certains de ces autres mecs ?

— Non, pas vraiment, répondit-il. Ça remonte à loin. Mais Wilson, lui, le saurait.

— Mais comme vous ne savez pas où il est…

— Non, effectivement. Croix de bois, croix de fer.

Il sortit la main du manchon de son sweat et la tint en l'air comme pour montrer sa sincérité. Ballard remarqua qu'il agitait les pieds. Il les remuait de plus en plus fort au fur et à mesure que les questions le rendaient nerveux. Elle était sûre que Bosch s'en était aperçu lui aussi.

— Avez-vous jamais vu Gayley se mettre en colère contre une des femmes du van ? enchaîna-t-elle.

— Pas que je me rappelle, dit-il. Et donc… Toutes ces questions… De quoi s'agit-il vraiment ? Je croyais que vous vouliez mon aide pour une enquête.

— Mais vous nous aidez ! lui renvoya-t-elle. Je ne peux pas vous dire comment à cause de l'enquête, mais pour nous aider, vous nous aidez. Le problème pour nous, c'est qu'il faut vraiment qu'on localise ce Gayley. Vous êtes certain de ne pas

pouvoir nous aider de ce côté-là ? En nous donnant un nom…
Quelqu'un d'autre qui le connaîtrait… ?

— C'est que… Non, je n'ai pas de noms, répondit-il. Et
faut vraiment que j'y aille.

Il se releva de nouveau, mais encore une fois Bosch lâcha le
dossier de sa chaise et fit quelques pas vers la porte pour lui en
bloquer l'accès. Pascal comprit aussitôt le message et se rassit.
Et fit claquer ses mains sur ses cuisses.

— Vous pouvez pas me retenir comme ça, dit-il enfin. Vous
ne m'avez même pas lu mes droits ou autre.

— Mais nous ne vous retenons pas, monsieur Pascal ! lui
renvoya Ballard. On fait que causer et au stade où nous en
sommes, il n'est pas question de droits. Vous n'êtes pas suspect.
Vous êtes un citoyen qui aide la police.

Pascal acquiesça à contrecœur.

— Je vais vous montrer quelques photos et vous me direz si
vous reconnaissez quelqu'un, reprit Ballard. Ce que nous vou-
lons, c'est savoir si l'une de ces femmes s'est jamais trouvée avec
Wilson Gayley.

De sa mallette, elle sortit un six-pack de photos standard
– soit un fichier comportant six cadres occupés par les photos de six jeunes femmes différentes, l'une d'elles étant celle de
Daisy Clayton tout droit sortie du livre du meurtre en ligne.
On l'y voyait tenant la pose en classe de cinquième au lycée de
Modesto. Elle souriait au photographe, du maquillage couvrant
l'acné qu'elle avait dans le cou. Elle donnait l'impression d'être
plus âgée qu'elle ne l'était et avait comme un air déjà distant
dans les yeux.

Une autre photo représentait Tanya Vickers, la prostituée qui
se trouvait avec Pascal et Gayley la nuit où ils s'étaient fait virer
par les flics, leur interpellation ayant donné lieu à une fiche. Si
leur interaction se limitait très probablement à cette seule nuit,

inclure ce cliché dans le six-pack allait mettre à l'épreuve la véracité de ce que racontait Pascal.

Ballard ouvrit la couverture du dossier et le lui tendit.

— Prenez votre temps, dit-elle.

— J'en aurai pas besoin, lui renvoya-t-il. J'en connais aucune.

Et de rendre le dossier à Ballard, qui ne le lui reprit pas.

— Non, insista-t-elle, regardez encore, monsieur Pascal. C'est important. L'une de ces femmes est-elle jamais montée dans le van avec vous et Gayley?

Il ramena le dossier vers lui et clairement impatient, le regarda de nouveau.

— Vous savez combien de femmes j'ai baisées en dix ans? s'exclama-t-il. Je ne peux pas me souvenir de chacune d'entre... Oui, peut-être elle... et aussi celle-là.

— Lesquelles?

Il retourna le dossier et lui montra deux photos du doigt. La première était celle de Vickers, et la deuxième celle de Daisy Clayton.

Elle lui reprit le dossier et lui indiqua cette dernière.

— Commençons par elle, dit-elle. Vous la reconnaissez?

— Je ne sais pas, dit-il. Oui, peut-être. J'arrive pas à me rappeler.

— Réfléchissez, monsieur Pascal. Regardez encore. Comment la reconnaissez-vous? D'où?

— Je vous l'ai déjà dit. Je ne sais pas. C'était à cette époque-là, je pense.

— Elle est montée dans le van avec vous et Gayley?

— Je ne sais pas. Peut-être. J'ai baisé un bon millier de femmes depuis. Comment voulez-vous que je me souvienne de toutes?

— Oui, ça doit être difficile. Mais et elle? insista-t-elle en lui montrant la photo de Vickers.

— Même chose. Je crois me souvenir d'elle, c'était à la même époque. Il est pas impossible qu'elle soit montée dans le van.

— Où à Hollywood Gayley arrêtait-il le van pour ramasser des femmes pour ses films?

— Partout. Là où étaient les putes, vous savez?

— Dans Santa Monica Boulevard?

— Oui, c'est probable.

— Hollywood Boulevard?

— Sûrement.

— Et Western Avenue? C'était un endroit où vous vous arrêtiez?

— Probablement... si c'est là que bossaient les professionnelles.

— Vous rappelez-vous très précisément vous être arrêtés au croisement d'Hollywood Boulevard et de Western Avenue pour y recruter des femmes pour vos films?

— Non. Ça remonte à trop loin.

— Le prénom Daisy vous rappelle-t-il quelque chose de cette époque?

— Euh..., dit-il en hochant la tête.

Voyant qu'elle n'arrivait à rien, Ballard changea de direction.

— Qu'est-ce qu'il y avait dans ce van? demanda-t-elle.

— Vous voulez dire genre... à l'intérieur?

— Voilà.

— Je sais pas. Des trucs, vous savez? Gayley avait toujours une pleine cartouche de capotes! Fallait bien. Et y avait un matelas. Tous les sièges avaient été enlevés et y avait un matelas par terre. Y avait aussi des draps en plus, tout ça, quoi. Et des costumes. Des fois, les filles ne voulaient travailler que si elles se déguisaient, vous voyez?

— Comment Gayley rangeait-il ces affaires?

— Il... Euh... Il avait des boîtes et des cartons et d'aut' merdes où il mettait tout ça.

— Quel genre, ces boîtes ?

— Vous savez bien, des machins en plastique pour y foutre des trucs.

— Grands ?

— Quoi ?

— Quelle taille avaient ces machins en plastique ?

— Je sais pas. Ils étaient grands comme ça, répondit-il.

Avec les mains il représenta une boîte devant lui, le carré qu'il mima faisant à peu près soixante centimètres sur soixante. Il aurait été difficile de faire entrer un corps dans un espace aussi restreint.

— Et maintenant, faut vraiment que j'y aille, reprit-il. J'ai une épilation à 5 heures. Demain, je travaille.

— Encore quelques questions, lui lança-t-elle. Vous nous avez beaucoup aidés. Savez-vous ce qu'il est advenu du van dont M. Gayley et vous vous serviez ?

— Non, mais je doute qu'il existe encore. C'était déjà un gros tas de merde à l'époque. Autre chose ?

— Ces films que vous faisiez dans le van avec M. Gayley, vous en avez des copies ?

Il rit.

— Putain, non alors ! J'aurais jamais gardé des merdes pareilles ! Mais c'est probable que c'est quelque part sur le Net, non ? Y a tout, sur le Net.

Ballard se tourna vers Bosch pour voir s'il avait des questions. Il lui fit vite un petit signe que non.

— Je peux y aller maintenant ? demanda Pascal.

— Vous avez un permis de conduire ? lui renvoya Ballard.

— Non, je ne conduis plus. Je prends des Uber.

— Où habitez-vous donc ?

— Pourquoi avez-vous besoin de le savoir ?

— Au cas où on aurait des questions de suivi.

— Vous pouvez appeler mon agent. Il saura me trouver.

— Vous n'allez pas me donner votre adresse personnelle?

— Pas si je n'y suis pas obligé. Je ne veux pas qu'elle finisse quelque part dans un dossier de police, vous voyez?

— Et votre numéro de portable?

— Même réponse.

Ballard le regarda longuement. Elle savait qu'il y aurait des tas de façons de le retrouver. Ce n'était pas ça qui l'inquiétait. Cela tournait plus autour de cet instant de coopération et de ce que signifiait ce refus pour les soupçons qu'elle nourrissait à son endroit. C'était aussi le moment où elle devait prendre une décision. Si elle voulait changer la situation et le bombarder de questions plus dures sur Daisy Clayton et sa possible implication dans son assassinat, elle allait devoir lui rappeler le droit qu'il avait d'avoir un avocat et celui de ne rien dire à la police. Vu les réticences à parler dont il avait déjà fait montre, pareil rappel risquait fort de mettre un terme abrupt à l'entretien et l'amener à comprendre qu'il était désormais considéré comme suspect.

Elle décida qu'il était trop tôt pour ça, et espéra que Bosch soit sur la même longueur d'onde.

— Bien, monsieur Pascal, dit-elle, vous pouvez partir. Nous vous retrouverons si c'est nécessaire.

CHAPITRE 40

Ballard et Bosch ne discutèrent de l'interrogatoire qu'après avoir remercié Beatrice Beaupre pour son aide et être revenus au van.

— Alors ? demanda-t-elle.

— Je le mettrais dans la liste des c'est-pas-gagné, répondit-il.

— Vraiment ? Pourquoi ?

— Je pense que s'il avait eu quoi que ce soit à voir avec Daisy, il n'aurait pas dit ce qu'il a dit.

— Comment ça ? Il n'a rien dit du tout.

— Il a choisi sa photo et ça, ça ne serait pas génial si Gayley et lui l'avaient tuée.

— Personne ne dit que ce type est un génie. Il gagne sa vie avec sa bite.

— Écoutez, ne soyez pas fâchée. Je ne fais que vous donner mon avis. Je ne dis pas qu'il est clean ou qu'on devrait l'oublier. Je dis seulement qu'il ne m'a pas filé les vibrations qu'il faut, vous voyez ce que je veux dire ?

— Je ne suis pas fâchée. C'est juste que je suis pas prête à lâcher ces deux types.

Elle mit le moteur en route.

— Bon, où va-t-on ? reprit-elle. On retourne à San Fernando ?

— Ça vous embêterait de me ramener chez moi ?

— Parce que c'est sûr, maintenant?

— Normalement, ils y ont fait monter une voiture de patrouille. Je veux juste prendre quelques vêtements propres et ma Jeep. Ça sera bien de pouvoir bouger à nouveau. Vous allez par là?

— Pas de problème.

Elle sortit en marche arrière du parking devant le hangar et fila plein sud par les voies ordinaires afin d'éviter les autoroutes à cette heure de la journée. Et là, en roulant, elle repensa à l'entretien et à l'idée que Bosch se faisait de Pascal. Elle devait décider si ses soupçons se fondaient sur des éléments de preuve matériels ou seulement sur l'espoir qu'elle avait qu'une ordure comme ce Pascal soit vraiment coupable parce que la société se trouverait mieux sans lui. Au bout d'un moment, elle dut reconnaître qu'elle s'était peut-être laissée emporter par ce qu'elle pensait de lui et ce qu'il faisait pour vivre. Sa façon de le faire savoir à Bosch fut indirecte.

— Et donc, dans les fiches qu'on a sélectionnées, on en a encore à analyser, dit-elle. Vous serez là ce soir? On pourrait se les partager.

— Hé mais, la reprit-il, je ne vous dis pas de laisser tomber Pascal! Mais s'occuper sérieusement de Gayley, oui. On le localise et on voit si ce qu'il raconte cadre avec les réponses de Pascal. Qu'on arrive à leur faire dire des trucs différents et on pourrait avoir une piste.

Elle acquiesça.

— Ça, on peut faire, dit-elle.

Ils roulèrent en silence un moment, Ballard réfléchissant aux mesures à prendre pour essayer de localiser Gayley. Elle n'avait qu'effleuré le sujet lors de sa recherche précédente.

Bosch la fit passer par Vineland Avenue pour monter dans les collines. Ce raccourci les conduirait à Mulholland Drive et de là, directement chez lui.

— Alors, reprit-elle, vous avez compris comment ils ont su où vous habitiez ? Les types qui vous ont kidnappé, je veux dire.

— Personne ne le sait vraiment, répondit-il. Mais dès qu'il a été mis au jus par Luzon, Cortez aurait très bien pu me faire suivre par des types depuis le début de la semaine. Et je suis rentré chez moi avec eux derrière.

— Luzon est donc le flic qui vous a piégé ?

— C'est à cause de l'info qu'il a fuitée que mon témoin est mort. Ce qu'il savait du piège qui m'a été tendu n'est toujours pas clair.

— Où est-il ?

— À l'hôpital. Il a essayé de se suicider. Il est toujours dans le coma.

— Hou là !

— Ouais.

— Et donc, le piège de la SIS autour de Cortez... Comment réussirait-elle à obtenir une cause probable si Luzon est dans le coma et que personne d'autre ne parle ?

— Il n'y a pas besoin de cause probable pour surveiller quelqu'un. Et s'il essaye de se casser, ils ont une raison de l'interpeller : non-paiement de pension alimentaire. Il a un arrêt contre lui pour trois enfants et une assignation à comparaître d'un juge de tribunal pour enfants.

Cela assombrit considérablement le tableau pour Ballard. Si la SIS agissait sans cause probable pour arrêter Cortez, le suivre et l'interpeller n'aurait qu'un but : voir s'il avait pris la mauvaise décision.

Elle laissa tomber cette partie-là de la conversation. Quelques minutes plus tard, elle quitta Mulholland Drive pour entrer dans Woodrow Wilson Drive. Puis, alors qu'ils prenaient le dernier virage avant chez lui, Bosch se pencha en avant et inquiet, débloqua sa ceinture de sécurité.

— Nom de Dieu ! s'écria-t-il.

— Quoi?

Il y avait un véhicule de la patrouille garée devant chez lui. Mais il y avait aussi une Coccinelle Volkswagen. Et en s'en approchant, Ballard découvrit l'autocollant Chapman sur la vitre arrière.

— Votre fille? demanda-t-elle.

— Je lui avais dit de ne pas venir!

— Moi aussi.

— Faut que je la renvoie chez elle, que je la sorte de là.

Ballard s'arrêta juste à côté de la voiture de patrouille et montra son badge à l'officier au volant. Elle ne le reconnut pas et s'aperçut que le code porté sur le toit était celui de la division de North Hollywood. Ils abaissèrent leur vitre au même moment.

— J'ai Harry Bosch avec moi, dit-elle. Il a des trucs à prendre chez lui.

— Compris.

— Quand sa fille est-elle arrivée?

— Y a deux ou trois heures. Elle m'a montré une pièce d'identité, je l'ai laissée entrer.

— D'accord.

Bosch descendit de voiture et scruta la rue dans les deux sens au cas où il s'y serait trouvé un véhicule ou autre chose qui ne cadrait pas. Puis il regarda Ballard avant de refermer sa portière.

— Vous repartez au commissariat tout de suite?

— Non. Avant, je descends en ville et j'emmène dîner la personne qui a fait les repérages du haut de l'hélico hier. Je lui avais dit lui en devoir une pour ce survol.

— Alors, attendez-moi un peu. J'entre et je prends un peu d'argent. C'est moi qui offre.

— Vous inquiétez pas pour ça, Harry. On va juste au Denny's à côté de la Piper Tech. C'est pas grand-chose.

— Vraiment? Et si on cherchait mieux? Allez, je vous expédie au Nickel Diner. J'y connais Monica. Je l'appelle et elle prendra bien soin de vous.

— Denny's est parfait, Harry. Très commode. C'est juste en face de la Piper, répéta Ballard.

Il lui montra sa maison d'un signe de tête.

— Faut que je m'occupe de ma fille et après, j'ai autre chose à faire. Mais je veux rencontrer le mec de l'hélico… Le type des repérages. Pour le remercier.

— Ce n'est pas nécessaire et ce n'est pas un mec. Elle faisait juste son boulot.

Il acquiesça.

— Bon d'accord, mais dites-lui merci pour moi. Le bruit de cet hélico… ça a tout changé.

— Je le lui dirai. Vous passerez au commissariat plus tard pour m'aider à retrouver Gayley?

— Oui, je passerai. Merci de m'avoir ramené.

— De rien, Harry.

Elle le regarda traverser devant le van et gagner la porte d'entrée. Il dut frapper, ses clés étant une des choses laissées sur place lorsqu'il avait été kidnappé. Bientôt la porte s'ouvrit, Ballard ayant alors la vision d'une jeune femme prenant Bosch dans ses bras avant de refermer la porte.

Elle la regarda quelques secondes, puis s'éloigna.

BOSCH

Bosch serra sa fille aussi fort sur son cœur qu'elle le serrait sur le sien. Cela lui fit un mal de chien aux côtes, mais il s'en moqua.

Il entendit la porte se refermer derrière lui et regarda la porte coulissante de la terrasse par-dessus la tête de sa fille. Elle était toujours ouverte sur deux ou trois mètres, exactement comme les intrus l'avaient laissée. Il y avait de la poudre noire à empreintes sur le verre. Cela lui rappela que sa maison avait été traitée comme une scène de crime.

Il remonta les mains sur les épaules de sa fille et la repoussa pour la regarder droit dans les yeux.

— Maddie, lança-t-il. On t'avait dit de ne pas venir ici. Ce n'est toujours pas sûr.

— Fallait que je monte, lui renvoya-t-elle. Je n'allais quand même pas rester là-bas sans savoir si t'allais bien ou pas.

— Je t'ai dit que ça allait.

— Tu pleures ?

— Non, enfin... J'ai deux côtes cassées et toi, quand tu serres quelqu'un dans tes bras... tu... tu serres fort !

— Pardon ! Je savais pas. Mais regarde-moi ta figure ! Tu vas avoir une cicatrice.

Elle tendit la main vers son visage, mais il l'attrapa et la retint.

— Je suis trop vieux pour m'inquiéter d'une cicatrice, dit-il. Ça n'a pas d'importance. Ce qui en a, c'est que tu ne peux pas rester ici. Je ne suis même pas censé y être. Je passais juste reprendre la Jeep et quelques vêtements.

— Je me disais bien que ce truc avait l'air bizarre, dit-elle en lui indiquant sa tenue qui ne lui allait pas d'un geste du menton.

— Je l'ai empruntée à un flic.

— Où vas-tu aller ?

— Je ne sais pas encore. J'attends qu'ils arrêtent le type qui est derrière tout ça.

— Et ça sera quand ?

— Pas moyen de le dire. On le cherche.

— Pourquoi tout cela est-il arrivé, papa ?

— Écoute, Maddie. Je ne peux pas te parler d'une affaire en cours. Tu le sais bien.

Il vit la détermination dans son regard. Elle n'était pas disposée à le laisser lui opposer un quelconque règlement judiciaire.

— Bon d'accord, reprit-il, tout ce que je peux te dire, c'est que je travaillais sur un meurtre non résolu, que ç'avait à voir avec un gang et que j'avais retrouvé un type qui avait assisté à une partie de la préparation du mauvais coup. Ça nous a conduits au suspect et Dieu sait comment, ce suspect a découvert que je l'avais dans ma ligne de mire. Il a alors demandé à ses mecs de m'enlever et eux, ils m'ont un peu chahuté, sauf qu'en fin de compte, il ne s'est vraiment pas passé grand-chose parce que j'ai été sauvé. Et c'est tout. Fin de l'histoire. Et toi maintenant, faut que tu retournes à la fac.

— Pas question.

— Il le faut. Tu n'as pas le choix. Je t'en prie.

— D'accord. Mais toi, va falloir que tu répondes au téléphone. Je suis venue ici parce que tu ne répondais pas, et quand c'est comme ça, j'imagine toujours le pire.

— Quoi, sur le fixe ? Je n'étais même pas ici. Et hier quand on s'est parlé, je t'ai dit que mon portable était bousillé.

— Eh ben, j'ai oublié.

— Je m'en achète un demain matin à la première heure et je prendrai tous les appels que tu me passeras.

— Vaudrait mieux.

— C'est promis. Et côté essence, ça va ?

— Ça va, oui. J'ai fait le plein en venant.

— Parfait. Et maintenant, je veux que tu files parce qu'il va faire nuit dans pas longtemps et que tu ferais mieux d'être au sud du centre-ville avant.

— OK, OK, je m'en vais ! Tu sais quand même que les trois quarts des papas aiment bien être avec leurs filles, j'espère.

— Bon, et voilà qu'on joue les petites futées !

Elle l'attrapa et l'attira dans une autre étreinte douloureuse. Elle l'entendit déglutir et se détacha vite de lui.

— Je m'excuse, je m'excuse ! J'ai oublié.

— Pas de problème. Ça fait juste un peu mal. Tu peux me serrer dans tes bras n'importe quand. Tu as le numéro du fixe. Dès que tu arrives, appelle-le et laisse un message comme quoi tu es saine et sauve. J'appellerai ici.

— Va falloir que tu commences par effacer tous les autres. Je t'en ai laissé une bonne dizaine rien qu'aujourd'hui.

— D'accord. T'as apporté des trucs ?

— Non, juste moi.

Il lui toucha le bras et la conduisit jusqu'à la porte. Une fois dehors, ils gagnèrent la Volkswagen, Bosch adressant un signe de tête à l'officier de la patrouille. Puis il scruta de nouveau la rue dans les deux sens pour voir s'il ne s'y trouvait pas quelque chose qui ne devait pas y être. Cette fois, il alla même jusqu'à regarder le ciel avant de reporter son attention sur sa fille.

— Comment marche ta voiture ? demanda-t-il.

— Bien.

— Encore deux ou trois allers-retours et je fais la vidange et vérifie les pneus.

— Je peux m'en occuper toute seule.

— T'as du travail.

— Et toi aussi.

Cette fois ce fut lui qui la serra fort malgré son mal aux côtes. Il lui embrassa le haut du crâne. Son cœur lui faisait bien plus mal que ses côtes, mais il voulait absolument qu'elle soit loin de lui au plus vite.

— N'oublie pas de me laisser un message sur le fixe pour que je sache que t'es bien arrivée, répéta-t-il.

— Ce sera fait, lui promit-elle.

— Je t'aime fort.

— Moi aussi.

Il la regarda s'éloigner, puis disparaître dans le virage. Il reprit le chemin de sa maison et adressa un nouveau signe de tête à l'officier de la patrouille chargé du travail aussi ingrat qu'ennuyeux de rester devant sa porte. Au moins avait-il un véhicule où s'asseoir au lieu de faire le pied de grue sur le trottoir.

Aussitôt rentré, il se dirigea vers le fixe dans la cuisine, sortit une carte de visite professionnelle de sa poche et appela le lieutenant Omar Cespedes à la tête de l'équipe de la SIS qui s'occupait de l'affaire Cortez. Il ne se donna pas la peine de s'identifier lorsque Cespedes décrocha.

— Vous auriez dû me dire qu'elle était montée chez moi ! lança-t-il.

— Bosch ? Je n'ai pas pu le faire, et vous le savez. Sans même parler du fait que vous n'avez pas de portable. Comment vouliez-vous que je vous dise quoi que ce soit ?

— Des conneries, tout ça ! lui renvoya Bosch. Vous vous serviez d'elle comme appât.

— C'est totalement faux, Harry ! Nous ne ferions jamais ça, pas avec une fille de flic. Et si on vous avait dit qu'elle montait chez vous, vous l'auriez appelée pour lui ordonner de faire demi-tour. Et ça, ça aurait eu l'air suspect. Et nous, on ne fait pas ce genre de trucs, et ça aussi, vous le savez. On joue le coup comme il se présente.

Bosch se calma un peu en commençant à comprendre la logique de cette réponse. Cespedes avait une équipe qui surveillait Maddie… de la même manière qu'il en avait une chargée de le surveiller, lui, et une autre postée à l'endroit où Tranquillo Cortez avait censément disparu. Qu'il y ait eu le moindre changement dans les faits et gestes de Maddie – tel un brusque demi-tour alors qu'elle montait à Los Angeles –, et cela aurait pu mettre la puce à l'oreille de quelqu'un qui la surveillait ou la suivait en voiture.

— Bon alors, on est tous d'accord? lança Cespedes dans le silence qui s'était fait.

— Avertissez-moi lorsqu'elle sera rentrée chez elle sans problème, répondit Bosch.

— Bien sûr. Vérifiez votre boîte aux lettres en sortant.

— Pourquoi?

— On vous y a déposé un portable. De façon à pouvoir vous contacter quand on en aura besoin. Ne vous en servez que pour ça. Nous le traçons.

Bosch marqua une pause pour réfléchir. Il savait que tous les mouvements de la SIS étaient surveillés et analysés. Ça faisait partie du protocole.

Il changea de sujet.

— On en est où avec Cortez? demanda-t-il.

— Toujours disparu. On va le déloger à la nuit tombée, histoire de voir ce que ça donne.

— Je veux en être.

— Pas question, Bosch. C'est pas comme ça qu'on travaille.

— Il allait me donner à bouffer à ses chiens! Je veux en être.

— C'est exactement pour ça que vous n'en serez pas. Vous êtes trop impliqué émotionnellement. On ne peut pas avoir un truc comme ça pour tout brouiller. Ayez juste votre portable avec vous. Je vous appellerai au bon moment.

Et il raccrocha. Bosch se sentait toujours inquiet, mais moins. Il avait trouvé un plan pour s'inviter dans la surveillance de la SIS.

Il écouta les messages du fixe et commença à les supprimer un par un. Ils remontaient à des semaines et les trois quarts d'entre eux étaient sans importance. Il ne se servait plus que rarement de sa ligne fixe et laissait les messages s'y empiler au fil du temps. Lorsqu'enfin il arriva à ceux de sa fille la veille, il ne put se résoudre à les effacer. Les émotions dont elle faisait montre étaient à vif et ses craintes bien réelles. Il se sentit mal en songeant à ce qu'elle venait de traverser, mais comprit que ces messages étaient trop purs pour qu'il les perde. Dans le dernier, il n'y avait même plus de mots. Il n'y avait que la respiration de sa fille, que l'espoir qu'il décroche et la sauve de ses angoisses.

Après avoir raccroché, il appela son portable. L'appareil avait été détruit, mais il savait que le numéro serait encore en service et conserverait ses messages. Neuf s'y étaient accumulés depuis les dernières trente-six heures. Quatre émanaient de sa fille et trois de Ballard, tous laissés alors que personne ne savait où il était. Comme ceux de son fixe, il ne les effaça pas. Il y en avait aussi un de Cisco lui disant qu'il n'avait rien de neuf sur Elizabeth et lui demandant si c'était la même chose pour lui. Le dernier – et il était arrivé à peine une heure auparavant – provenait de Mike Echevarria et celui-là, Bosch n'avait aucune envie de l'entendre.

Echevarria était enquêteur au bureau du légiste. Bosch avait travaillé beaucoup de scènes de crime avec lui et professionnel-lement, sinon personnellement, ils étaient assez proches. Bosch l'avait appelé le soir où il s'était lancé à la recherche d'Elizabeth Clayton pour voir si elle n'avait pas terminé à la morgue. Ce n'était pas le cas, mais voilà qu'Echevarria lui avait laissé un message, où il se contentait de lui demander de le rappeler.

Il alla droit au but lorsque Bosch s'exécuta.

— Harry, lança-t-il. La femme que tu recherchais ? Je crois que nous l'avons ici comme victime anonyme.

Bosch baissa la tête, s'appuya au comptoir de la cuisine et ferma les yeux avant de répondre :

— Dis-moi.

— OK, voyons voir. Sexe féminin, la cinquantaine, trouvée morte au Sinbad Motel de Sunset Boulevard il y a deux jours. Elle a bien le tatouage dont tu m'avais parlé, le « R-I-P » avec le prénom Daisy sur l'omoplate.

Bosch hocha la tête. C'était bien Elizabeth.

— L'autopsie n'aura lieu que lundi ou mardi, reprit Echevarria, mais tout indique une overdose d'opiacé. D'après le rapport, c'est le gérant qui l'a trouvée sur son lit. Elle avait payé pour une nuit et il s'apprêtait à la flanquer dehors. Au lieu de ça, il l'a trouvée morte. Elle était tout habillée, et reposait sur les draps. Aucun signe d'acte criminel. Aucun appel pour homicide. Procès-verbal établi par un sergent de la patrouille et le légiste envoyé sur place.

— Pas de pièce d'identité ?

— Aucune dans la chambre… C'est pour ça que je n'avais pas fait le lien quand tu m'as appelé. Beaucoup de ces gens-là cachent leurs affaires ailleurs que dans leur chambre parce qu'ils ont peur d'être dévalisés après avoir pris leur fix et sombré dans les vapes. Elle a une voiture ?

— Non. Et les cachets ? Elle en avait encore ?

— Juste un flacon vide obtenu sur ordonnance. Et l'ordonnance est raturée. Ça aussi, ils le font au cas où ils se feraient prendre. Ça protège le médecin parce que dès qu'ils remettent le pied dans les rues, c'est lui qu'ils vont voir. Ce sont des créatures de l'habitude.

— Oui.

— Je suis désolé, Harry. J'ai l'impression que tu la connaissais.

— Oui. Mais vaut toujours mieux savoir, Mike.

— Une chance que tu viennes ici la reconnaître officiellement ? Ou alors, je t'envoie une photo ?

Bosch réfléchit.

— Je n'ai pas de portable. Je passe demain ?

— Demain, c'est bon. Je ne suis pas de service le dimanche, mais je leur dirai.

— Merci, mec.

— À bientôt, Harry.

Bosch raccrocha et traversa la maison pour rejoindre la terrasse. Il s'appuya à la rambarde et regarda l'autoroute en bas. Que la nouvelle ne le surprenne pas vraiment n'empêchait pas qu'il en soit ébranlé. Il se demanda si elle avait désiré son overdose. Le flacon vide suggérait qu'elle avait ingéré tout ce qu'elle avait réussi à obtenir.

Les détails ne changeaient rien à ses yeux dans la mesure où pour lui, sa mort était un meurtre. Un meurtre vieux de neuf ans, où l'individu qui avait tué Daisy avait aussi tué sa mère. Peu importait qu'il n'ait jamais rencontré ni même seulement vu Elizabeth. Il lui avait pris tout ce qui avait de l'importance pour elle et l'avait tout aussi bien tuée, elle, qu'il avait tué sa fille. Deux victimes pour le prix d'une.

Bosch s'était fait une promesse. Elizabeth n'était peut-être plus, maintenant, mais cela ne l'empêcherait pas de redoubler d'efforts pour mettre un nom sur son assassin. Il allait le trouver et le lui faire payer.

Il réintégra la maison, ferma la porte coulissante et descendit le couloir jusqu'à sa chambre. Il s'y changea, enfila un pantalon foncé et une chemise et y ajouta une vieille veste vert armée. Il jeta encore plusieurs vêtements de rab et des articles de toilette dans un sac de marin parce qu'il ne savait pas combien de temps s'écoulerait avant qu'il puisse revenir chez lui.

Puis il s'assit sur son lit, s'empara du fixe et composa le numéro de Cisco Wojciechowski de mémoire – et tomba juste. Le grand costaud décrocha au bout de deux sonneries et parla prudemment parce qu'il n'avait pas reconnu le numéro.

— Oui ? dit-il.

— Cisco, c'est Bosch. J'ai de mauvaises nouvelles pour Elizabeth.

— Dis-moi.

— Elle ne s'en est pas sortie. On l'a retrouvée morte dans une chambre de motel d'Hollywood. Ça ressemble beaucoup à une overdose.

— Merde...

— Ouais.

Ils gardèrent longtemps le silence avant que Cisco ne le brise.

— Je la croyais plus forte, tu sais ? La semaine que j'ai passée avec elle... La façon qu'elle avait eue d'arrêter net... J'y avais vu quelque chose. Je pensais qu'elle tiendrait la distance.

— Oui, moi aussi. Mais faut croire qu'on ne sait jamais vraiment.

— Non.

Après quelques minutes de propos sans importance, Bosch le remercia pour tout ce qu'il avait fait pour Elizabeth et mit fin à l'appel.

Puis il reprit le couloir jusqu'à la penderie à côté de la porte d'entrée – c'était là que se trouvait le coffre où il rangeait ses armes. Ses kidnappeurs lui avaient pris la sienne, mais il en avait une de secours, un Smith & Wesson Combat Masterpiece, le revolver à six coups qu'il portait sur lui presque quarante ans plus tôt lorsqu'il était encore à la patrouille. Il l'avait nettoyé et maintenu en bon état depuis. L'arme se trouvait dans un holster qu'il s'attacha à la ceinture sous sa veste.

Ses clés et celles de la Cherokee étaient toujours sur le comptoir de la cuisine, où il les avait laissées deux soirs plus tôt. Il sortit de chez lui par la porte d'entrée et prit le portable que Cespedes lui avait fait déposer dans sa boîte aux lettres. Il scruta encore une fois la rue au cas où on l'aurait surveillé, mais il ne vit que le véhicule de la division d'Hollywood Nord et gagna l'auvent à voitures où l'attendait sa Cherokee.

Il descendit la colline et repensa à Elizabeth et à l'infinie tristesse qui avait eu raison d'elle. Il s'aperçut qu'attendre que justice soit faite avait pris trop longtemps et n'avait pas suffi à la maintenir en vie. Et que les efforts qu'il avait déployés pour l'aider avaient fini par lui faire mal. La ramener à la sobriété n'avait fait que rendre sa douleur plus aiguë et moins supportable. Était-il donc tout aussi coupable que son assassin anonyme?

Il comprit que cette question le hanterait longtemps.

CHAPITRE 42

C'était exprès que Cespedes ne lui avait pas donné le lieu exact où Tranquillo Cortez se cachait, mais à force d'avoir assisté à des briefings du SFPD, Bosch en savait assez pour trouver les quartiers bastions des SanFers. Et pour le plan qu'il avait en tête, il ne lui en fallait pas plus. Il descendit des collines et prit vers le nord pour gagner la Valley, traverser Van Nuys et gagner Panorama City.

La lumière disparaissant dans le ciel, les lampadaires commencèrent à s'allumer. Il longea des campements de sans-abri et de ternes bâtiments industriels couverts de graffitis. Arrivé à Roscoe Boulevard, il obliqua vers l'est, le téléphone de la SIS ne mettant pas longtemps à vibrer dans sa poche. Il ne prit ni le premier ni le second appel. Il entra dans un grand complexe d'appartements où il n'était pas interdit de garder des meubles et des réfrigérateurs sur le balcon, alla jusqu'au bout du parking, fit demi-tour et le retraversa en entier. Et vit de jeunes Latinos l'observer de quelques-uns de ces balcons.

Son portable vibrait pour la troisième fois lorsqu'enfin il prit l'appel.

— Mais bordel, qu'est-ce que vous foutez, Bosch ? s'écria Cespedes.

— Salut, Speedy, lui renvoya Bosch en se servant du surnom qu'il avait entendu lui donner certains officiers de la SIS. Je me faisais juste une petite balade. Quoi de neuf ?

— Vous essayez de nous bousiller le coup ?

— Je ne sais pas. C'est ce que je serais en train de faire ?

— Faut que vous dégagiez d'ici et que vous rentriez chez vous.

— Non, moi, faut que je sois dans la voiture avec vous. Parce que si ce soir, c'est le grand soir, je veux en être.

— Qu'est-ce que vous racontez, « si ce soir, c'est le grand soir » ?

— La langue a dû vous fourcher. Vous m'avez dit que vous alliez déloger Cortez ce soir et je veux en être.

— Vous êtes fou ? Je vous ai dit qu'on ne faisait pas ce genre de trucs. Mais putain, Bosch, vous ne faites même plus partie du LAPD !

— Vous pourriez trouver une bonne raison de m'avoir avec vous. Je pourrais être le type qui repère Cortez parce qu'il sait à quoi il ressemble.

— Ça ne marcherait pas. Vous ne faites pas partie de l'opération et vous êtes en train d'en compromettre le succès.

— Bon ben, j'imagine que je vais juste devoir continuer à chercher Cortez tout seul. Bonne chance pour vos recherches à vous.

Et il raccrocha, regagna Roscoe Boulevard et mit son clignotant dès qu'il tomba sur un deuxième complexe d'appartements. Son portable vibra avant même qu'il y arrive. Il prit l'appel.

— Ne tournez pas ici ! lui lança Cespedes.

— Vous êtes sûr ? Ça ressemble tout à fait au genre d'endroit où Cortez pourrait se planquer.

— Continuez tout droit, Bosch. Il y a une station d'essence à droite, dans Woodman Avenue. Je vous y retrouve.

— OK, mais ne me faites pas attendre.

Cette fois, ce fut Cespedes qui raccrocha.

Bosch fit ce qu'on lui disait et continua de rouler. Arrivé à Woodman Avenue, il entra dans la station d'essence, se gara près de la pompe à air cassée, laissa tourner le moteur et attendit.

Trois minutes plus tard, une Mustang noire avec vitres teintées entrait à toute allure dans la station et s'arrêtait juste à côté de lui. La vitre côté passager s'abaissant, Bosch découvrit Cespedes au volant. Il avait la peau foncée et une coupe en brosse toute grise. Sa mâchoire angulaire semblait parfaite pour le patron d'une équipe de fonceurs et de tireurs d'élite.

— Salut, Speedy!

— Salut, connard! lui renvoya Cespedes. Vous savez que vous êtes en train de nous bousiller toute l'opération?

— C'est pas obligé. Alors, je monte avec vous, oui ou non?

— Montez.

Bosch descendit de sa Jeep, la ferma à clé et monta dans la Mustang. Il dut se serrer fort à cause du terminal ouvert sur un plateau pivotant installé sur le tableau de bord. L'écran en était dirigé vers Cespedes, mais dès qu'il fut dans la voiture, Bosch le tourna vers lui pour voir la rue. Roscoe Boulevard y était divisé en quatre vues, plus celle de l'immeuble. Bosch reconnut celui devant lequel il s'apprêtait à tourner lorsque Cespedes avait fini par accepter de le prendre avec lui.

— Vous avez des caméras sur vos bagnoles? demanda-t-il. Faut croire que je commençais à brûler.

Il lui montrait les appartements filmés par une caméra lorsque Cespedes retourna brusquement l'écran vers lui.

— On ne touche pas à ça! lança-t-il.

Bosch leva les mains en l'air pour lui montrer qu'il avait entendu.

— Et on met sa ceinture! ajouta Cespedes. Et vous ne quittez pas ce véhicule à moins que je vous le dise. C'est compris?

— C'est compris, répondit Bosch.

Cespedes passa en marche arrière et quitta l'emplacement juste à côté de la Jeep, la Mustang bondissant vers Roscoe Boulevard.

Deux rues plus loin, il se gara le long du trottoir, à un endroit où l'on voyait le complexe d'appartements filmé par les caméras des autres véhicules. Cespedes renversa la tête en arrière et parla au plafond de sa voiture.

— Sierra deux, renvoyez image opérateur un.

Bosch savait qu'il y avait un micro derrière le pare-soleil, probablement activé par un interrupteur à pied installé sur le plancher. Matériel de surveillance standard. Une série de clicks se fit entendre dans d'autres véhicules : Cespedes était l'observateur n° 1. Les autres voyaient l'immeuble sous des angles différents.

Cespedes se tourna vers Bosch.

— Et maintenant, on attend, dit-il.

Bosch comprit pourquoi. La nuit favorise toujours ceux qui suivent une voiture. Les leurs se réduisent à des phares impossibles à identifier dans le rétroviseur. Et les conducteurs ne sont plus que des silhouettes.

— Comment allez-vous le forcer à bouger ? demanda Bosch.

Cespedes garda le silence un instant, Bosch devinant qu'il décidait jusqu'où aller dans sa réponse. La SIS était une formation quasi insulaire au sein de la police. Dès qu'un officier y était versé, jamais il n'en ressortait, et il coupait tous les contacts et relations avec ses anciens amis et coéquipiers. Dans toute l'histoire de cette unité, seule une femme y avait été acceptée.

— On a un mouchard infiltré dans les gangs du bas de la colline, répondit Cespedes. Il nous a donné le numéro de portable d'un donneur d'ordres au même niveau que Cortez. On a piraté l'appareil et envoyé un message à Cortez comme quoi il devait assister à une réunion vous concernant au barrage d'Hansen. On espère que ça suffira.

Cespedes venait de lui décrire un minimum de deux manœuvres compromettantes, voire en pure violation du règlement, en plus d'être totalement illégales... si pirater ce portable avait été effectué sans mandat. Il essayait donc de mettre Bosch de son côté et de le rendre complice de ce qui pouvait arriver par la suite. Que Bosch n'élève pas d'objection immédiatement et il ne pourrait pas plaider l'innocence plus tard.

Et ça ne le gênait pas le moins du monde.

— Pourquoi le barrage d'Hansen ? demanda-t-il.

— La vérité ? Parce qu'il n'y a pas de caméras à cet endroit, répondit Cespedes en se tournant vers lui.

Deuxième moment où Bosch pouvait sonner l'alerte, ou marcher dans la combine.

— Le plan est bon, dit-il, se mettant tout entier dans le coup.

La SIS occupait une position toute particulière au sein du LAPD. Souvent visée par des enquêtes d'agences extérieures allant du FBI à des groupes de défense des droits civiques, souvent poursuivie par les parents de suspects abattus et régulièrement traitée d'« escadron de la mort » par des avocats indignés, cette unité jouissait d'une réputation totalement opposée dans les rangs de la police. Qu'exceptionnellement un poste s'y libère et c'était des centaines de candidatures qui se déclaraient, y compris celles d'individus prêts à gagner moins que ce à quoi leur grade leur donnait droit, juste pour en être. La raison en était que plus que dans d'autres unités, on y faisait du vrai travail de flic. La SIS savait s'occuper des individus violents. Qu'ils soient pris vivants n'avait aucune importance. Violeurs, flingueurs ou tueurs en série, tous y passaient. Les conséquences de tous ces crimes non perpétrés grâce aux captures et aux morts attribuables à la SIS n'étaient certes pas quantifiables, mais énormes. Et tous les flics voulaient en être. Au diable les critiques, les enquêtes et les poursuites judiciaires ! Servir et protéger, c'était de cela qu'il s'agissait, et dans sa forme la plus crue.

Bosch ne se sentait pas d'autre choix que d'y aller à fond. Tranquillo Cortez n'avait pas respecté les règles. Il avait envoyé ses hommes s'emparer de lui à son domicile, à l'endroit même où dormait souvent sa fille, et il n'est pas de plus grand crime contre un officier de police que celui de menacer quelqu'un de sa famille. Le faire, c'est s'exposer à tout. Ce qui voulait dire que lorsqu'il déclara que le plan était bon, Bosch ne plaisantait pas et que d'une manière ou d'une autre, il espérait bien que la menace Tranquillo Cortez s'éteindrait avant minuit.

CHAPITRE 43

À 20 h 10, la radio de la Mustang se réveilla : un appel après l'autre, on signalait que la cible – Tranquillo Cortez – avait été repérée et s'était mise en mouvement. En interprétant le code radio en vigueur à la SIS, Bosch déduisit que Cortez était accompagné par un chauffeur/garde du corps et venait de monter dans une Chrylser 300 blanche surbaissée. Elle était munie de vitres teintées interdites parce que rendant impossible toute identification des individus dans le véhicule.

La Chrysler ayant pris Roscoe Boulevard direction est, Cespedes laissa passer toutes les voitures de la SIS avant de jeter sa Mustang dans la danse. Mais il resta en arrière pour s'assurer que Cortez n'avait pas mis en œuvre une mesure de contre-surveillance du genre voiture suiveuse très loin derrière. Enfin satisfait qu'il n'en soit rien, il se mêla à la circulation pour rattraper les autres. Son rôle en tant que commandant de l'unité était de se tenir en arrière et d'être prêt à rejoindre tout endroit de la surveillance en carré mobile autour de la Chrysler si jamais un des quatre véhicules en rotation venait à être repéré par le suspect ou mis d'une manière ou d'une autre hors d'état d'intervenir.

À la radio, Bosch entendit que la Chrysler avait pris vers le nord dans Branford Street, ce qui allait l'amener droit dans le parc et au parcours de golf du barrage d'Hansen. Il écouta les unités s'identifier les unes après les autres – Advance, Backdoor et Outrigger One and Two[1] – et continuer de donner des nouvelles de la surveillance. On parlait lentement et d'une voix calme, comme on décrit une partie de golf à la télé.

— Où va-t-on dans le parc? demanda Bosch.

— Au parking du parcours de golf, répondit Cespedes. Il ne devrait y avoir personne à l'heure qu'il est. On ne joue pas au golf la nuit, n'est-ce pas?

Bosch avait posé sa question pour pousser Cespedes à lui dévoiler son plan. Alors qu'ils ne se trouvaient plus qu'à quinze cents mètres du parc, il ne savait toujours pas quelle tactique on suivrait une fois arrivé à l'endroit prévu pour l'arrestation.

— Il va falloir faire un choix, reprit Cespedes. C'est toujours comme ça.

— Que voulez-vous dire? Quel choix?

— Celui de vivre ou de mourir. Le plan est toujours de commencer par contenir le suspect. On le met dans une situation où il sait qu'il ne pourra pas sortir de la boîte. C'est là qu'il doit choisir. S'en sortir debout ou les pieds devant. Je suis toujours étonné de voir combien de fois les types font le mauvais choix.

Bosch se contenta de hocher la tête.

— C'est lui qui a ordonné votre enlèvement, reprit Cespedes. À l'endroit que votre fille considère comme son foyer. Après, il allait vous torturer et jeter votre cadavre à ses chiens.

— C'est bien ça.

— On dirait un film que j'ai vu.

— J'ai déjà entendu quelqu'un le dire. J'ai dû le rater.

— Ouais, ben, y a besoin d'apprendre à ces individus que le cinéma et la réalité, ça fait deux… De mettre un peu de réalisme dans le truc, si vous voyez ce que je veux dire.

1. Soit: Avancée, Porte arrière et Stabilisateur Un et Deux.

— Et comment!

— Et le dossier contre lui?

— Ça n'avance pas. On a un type dans le coma… Un flic. S'il s'en sort et se met à parler, on aura peut-être quelque chose.

— Mais vous n'avez jamais vu Cortez, si? Quand vous étiez en cage…

— Non.

— Bref, en d'autres termes, vous n'avez rien. Si jamais on l'arrête pour cette histoire de merde de pension alimentaire, vous aurez une chance de lui parler et faudra espérer un) qu'il ne prenne pas d'avocat et deux) qu'il dise ce qu'il faut pas et se chie dessus.

— C'est à peu près ça, oui.

— Bon, alors espérons qu'il fasse le mauvais choix ce soir.

La radio se remit en route quelques instants plus tard : on rapportait que la Chrysler entrait dans le parc récréatif du barrage d'Hansen. Deux des véhicules de surveillance mobile y avaient pénétré avant elle et s'étaient mis en position pour attendre qu'elle s'enferme dans le piège.

— On a une voiture appât dans le parking, enchaîna Cespedes. Un pick-up Ford comme celui que conduit le type avec le portable dont on s'est servi. Si Cortez s'en approche, on y va.

Bosch acquiesça. En se penchant sur la console centrale de la Mustang, il parvint à voir une partie de l'écran de l'ordinateur et les images des quatre caméras de surveillance. Il remarqua que deux véhicules roulaient toujours en direction du parc, les deux autres étant immobiles et visibles en infrarouge. L'un de ces derniers était tourné vers une allée proche d'un bâtiment que Bosch pensa être le club-house du terrain de golf. La caméra de l'autre était braquée sur un pick-up garé tout au bout du parking.

— Y a du retard dans les images? demanda Bosch.

— Environ deux secondes et demie, répondit Cespedes.

— Et ça enregistre ?

— Oui, ça enregistre.

La radio passa d'un mélange de voix rapportant les mouvements de la cible au silence le plus complet pendant presque trente secondes avant que le piège ne se referme.

Dans les images d'une caméra statique, Bosch vit bientôt la Chrysler entrer dans le parking. Mais s'arrêter net avant de rejoindre le pick-up.

— Mais qu'est-ce qu'il fabrique ? s'écria-t-il.

— Il se montre prudent, c'est tout, répondit Cespedes avant de reprendre la radio. Jimmy, fais-lui un petit clin d'œil.

— Entendu.

La caméra de bord du véhicule de poursuite garé dans le parking montra les phares du pick-up s'allumer deux fois. Bosch remarqua que les prises de vue des quatre caméras étaient maintenant statiques et en infrarouge.

— Vous avez un mec dans le pick-up ? demanda-t-il alors que c'était l'évidence même.

Cespedes leva la main pour exiger le silence. Ce n'était plus le moment de détailler le plan d'action à Bosch. Il reprit la radio.

— Et maintenant, tu files, Jimmy. Sors de là.

La Chrysler commença à se rapprocher du pick-up, Bosch ne voyant aucun signe que quiconque aurait quitté le Ford. Cespedes chronométra l'approche de la Chrysler, prit en compte le retard d'image des caméras, puis écrasa le bouton de transmission radio sur le plancher de la Mustang.

— Maintenant ! À toutes les unités… On y va !

Les vues des quatre caméras commencèrent à s'animer et se resserrer. Loin derrière, Cespedes accéléra, la Mustang entrant bientôt dans le parc. Elle cahota sur la chaussée inégale tandis qu'ils fonçaient vers le parcours de golf, Bosch ne pouvant lâcher des yeux l'écran de l'ordinateur. Il s'agrippa à l'accoudoir d'une main et de l'autre il attrapa le plateau pivotant pour essayer de maintenir l'appareil en place et de voir ce qui se passait.

Les quatre véhicules de surveillance encerclèrent la Chrysler au moment où elle se garait sur un emplacement proche du pick-up. Les caméras s'en approchant de plus en plus, Bosch découvrit que celui-ci était bloqué contre un mur couvert de lierre. Pas moyen de s'échapper par là.

Les quatre voitures continuant d'avancer, leurs caméras de bord révélèrent qu'elles s'étaient très classiquement mises en formation de déploiement autour de la Chrysler. Celle-ci était maintenant coincée avec l'avant contre un mur et quatre véhicules pleins de policiers armés disposés en un arc de cercle de cent vingt degrés derrière elle.

Les images des caméras se chevauchant, Bosch vit que les officiers de la SIS se protégeaient derrière leurs portières ouvertes et pointaient leurs armes sur la Chrysler. Il n'y avait pas le son, mais Bosch savait qu'ils criaient et exigeaient la reddition de tous les individus qui se trouvaient à l'intérieur.

Puis il vit deux officiers prendre la position de combat sur la droite et la gauche des voitures de la SIS pour cerner la Chrysler d'encore plus près, mais toujours selon un angle les mettant à l'abri de tout tir croisé.

Pendant dix secondes, il ne se passa rien. Aucun mouvement dans la Chrysler. Ses vitres teintées étaient remontées, mais les faisceaux de grande puissance des véhicules de la SIS passant au travers, Bosch n'eut aucun mal à voir les silhouettes des deux hommes à l'intérieur.

La Mustang entra enfin dans le parking et fonça vers le lieu de la confrontation. Bosch leva les yeux pour se repérer, mais baissa vite la tête pour retrouver l'écran. C'est alors que les deux portières avant de la Chrysler s'ouvrirent en même temps.

Bosch vit d'abord les mains du passager sortir bien ouvertes et haut en l'air tandis que Tranquillo Cortez se rendait. Il portait une casquette à visière plate des Dodgers, celle-là même qu'il avait sur la tête lorsqu'ils s'étaient rencontrés.

Le chauffeur le suivait, mais s'avançait avec seulement la main gauche en l'air.

La Mustang qui s'était garée derrière un des véhicules de poursuite était maintenant assez près de Bosch pour qu'il entende les voix tendues des officiers. Il leva les yeux de l'ordinateur pour regarder la scène en direct.

— Les mains… Visibles !

— Les deux !

— Les mains en l'air !

Et c'est alors que les injonctions virèrent aux cris d'alarme.

— Flingue ! Flingue !

Une des voitures de la SIS se trouvant entre eux deux, Bosch ne discernait que la tête et les épaules du chauffeur. Il regarda l'écran de l'ordinateur et repéra l'image montrant ce côté-là de la Chrysler. Trapu, l'homme avait dû se contorsionner pour sortir de la voiture et, maintenant dehors, il balayait la scène du bras droit. Ce fut lorsqu'il l'écarta de son corps que Bosch aperçut son arme.

Les coups de feu donnèrent l'impression de partir de tous les côtés en une énorme salve.

Alors, Tranquillo Cortez paya pour la bravade et la décision suicidaire qu'avait prise son garde du corps en sortant son arme. Cible légitime, Cortez se trouvait au centre du champ de bataille. Les huit officiers disposés en éventail autour d'eux ne cessant de tirer, les deux hommes furent criblés de balles. Les vitres de la Chrysler volèrent en éclats et ses deux occupants qui se tenaient maintenant chacun d'un côté s'effondrèrent aussitôt. Cortez, qui s'était tourné, sans doute pour s'abriter, tomba tête la première dans la voiture. Puis son corps en ressortant, il resta appuyé au cadre de la portière, tête baissée. Sans que jamais sa casquette ne tombe.

Ce ne fut qu'au moment où la fusillade cessa que Bosch lâcha l'écran de l'ordinateur des yeux et là, entre les deux portières ouvertes de deux véhicules de poursuite il découvrit Cortez, le devant de sa chemise blanche trempé de sang et sa tête ayant un soubresaut lorsque son corps se cabra. Il était encore vivant.

— Bosch! hurla Cespedes. Restez dans la Mustang!

Déjà il en avait sauté et courait entre deux voitures, en plein dans la fumée de la fusillade. Il suivit deux de ses hommes qui s'approchaient prudemment de la Chrysler, leurs armes braquées sur les individus à terre. Bosch revint à l'écran de l'ordinateur que, cette fois, il tourna complètement vers lui pour mieux voir.

Il y avait une arme par terre, à côté du garde du corps. Un des officiers de la SIS l'éloigna d'un coup de pied, se pencha pour vérifier le pouls du chauffeur et de la main dessina une ligne plate pour indiquer qu'il était bien mort.

Cortez, lui, fut tiré à plat sur le sol, un officier s'agenouillant à côté de lui. Même sur l'écran à infrarouge, il était clair qu'il respirait encore. Cespedes avait reparu sur l'écran et parlait au téléphone, Bosch se disant qu'il devait appeler une ambulance ou notifier le haut commandement.

Bosch voulait descendre de la Mustang et rejoindre la scène de crime, mais il resta dans la voiture comme on lui en avait donné l'ordre. Cela dit, si jamais il lui semblait que Cespedes l'avait oublié, il en descendrait. Cespedes raccrocha et passa un autre appel.

Bosch regarda l'écran, revit la scène et se rappela que les images arrivaient à l'ordinateur avec un léger retard. Il examina le clavier, repéra la flèche gauche et appuya dessus. La vidéo repartit en arrière. Il garda son doigt sur la touche jusqu'à ce que les images reviennent juste avant la fusillade et montrent les deux SanFers toujours dans la Chrysler blanche.

Il se repassa la confrontation fatale en tapant de temps en temps sur la touche pour ralentir le défilement ou revoir entièrement certains plans. Il ne savait pas trop comment faire pour que le play-back passe en vitesse lente. Il se concentra sur le coin supérieur gauche de l'écran et y découvrit une vue quasiment en direct du chauffeur en train de descendre de la Chrysler une main en l'air.

Il suivit la trajectoire de son bras droit alors qu'il émergeait de l'ombre de la Chrysler. C'est au moment où il la sortait de derrière son torse qu'il vit son arme. Mais ce n'était pas par la crosse qu'il la tenait. Il l'avait bien à la main, mais pas pour un tir immédiat.

Puis il vit un impact sur la voiture au moment où un projectile frappait l'encadrement de la portière et se fragmentait. Le premier tir. Il s'était produit avant qu'on n'ait pu voir l'arme du chauffeur et que ses intentions soient claires. Bosch lâcha la touche et regarda le reste de la fusillade. Puis il leva la tête et s'aperçut que Cespedes revenait vers la Mustang. Il posa vite son doigt sur la flèche d'avance rapide et retrouva les prises en temps réel pile au moment où le patron de la SIS ouvrait la portière côté passager.

Cespedes passa la tête à l'intérieur de l'habitacle.

— Il est dans le coaltar, mais encore conscient. Si vous voulez lui dire quelque chose…

— OK, oui, répondit Bosch.

Cespedes recula pour le laisser descendre. Ils passèrent entre deux véhicules de la SIS et gagnèrent le côté passager de la Chrysler. Un épais voile de fumée traînait encore dans l'air.

Cortez avait les yeux ouverts et de la peur dans le regard. Du sang lui suintant sur la langue et les lèvres, Bosch devina qu'il avait très probablement les poumons criblés de fragments de plomb. Sa jeunesse le choqua. Celui qui ricanait et avait joué les matamores dans le parking de la *lavanderia* seulement quelques jours auparavant avait disparu. Il avait maintenant l'air d'un gamin complètement terrorisé sous sa casquette de base-ball.

Bosch comprit que ce n'était plus le moment de dire quoi que ce soit, de jouer les vainqueurs ou de le narguer avec des mots vengeurs.

Il ne dit rien.

Et Cortez non plus. Il regarda Bosch en face, puis il avança le bras, sa main ensanglantée frôlant l'ourlet d'une jambe de pantalon de Bosch. Alors il l'agrippa comme s'il pouvait encore s'accrocher à la vie et ne pas être aspiré par les ténèbres qui l'attendaient.

Mais au bout de quelques secondes ses forces le quittèrent. Il lâcha tout, puis ferma les yeux, et mourut.

BALLARD

CHAPITRE 44

Ballard étala le reste des fiches d'interpellation sur une table de la pièce de repos. Il y avait plus de place à cet endroit que sur un bureau d'emprunt de la salle des inspecteurs. Elle attendait Bosch. Elle avait déjà examiné les fiches et effectué les vérifications électroniques. L'heure était venue de passer au travail de terrain. Si Bosch arrivait avant qu'il ne soit trop tard, ils pourraient en éliminer un certain nombre pendant la nuit. Elle avait envie de lui envoyer un texto ou de l'appeler pour lui dire qu'elle l'attendait, mais se rappela qu'il n'avait pas de portable.

Elle était là, assise à regarder fixement ses fiches lorsque le lieutenant Munroe entra se faire un café.

— Ballard, lança-t-il, qu'est-ce que vous faites ici aussi tôt?

— Je travaillais juste à mon petit hobby.

Elle n'avait pas plus levé les yeux de ses cartes que lui de la cafetière.

— Le meurtre de la fille? demanda-t-il.

— De la fille, oui, répondit-elle.

Et elle fit passer deux fiches du côté des moins prioritaires.

— Qu'est-ce que ç'a à voir avec la tatoueuse? reprit Munroe. Cette affaire-là a été résolue.

Ce fut au tour de Ballard de le regarder.

— De quoi parlez-vous, lieutenant?

— Désolé. Faut croire que j'ai été trop curieux. J'ai vu un livre du meurtre dans votre casier courrier quand je passais en revue le contenu des archives en attente. J'y ai juste jeté un coup d'œil. Je me souvenais de l'affaire et… ils ont vite trouvé le coupable si je ne me trompe pas.

Le dossier du Zoo Too. Ballard l'attendait, mais avait oublié de regarder dans son casier en revenant de son dîner.

— C'est vrai que ç'a été résolu, dit-elle. Je voulais juste le feuilleter. Merci de m'avoir avertie qu'il était arrivé.

Elle sortit de la pièce de repos et descendit le couloir de derrière conduisant à la salle du courrier, où tous les officiers et inspecteurs de la division avaient un casier où recevoir les plis internes et externes. Elle sortit le classeur en plastique du sien.

Munroe n'était plus là lorsqu'elle réintégra la salle de repos. Elle décida d'y examiner le dossier afin de ne pas laisser les fiches d'interpellation sans surveillance. Elle s'assit et l'ouvrit.

Les livres du meurtre étaient identiques dans toutes les brigades des Homicides du LAPD. Ils contenaient vingt-six cahiers – celui des procès-verbaux de scène de crime, celui des rapports du labo, des photos, des déclarations des témoins, des *et cetera, et cetera*. Le premier comprenait toujours une chronologie, où les enquêteurs consignaient tous leurs actes et décisions en temps et en heure. Elle alla droit au seizième, celui consacré aux photos de la scène de crime.

Elle en sortit une grosse pile de clichés 8 x 13 cm d'une pochette en plastique et les feuilleta. Le photographe s'était montré exhaustif et clinicien. Salon de tatouage et scène de crime, il semblait que pas un centimètre de ces lieux n'avait été oublié dans ces tirages lumineux, voire presque surexposés. En 2009, on se servait toujours de pellicules argentiques, la photo numérique n'ayant pas encore été acceptée par des tribunaux qu'inquiétaient les possibilités de falsifications.

Elle les parcourut rapidement jusqu'au moment où elle arriva aux clichés où l'on voyait le corps de la victime au milieu de la scène de crime. Audie Haslam ne s'était pas laissée faire. Elle avait les bras, les mains et les doigts couverts de profondes lacérations caractéristiques des blessures de défense. Pour finir néanmoins, elle avait succombé sous les coups d'un agresseur nettement plus fort qu'elle. Elle avait reçu de grands coups de couteau à la poitrine et au cou. Du sang artériel lui avait trempé le haut marqué de l'inscription *Zoo Too* qu'elle portait. Des jets en avaient éclaboussé les quatre murs de la petite réserve où le tueur l'avait acculée. Elle était morte sur le sol en béton poli, une main serrée sur le crucifix au bout de son collier. De manière plutôt incongrue, elle n'avait aucun tatouage, à tout le moins aucun que Ballard aurait découvert sur les photos.

Un meurtre est un meurtre, et Ballard savait que chaque affaire mérite que la police y consacre toute son attention et tous ses efforts. Elle n'en restait pas moins toujours choquée par les assassinats de femmes. Les trois quarts d'entre eux étaient d'une violence extrême. Et dans les trois quarts des cas aussi, les assassins étaient des hommes et cela avait quelque chose de profondément troublant. Quelque chose d'injuste et qui allait bien au-delà de l'injustice générale de la mort donnée par autrui. Elle se demandait toujours comment vivraient les hommes s'ils savaient qu'à chaque instant leur taille et leur nature les rendaient vulnérables au sexe opposé.

Elle refit un tas de ces photos et les remit dans la pochette du cahier n° 16. Puis elle passa au treize, dédié au suspect. Elle voulait voir à quoi ressemblait l'homme qui avait tué Audie Haslam.

Dans sa photo d'identité judiciaire, Clancy Devoux regardait fixement l'appareil photo d'un œil mort et d'un air apparemment dénué de toute empathie pour les humains. Sale et pas rasé, il avait une paupière qui pendait. Ses lèvres droites et fines disaient plus le ricanement de défi que la culpabilité ou le désir de s'excuser. Psychopathe endurci, il avait probablement blessé et tué des tas de gens avant que le meurtre d'Audie Haslam ne mette fin à sa carrière. Ballard songea que la plupart de ses victimes – de crime ou autre – étaient sans doute des femmes.

Un tirage papier de ses antécédents le lui confirma. Il avait été accusé à de nombreuses reprises, ses méfaits remontant à sa jeunesse dans le Mississippi. Ils allaient de la possession de drogue à de multiples agressions caractérisées – et à une tentative de meurtre. Son casier ne donnait pas le sexe de ses victimes, mais elle n'en doutait pas : Devoux haïssait les femmes. On ne poignarde pas autant de fois et avec une telle férocité une femme dans une arrière-salle de salon de tatouage sans s'être trempé à cette haine au fil des ans. La pauvre Audie Haslam s'était trouvée au mauvais endroit au mauvais moment. Elle avait probablement déclenché sa mort avec un mot de travers ou un regard qui juge et l'avait fait démarrer.

Une note portée sur le rabat du douzième cahier disait que Devoux avait été condamné à la prison à vie sans possibilité de libération conditionnelle pour cet assassinat. Jamais plus il ne pourrait faire de mal à une femme.

De là, Ballard passa au cahier contenant les déclarations des témoins. Aucun n'avait assisté au meurtre parce que l'assassin avait attendu d'être seul dans la boutique avant de voler et tuer Haslam. Mais les enquêteurs avaient retrouvé et interrogé les autres clients du salon ce soir-là.

Ballard prit un carnet et y porta leurs noms et adresses. Tous étaient des citoyens de la nuit à Hollywood autour de l'année 2009 et pouvaient être intéressants à interroger si on arrivait à les retrouver. Elle s'aperçut alors que l'un d'entre eux, un certain David Manning, lui disait quelque chose. Elle mit le livre du meurtre de côté, regarda les fiches d'interpellation qu'elle avait étalées pour que Bosch y jette un coup d'œil et trouva celle de Manning.

D'après les déclarations du témoin, celui-ci s'était trouvé au salon moins de deux heures avant le meurtre. Il était décrit comme un ex-contrebandier de Floride âgé de cinquante-huit ans. Il vivait dans un vieux camping-car qu'il garait dans diverses rues d'Hollywood selon les jours. Il rendait fréquemment visite au Zoo Too parce qu'Audie Haslam lui plaisait et qu'il adorait ajouter des tatouages à la prodigieuse collection qu'il avait déjà sur les bras. À lire entre les lignes de cette déclaration rédigée avant que l'enquête ne se centre sur Clancy Devoux, Ballard se dit que Manning présentait un grand intérêt. Il avait un casier, même si l'on n'y trouvait aucun acte de violence, et avait été une des dernières personnes à la voir vivante. De ce fait même, il était détenu et interrogé par la police lorsque les résultats des analyses d'empreintes avaient lancé l'enquête dans une autre direction.

Une grande partie des renseignements portés sur sa fiche cadrait avec ce qu'avait déclaré le témoin. C'était à cause de ce camping-car que Ballard avait retenu sa fiche. Ce véhicule avait quelque chose de commun avec le van auquel Bosch et elle s'intéressaient. La fiche avait été rédigée sept semaines avant les assassinats de Clayton et d'Haslam, le jour où un officier de police l'avait vu arrêté dans Argyle Avenue, juste au sud de Santa Monica Boulevard. Après l'avoir inspecté, il avait informé Manning qu'il était interdit de garer ce genre de véhicule dans une zone commerciale. À l'époque, le LAPD n'avait pas peur de virer les sans-abri et de les pourchasser. Depuis, une série de poursuites judiciaires pour violation des droits civiques et un changement de direction à la mairie avaient abouti à une révision de ces pratiques, chasser les sans-abri étant mainte-nant presque considéré comme une faute valant licenciement. Conséquence, la loi ne leur était pratiquement plus appliquée, un type comme Manning ayant le droit de garer son camping-car où bon lui semblait dans Hollywood à la seule condition de ne pas le faire devant une maison indépendante ou un cinéma.

L'officier qui avait chassé Manning en 2009 avait rempli une fiche pleine de renseignements pris dans son permis de conduire de Floride et glanés lors de leur court entretien. En faisant passer les nom et date de naissance du bonhomme à l'ordinateur central pour préparer les fiches pour Bosch, Ballard avait découvert qu'il était maintenant en possession d'un permis de conduire de Californie, mais que l'adresse qui y était portée ne pouvait pas l'aider. Manning avait en effet eu recours à la tactique qui consiste à donner l'adresse d'une église afin d'obtenir une pièce d'identité ou un permis de conduire californien. Que l'adresse ne mène à rien n'empêchait pas que son camping-car ne soit pas trop difficile à repérer s'il vivait toujours dans le coin.

Ballard s'empara de la fiche et la rangea avec celles qui, à son avis, méritaient une plus grande attention. Qu'il ait connu, aimé, voire été peut-être obsédé par une femme assassinée deux jours avant Daisy Clayton valait à ses yeux la peine qu'on s'intéresse à son cas.

Elle décida de lui parler. Elle ouvrit son ordinateur portable et rédigea une demande dite « exclusivement d'information » sur lui, soit un avis de recherche avec instructions précises : au cas où lui ou son camping-car serait repéré, ne pas le virer ou arrêter, se contenter d'appeler Ballard vingt-quatre heures sur vingt-quatre.

Elle imprima le document avec le signalement de Manning et l'immatriculation de son véhicule, et gagna le bureau du chef de veille pour le donner au lieutenant Munroe. Lorsqu'elle y arriva, celui-ci se tenait debout au milieu de la pièce avec deux autres officiers de police et regardait l'écran plat monté au-dessus de son bureau. Ballard repéra le logo de la 9, la chaîne d'informations locales en continu, et découvrit une journaliste qu'elle reconnut en train de parler en direct sur fond de gyrophares de voitures de police en pleine action.

Elle se posta à côté des trois hommes.

— Qu'est-ce qui se passe? demanda-t-elle.

— Fusillade dans la Valley, l'informa Monroe. Deux membres de gang ont leur compte.

— La SIS? L'équipe qui surveille Bosch?

— Ils n'en disent rien. Parce qu'ils ne savent toujours rien.

Ballard sortit son portable et envoya un texto à Heather Rourke.

T'es sur l'affaire dans la Valley?

Non, ce soir, je suis dans le sud. En ai entendu parler. 2 tués. C'est le truc de Bosch? La SIS?

On dirait bien. Je vérifie.

Elle n'avait toujours pas de numéro pour Bosch. Elle resta les yeux fixés sur l'écran, à regarder ce qui se passait derrière la journaliste, mais sans écouter ce qu'elle disait jusqu'au moment où celle-ci finit par dire où elle se trouvait.

— ... en direct du parc récréatif du barrage d'Hansen.

Ballard savait que cela voulait dire Foothill Division, et très vraisemblablement aussi SanFers. Il s'agissait forcément de l'affaire Bosch et elle comprit qu'elle avait peu de chances de le voir plus tard.

Elle regagna la salle de repos, classa les fiches par ordre de priorité et les rapporta à la salle des inspecteurs avec le dossier Zoo Too. Puis elle jeta un coup d'œil à la pendule et s'aperçut que son service ne commencerait qu'une heure plus tard. L'espace d'un instant elle envisagea de rejoindre la Valley et de s'inviter à la fusillade. Vu le rôle qu'elle avait joué dans le sauvetage de Bosch, elle se sentait des droits de propriété sur l'affaire.

Mais elle savait qu'on la tiendrait à l'écart. La SIS était une société fermée. Bosch aurait même beaucoup de chance si on le laissait passer sous le ruban jaune.

Elle décida de ne pas y aller et préféra rouvrir le livre du meurtre pour en terminer l'examen. Elle s'attaqua au premier cahier, celui de la chronologie. À le lire, elle serait aussi près d'enquêter elle-même qu'elle pourrait jamais l'être. La chronologie était une relation pas à pas de toutes les mesures prises par les enquêteurs.

Elle commença au début, au moment où ceux-ci avaient reçu l'appel chez eux et été envoyés au salon de tatouage. L'affaire avait été assignée à deux inspecteurs de la brigade des Homicides d'Hollywood avant que celle-ci ne soit dissoute, les dossiers de la division étant alors transférés aux Homicides du West Bureau. Ils avaient noms Livingstone et Peppers et Ballard ne les connaissait ni l'un ni l'autre.

Tout comme le livre du meurtre, cette chronologie était plus courte que ce qu'elle avait vu dans d'autres dossiers, y compris ceux qu'elle avait elle-même préparés alors qu'elle faisait partie de la division des Vols et Homicides, mais cela ne disait rien des efforts déployés par Livingstone et Peppers, l'affaire ayant été vite résolue. Exhaustifs, les inspecteurs ne perdaient déjà pas de temps lorsque l'équipe de médecine légale leur avait offert un suspect sur un plateau : une empreinte sanglante trouvée dans la réserve de la boutique avait été reliée à Clancy Devoux. Celui-ci avait été rapidement localisé et pris, et un couteau cassé qu'on pensait être l'arme du crime ayant été découvert en sa possession, l'affaire avait été considérée close en moins de vingt-quatre heures.

Tous les meurtres devraient se résoudre aussi facilement, songea Ballard. Mais d'habitude ce n'est pas le cas. Une fille est enlevée sur un trottoir et assassinée, et neuf ans se passent sans même qu'on ait une seule idée du type qui l'a tuée. Une femme se fait larder de coups de couteau dans l'arrière-salle de son magasin et là, l'affaire est réglée en une journée. Tout cela n'avait ni rime ni raison.

Après l'arrestation, les entrées de la chronologie diminuaient au fur et à mesure que de l'enquête on passait à la préparation du dossier d'accusation. Cela étant, l'une d'elles arrêta Ballard. Elle avait été portée au dossier quarante-huit heures après le meurtre et vingt-quatre après l'arrestation de Clancy Devoux. Anodine, elle n'avait été ajoutée que par souci d'exhaustivité et faisait état du fait que deux soirs après le meurtre, à 19 h 45, l'inspecteur Peppers avait été notifié par le sergent de veille de la division d'Hollywood qu'un nettoyeur de scène de crime, un certain Roger Dillon, avait trouvé une pièce à conviction supplémentaire dans l'affaire du Zoo Too. Il s'agissait d'un morceau de lame de couteau découvert sur le sol de la réserve. L'objet avait disparu dans la flaque de sang qui avait coulé de la victime, puis s'était coagulé autour de son cadavre. Long de cinq centimètres, il avait apparemment échappé tant aux inspecteurs qu'aux techniciens de médecine légale.

Dans le journal de bord, Peppers rapportait avoir demandé au sergent de veille d'envoyer une équipe de la patrouille au salon, d'y prendre le bout de lame à Dillon et de le déposer dans un sachet à éléments de preuve. Peppers, qui habitait à plus d'une heure de Los Angeles, avait alors dit qu'il passerait le prendre le lendemain matin.

Ballard regarda longtemps cette entrée. Pour l'affaire, il ne s'agissait que d'une question de nettoyage. Mais elle savait que si ce bout de lame appartenait bien au couteau cassé récupéré lors de l'arrestation de Devoux, les enquêteurs détenaient un autre élément de preuve important contre le suspect. La bévue commise par l'équipe de médecine légale ne l'inquiétait pas.

Il n'était en effet pas rare qu'on rate des éléments de preuve ou qu'ils restent sur la scène de crime lorsqu'elle était complexe et pleine de sang. Répandu, le sang peut en effet cacher bien des choses.

Non, ce qui lui mettait la puce à l'oreille, c'était le nettoyeur. Pure coïncidence, elle l'avait rencontré un peu plus tôt dans la semaine, le jour où il avait découvert le vol des lithos d'Andy Warhol dans la maison d'Hollywood Boulevard. Dans sa mallette, elle avait toujours les cartes de visite professionnelles qu'il lui avait données.

L'entrée mentionnait que Dillon avait appelé pour signaler la découverte du bout de lame cassée à 19 h 45, le soir même où Daisy Clayton avait disparu. Cela signifiait qu'il avait travaillé à Sunset Boulevard à peine quelques heures avant. Ballard avait vu sa camionnette plus tôt dans la semaine et n'avait jeté qu'un bref coup d'œil à l'intérieur, mais des intérieurs comme celui-là, elle en avait vu sur d'autres scènes de crime. Elle savait que Dillon y entreposait des outils et des produits chimiques pour son travail. Il devait aussi s'y trouver des récipients propres au transport et à l'élimination des matériaux biologiques dangereux.

Tout d'un coup, elle comprit. Il fallait absolument qu'elle s'intéresse à lui de plus près.

CHAPITRE 45

Elle gagna son casier pour y ranger les fiches d'interpellation et le livre du meurtre d'Haslam. Puis elle sortit le dossier que Bosch avait commencé à bâtir pour l'affaire Clayton. Elle s'assit sur un banc dans le vestiaire, l'ouvrit et alla droit au rapport qu'il avait rédigé sur le bac en plastique de l'American Storage Products. Il y avait porté le nom du chef des ventes auquel il avait parlé, un certain Del Mittleberg. Elle tomba quasiment de son banc tellement elle fut alors heureuse de constater qu'exhaustif comme il était, Bosch y avait ajouté le numéro de son portable et celui de son fixe au bureau.

Il était un peu plus de 22 heures. Elle appela le portable et eut droit à un « Allô » des plus méfiants.

— Monsieur Mittleberg?

— Ça ne m'intéresse pas.

— Ne raccrochez pas, je suis de la police.

— De la police?

— Monsieur Mittleberg, je m'appelle Renée Ballard et je suis inspectrice au Los Angeles Police Department. Vous avez récemment parlé à un de mes collègues, l'inspecteur Bosch, des bacs fabriqués par l'American Storage Products. Vous vous rappelez?

— Ça remonte à deux ou trois mois.

— C'est exact. Et nous travaillons toujours sur cette affaire.

— Il est 22 h 15. Qu'y a-t-il de si urgent que ça ne pourrait pas...

— Monsieur Mittleberg, je suis désolée, mais c'est effectivement très urgent. Vous avez dit à l'inspecteur Bosch que votre société vendait ces bacs directement à certains détaillants.

— C'est exact, oui.

— Êtes-vous chez vous, monsieur Mittleberg ?

— Où voulez-vous que je sois ?

— Avez-vous un ordinateur ou accès aux factures de ces ventes ?

Il y eut une pause : Mittleberg étudiait la question. Ballard retint son souffle. Des coups dans le noir du genre c'est pas gagné, il y en avait déjà eu beaucoup dans l'affaire et l'heure était venue que l'un d'eux rapporte enfin quelque chose. Si Dillon dirigeait une société en équilibre précaire – elle se rappela qu'il avait émis un commentaire sur la concurrence –, il pouvait très bien être du genre à essayer d'avoir un rabais par des achats chez un grossiste.

— Je n'ai qu'un accès limité à ces factures, finit par répondre Mittleberg.

— J'ai ici le nom d'une société, reprit-elle. Pouvez-vous regarder si elle a jamais compté au nombre de vos clients ?

— Ne quittez pas. Je vais à mon bureau.

Elle attendit qu'il arrive à son ordinateur et entendit une discussion en partie étouffée où il disait à quelqu'un qu'il était en train de parler à la police et qu'il reviendrait dès qu'il aurait fini.

— OK, lança-t-il. Je suis devant mon ordinateur. Quel est le nom de cette société ?

— C'est la Chemi-Cal Bio. Chemi-Cal en deux mots...

— Non, rien.

— Vous l'avez bien écrit avec un tiret ?

— Je n'ai rien qui commence par C.H.E.M.

Ballard tomba de haut. Elle avait besoin de plus pour se lancer à fond contre Dillon. Puis elle se rappela la camionnette qu'elle avait vue le jour où ils s'étaient rencontrés dans Hollywood Boulevard.

— Bon, d'accord. Essayez avec CCB Services, s'il vous plaît, reprit-elle d'un ton plein d'urgence.

Elle l'entendit entrer cet intitulé, puis il répondit :

— Oui. Ce sont des clients depuis 2008. Ils veulent des articles en plastique souple.

Ballard se redressa et garda le téléphone collé à l'oreille.

— De quel genre, ces articles ?

— Des récipients de stockage. De tailles différentes.

Elle se rappela Bosch lui disant le modèle qu'il avait acheté. Il était toujours dans le coffre de sa voiture de fonction.

— Dont le 100 litres avec couvercle à clips ?

Nouvelle pause pendant que Mittleberg consultait ses factures.

— Oui, répondit-il enfin. Cet article a bien été commandé.

— Merci, monsieur Mittleberg, dit-elle. Quelqu'un suivra cette affaire avec vous pendant vos heures d'ouverture.

Elle raccrocha et revint à son casier. Reposa le livre du meurtre sur l'étagère du haut, ouvrit sa mallette et en sortit une des cartes de visite professionnelles que Dillon lui avait données. Sa société avait son siège à Van Nuys, dans Saticoy Street.

Lorsqu'elle entra dans le bureau du chef de veille, Munroe était toujours à regarder l'écran de télé.

— Du nouveau ? demanda-t-elle.

— Pas grand-chose, répondit-il. Mais ils disent que les morts avaient retenu l'attention de la police dans une affaire d'enlèvement. C'est forcément l'histoire de Bosch. Vous avez de ses nouvelles ?

— Toujours pas. Je vais aller interroger des gens pour mon affaire préférée. Il se pourrait que je ne sois pas de retour pour l'appel.

Elle regarda fixement l'écran un moment. C'était la même journaliste qui officiait.

— Si jamais Bosch se pointe ici, pourriez-vous lui donner ça ? reprit-elle. Il saura ce que ça signifie.

Elle lui tendit la carte professionnelle de Dillon avec ses nom et adresse. Munroe y jeta un coup d'œil indifférent, puis la glissa dans une de ses poches de chemise.

— Ce sera fait, dit-il. Mais vous restez en contact, d'accord ? Vous me faites savoir où vous êtes.

— C'est entendu, lieute.

— Et si j'ai besoin de vous pour un appel, vous remettez votre hobby au placard et vous rappliquez ici en courant.

— Reçu 5 sur 5.

Elle regagna la salle des inspecteurs, attrapa une radio à la station de charge, prit les clés de sa voiture de fonction et quitta le commissariat par la porte de derrière.

Elle passa par Laurel Canyon Boulevard pour franchir le col et redescendre dans la Valley. Il était près de minuit lorsqu'arrivée à Saticoy Street, elle s'enfonça dans un secteur industriel aux rues bordées de hangars et de parkings proche de l'aéroport de Van Nuys.

La Chemi-Cal Bio Services se trouvait dans un ensemble de ces hangars, le Saticoy Industry Center, où des sociétés de services et des sites de production s'alignaient côte à côte dans des bâtisses à deux étages. Ballard suivit l'allée principale, longea celle de Dillon et ressortit de la zone. Rien n'y donnait l'impression d'être allumé aussi tard le soir. Elle se gara dans une ruelle en retrait et revint sur ses pas.

Le hangar de Dillon ne se signalait que par un petit écriteau. Ce n'était pas le genre de société à attirer le client qui passe devant à pied ou en voiture. Le type de services qu'elle offrait était de ceux qu'on trouve sur le Net ou que recommandent des professionnels dans le même domaine – enquêteurs, coroners, spécialistes de médecine légale. L'écriteau était apposé sur la porte à côté d'un garage. Bâtiment indépendant, mais à pas plus, et littéralement, de cinquante centimètres des structures identiques érigées de chaque côté.

Ballard frappa à la porte alors même qu'elle ne s'attendait à aucune sorte de réponse. Elle recula et regarda l'allée dans les deux sens afin de voir si les coups qu'elle avait donnés sur le métal creux de la porte avaient suscité le moindre intérêt.

Ce n'était pas le cas.

Elle gagna le petit passage entre la CCB et sa voisine au nord, un bâtiment sans le moindre panneau ou quoi que ce soit pour l'identifier. L'allée, si sa taille permettait de la qualifier ainsi, était plongée dans le noir. Ballard l'éclaira avec sa lampe torche et découvrit qu'elle était jonchée de détritus, mais franchissable. À l'autre bout, qui devait se trouver à une trentaine de mètres, il n'y avait ni portail ni aucun autre obstacle.

Elle posa un pied hésitant dans cette maigre ouverture. Et poussa un tas de vieux masques respiratoires qui ne pouvaient provenir que de la CCB.

Encore un pas et il n'y eut plus rien d'hésitant dans sa progression. Elle longea vite le passage et, des murs de parpaings de chaque côté d'elle, rejoignit l'ouverture à l'autre bout. Le vieux truc de cinéma où les murs se referment sur le héros lui revenant en mémoire, elle se crut prise de vertige et dut poser une main sur l'un d'eux pour ne pas tomber.

Elle sortit du passage en trébuchant, se retrouva dans une ruelle, se pencha en avant et, les mains sur les genoux, attendit que la tête cesse de lui tourner. Et lorsqu'enfin ce fut fait, elle se redressa et regarda autour d'elle. Jamais encore elle n'avait vu de ruelle aussi propre. Fini les détritus, les cochonneries, les vieux véhicules qu'on abandonne ou quoi que ce soit de semblable. Tous les bâtiments étaient dotés de poubelles fermées installées dans des enceintes en béton. Elle ouvrit celle à l'arrière de la CCB et la trouva vide, à l'exception de quelques emballages de nourriture à emporter et de plusieurs gobelets de café vides. Elle s'attendait à découvrir des serpillières et autres débris pleins de sang provenant du nettoyage de scènes de crime, mais il n'y avait là absolument rien de tel.

Le bâtiment n'était muni que d'une porte à l'arrière, avec les seules lettres CCB peintes dessus. Ballard essaya de l'ouvrir, mais elle était fermée au cadenas. Elle frappa pour que tout soit fait dans les règles, mais n'attendit pas une réponse qui, elle en était sûre, ne viendrait pas. Elle regagna l'étroit passage entre les bâtiments et projeta le faisceau de sa lampe sur les murs, jusqu'au petit bout de ciel nocturne tout en haut. Les toits se trouvaient à environ six mètres. Le hangar n'ayant pas de fenêtres, elle était à peu près sûre qu'il y aurait un vasistas sur le toit afin de pouvoir l'aérer et d'y laisser entrer la lumière naturelle.

Elle se cala sa lampe entre les dents, puis posa une main sur chacun des deux murs qui l'entouraient. Et leva le pied gauche, le posa en incliné sur un des murs en se servant d'une ligne de mortier entre deux parpaings pour s'assurer une prise. Puis, en appuyant les mains sur la paroi et en en attrapant les bords supérieurs, elle monta et posa le pied droit sur le mur opposé en veillant à l'incliner de façon à ne pas décrocher. Elle portait des godillots à semelles en caoutchouc comme les aiment les professionnels qui travaillent beaucoup avec les pieds. Choisis plus pour le confort qu'ils offraient que pour leur style, ils agrippèrent très fermement eux aussi le rebord des lignes de mortier.

Ainsi se mit-elle à grimper entre les murs du passage en se servant de son poids pour se rééquilibrer et ne pas tomber. Elle ne progressait que lentement et vers quelque chose d'absolument inconnu, mais elle continua et ne s'arrêta qu'une fois, en entendant une voiture s'engager dans l'entrée de la zone industrielle. Elle sortit vite la lampe de sa bouche et l'éteignit. Elle n'avait encore fait que la moitié du chemin et ne pouvait que rester immobile.

Le véhicule longea le passage sans s'arrêter. Ballard attendit un peu, puis ralluma sa torche et reprit son ascension.

Il lui fallut dix minutes pour arriver en haut. Alors elle passa le bras par-dessus le rebord du toit du hangar de la CCB recouvert de gravillons et très précautionneusement s'y hissa. Et resta allongée dessus presque une minute pour reprendre son souffle en contemplant le ciel nocturne.

Puis elle roula sur le côté et se releva. S'épousseta et comprit qu'elle avait bousillé un autre tailleur. Elle avait prévu de prendre son lundi et son mardi dès le retour de son coéquipier et d'en profiter pour s'acheter tous ses produits de nettoyage.

Elle regarda autour d'elle et s'aperçut qu'elle s'était trompée sur la présence d'une lucarne dans le toit. En fait il y en avait quatre (deux au-dessus de chaque garage) et, belles bulles de plastique, elles luisaient au clair de lune. Il y avait aussi une cheminée en acier qui s'élevait à deux mètres de hauteur. Son chapeau était noir de fumée et de créosote.

Elle examina les lucarnes en les éclairant l'une après l'autre et faisant le tour d'une flaque d'eau stagnante couvrant une partie du toit. Rien n'était allumé dans le hangar de la CCB en dessous, mais cela n'avait pas d'importance. La visibilité que lui donnait sa lampe était limitée. Il semblait bien que chacune de ces bulles de plastique jadis transparentes ait été barbouillée de peinture blanche par en dessous.

Cela lui parut curieux. On aurait dit une mesure destinée à empêcher quiconque de voir ce qui se passait dans la place, mais il n'y avait aucun bâtiment plus haut avec vue possible de l'intérieur par un vasistas. Elle repensa aux gamins surpris un peu plus tôt dans la semaine en train d'essayer de voir des femmes nues en regardant par la lucarne d'un club de strip-tease. Là, cette façon de protéger son intimité ne semblait pas justifiée.

Munis de gonds sur le côté, tous les vasistas devaient pouvoir s'ouvrir de l'intérieur. Le moment était venu de décider. Elle s'était certes déjà rendue coupable d'intrusion dans une propriété privée, mais ce serait franchir une ligne autrement plus rouge si elle poussait plus loin. Et cette ligne-là, elle ne l'avait jamais franchie.

Elle n'avait aucune preuve patente de quoi que ce soit, mais des tas d'éléments circonstanciels qui tous pointaient dans la direction de Dillon. Et d'un, le nettoyeur de scène de crime se trouvait bien à Hollywood avec sa camionnette et ses produits chimiques le soir où Daisy Clayton avait été enlevée. Et de deux, il avait bien commandé des récipients de stockage de la même marque que celui qui avait laissé des empreintes sur le corps de la victime et était d'une taille suffisante pour le contenir et qu'on puisse le blanchir à la Javel. Et tout dans ce meurtre disait un assassin qui, s'y connaissant en respect des lois, s'était donné la peine de faire disparaître tous les éléments potentiellement incriminants du corps de la morte.

Ballard savait pouvoir appeler le juge Wickwire et compter sur elle pour l'écouter lui énoncer tous ces faits afin d'établir une cause raisonnable. Mais dans sa tête elle l'entendait déjà lui lancer : « Renée, je ne crois pas que ça suffise. »

Il n'empêche : elle pensait bien tenir le coupable. Elle décida que ce n'était pas après avoir fait tout ça qu'elle allait renoncer. Elle glissa la main dans une de ses poches et en sortit une paire de gants en caoutchouc.

Toutes les bulles du toit étaient fermées, mais l'une d'elles donnait l'impression d'être instable sur son socle. Elle en fit le tour et marcha dans l'eau qui s'était accumulée à l'arrière. Le problème de cette eau stagnante ne remontait pas à la veille. L'humidité y était allée de sa magie corrosive sur les gonds.

Ballard se recoinça sa lampe dans la bouche, se pencha et prit le bord du vasistas à deux mains. Tira, et les vis des gonds lâchèrent et sortirent sans difficulté du plâtre mouillé de la butée en dessous. Elle remonta le vasistas jusqu'à ce qu'il roule sur sa surface courbe et tombe dans la flaque.

Alors elle braqua le faisceau de sa lampe à l'intérieur du hangar et découvrit le toit blanc d'un camion cube garé juste au-dessous de l'ouverture.

Et jugea qu'il ne lui faudrait se laisser tomber que de deux mètres cinquante maximum.

CHAPITRE 46

Elle se glissa dans l'ouverture et s'accrocha un instant à ses bords à deux mains avant de tout lâcher et de tomber sur le toit du camion. Elle y arriva en déséquilibre, chuta sur le dos, en fut tout étourdie, et laissa une bosse sur la carrosserie.

Au bout de quelques secondes pendant lesquelles elle resta immobile, elle retrouva ses esprits, rampa jusqu'à l'avant du véhicule, passa sur le haut de la cabine et en descendit par un côté en se servant du rétroviseur extérieur et de la poignée de la portière comme de prises de pied et de main.

Une fois sur le sol en ciment, elle vérifia les portes du hangar afin de voir si elle pourrait en sortir rapidement en cas de nécessité. Malheureusement, les verrous à pennes des portes avant et arrière ne s'ouvraient qu'avec une clé.

Sa lampe torche à la main, elle repéra juste à côté de l'entrée un panneau muni de ce qu'elle crut être les commutateurs de la porte du garage, mais tout comme les portes, il fallait une clé pour les actionner. Elle se rendit alors compte qu'elle allait devoir trouver un moyen de remonter sur le toit par la lucarne ou, Dieu sait comment, de casser une des portes. Pas génial, comme choix.

Sous le panneau de l'entrée se trouvaient plusieurs interrupteurs sans clé. Elle les releva et deux rangées de néons s'allumèrent au plafond, l'intérieur du hangar en étant vivement illuminé. Elle resta immobile un instant pour étudier l'agencement des lieux. Les deux baies côte à côte prenaient tout l'avant du hangar, l'arrière étant dédié au rangement des fournitures et comprenant un petit bureau muni d'un canapé. Dans le coin opposé au bureau se trouvait un incinérateur où brûler les déchets biologiques dangereux collectés sur les scènes de crime.

Une des places de parking était vide, mais des taches d'huile récentes s'y remarquaient à l'endroit où un camion devait normalement se ranger. Ballard savait que le véhicule garé à cul dans l'autre baie n'était pas celui qu'elle avait vu plus tôt dans la semaine lorsqu'elle avait rencontré Dillon. Celui-là était peint autrement, le nom complet de la société se trouvant sur la portière côté conducteur alors que l'autre arborait un gros CCB en travers du panneau latéral. Il était aussi plus vieux, n'avait que peu d'air dans les pneus et lui semblait quasiment abandonné, ce qui faisait mentir le Dillon qui lui avait affirmé avoir deux camions et quatre employés prêts à bosser vingt-quatre heures sur vingt-quatre et sept jours sur sept. Elle avait plutôt l'impression d'une affaire tenue par un seul homme.

Tout cela s'additionnant, elle se rendit compte que le camion dont se servait Dillon était Dieu sait où à l'extérieur et qu'elle ne savait absolument pas s'il travaillait et pouvait donc revenir à tout moment, ou s'il le ramenait tout simplement chez lui chaque soir. Elle se dit que les voisins n'appréciaient sans doute pas qu'il gare son cube plein de détritus biologiques dangereux dans le quartier. Cela étant, dans les voitures personnelles garées près du hangar elle n'en avait vu aucune qui aurait pu appartenir à Dillon.

Elle décida d'aller vite et commença par examiner le bureau appuyé au mur près de la porte de derrière. Infos ou notes de travail, elle y chercha tout ce qui pourrait lui dire où se trouvaient Dillon et son camion. Ne découvrant rien, elle passa à autre chose et tenta d'ouvrir les tiroirs du bureau pour voir si quelque chose y indiquait qu'il aurait acheté des fournitures à l'American Storage Products.

Les tiroirs étant fermés à clé, cela mit fin à sa fouille.

Le hangar était propre et bien rangé. Contre le mur en face de l'incinérateur étaient posés de grands barils de plastique contenant des produits de nettoyage et de désinfection liquides, tous munis de pompes manuelles pour remplir des récipients plus petits utiles dans des boulots n'impliquant qu'une victime. Il y avait là des étagères pleines de ces récipients vides. Tailles et logos de l'ASP assez grands pour avoir laissé des marques sur le corps de Daisy Clayton, elle les vérifia tous, mais aucun n'avait le logo et la contenance adéquats. Elle se rendit alors compte qu'elle avait négligé de demander à Mittleberg le jour où ces commandes de la CCB apparaissaient sur son ordinateur.

Elle découvrit une petite salle de bains qui semblait avoir été nettoyée récemment. Elle ouvrit l'armoire à pharmacie et n'y découvrit que les médicaments de première nécessité habituels.

À côté de la salle de bains se trouvait une penderie où elle remarqua plusieurs salopettes blanches accrochées à des cintres, toutes avec la marque CCB brodée sur la poche de gauche et Roger sur celle de droite, preuve supplémentaire que prétendre employer quatre personnes comme le faisait Dillon n'était que pure autoglorification.

Ballard referma la penderie et gagna l'incinérateur. Machine carrée autonome, elle était équipée de parois en acier inoxydable et d'un tuyau d'échappement qui traversait le plafond. Munie d'une double porte à l'avant, elle comportait aussi une table d'activation juste devant.

Elle ouvrit une des portes de la chambre de combustion, la deuxième s'ouvrant automatiquement avec elle. Elle braqua le faisceau de sa lampe à l'intérieur et eut droit à un violent retour de lumière. Les panneaux en étaient si propres qu'ils en brillaient et elle eut la nette impression que le bac à cendres sous le foyer avait été passé à l'aspirateur après son dernier usage. Tout cela avait l'air neuf et elle remarqua la belle flamme bleue d'une veilleuse à gaz au fond de l'appareil.

Elle referma les portes de l'incinérateur, se retourna et, industriel ou autre, ne repéra aucun aspirateur dont on aurait pu se servir pour le nettoyer. Puis elle se rappela avoir vu de l'équipement dans le camion que Dillon avait amené sur le site un peu plus tôt dans la semaine et se dit qu'il avait dû en apporter un de type sec et humide avec lui.

Cette idée la ramena au véhicule rangé dans le deuxième garage. C'était le seul endroit qu'il lui restait à vérifier. Il avait été rentré dans le hangar en marche arrière et c'en étaient les deux portières arrière qu'elle avait sous les yeux.

Elle jeta un coup d'œil à la plaque d'immatriculation. Vu qu'elle remontait à deux ans, il était clair que le véhicule ne faisait pas partie de la flotte active de la société.

Elle tira à elle une poignée qui débloqua les portières et en ouvrit une. Elle recula pour pouvoir la pousser de côté et s'aperçut que si le camion était peut-être hors d'usage, on s'en servait quand même comme d'un espace de rangement. Il débordait de produits de nettoyage et de fournitures de confinement en vrac – soit une véritable montagne de vingt-quatre paquets de rouleaux d'essuie-tout, des caisses entières de vingt litres de savon, une poubelle pleine de serpillières toutes neuves, des cageots remplis de nettoyants et de purificateurs d'air en aérosols. Adossés à une paroi s'empilaient encore en un grand tas des cartons à déplier avant usage.

Tout cela constituait un mur qui ne permettait pas de voir ce qu'il y avait au fond du cube, mais elle aperçut une poignée, l'attrapa et se hissa à l'intérieur en se servant du pare-chocs arrière comme d'un marchepied. La lumière des néons n'arrivant pas au fond, elle alluma sa lampe torche pour percer les ténèbres et voir plus loin. Et comprit rapidement que les fournitures qui s'entassaient à l'arrière servaient à masquer un espace de l'autre côté. Elle poussa la poubelle et les serpillières hors du passage et y entra, pour voir.

Le sol était jonché de vieux emballages de nourriture, de serviettes de table et de sacs de fast-food éparpillés autour d'un fin matelas de lit de camp. Une couverture et un oreiller sale y avaient été jetés n'importe comment à côté d'une lanterne à piles. Ballard écarta la couverture du bout du pied, faisant ainsi apparaître un anneau en métal vissé à même le plancher. Elle s'accroupit, l'examina soigneusement, remarqua des griffures à l'intérieur de l'anneau et sut tout de suite qu'il avait pu servir à menotter ou enchaîner quelqu'un au matelas. Dans cette partie du véhicule, elle remarqua également une odeur légèrement aigre qui l'informa qu'une personne s'y était récemment trouvée.

Cette odeur, elle la reconnut soudain, était celle de la peur. Elle l'avait elle-même déjà sentie et avait entendu parler de chiens dressés à la suivre à la trace. Elle comprit alors qu'elle était dans un endroit où quelqu'un avait craint pour sa vie.

Quelque chose ayant attiré son attention près du matelas, elle se pencha encore et après examen, se rendit compte qu'il s'agissait d'un ongle cassé passé au vernis rose.

Soudain le cube se mit à trembler tandis qu'un grand bruit métallique se répandait dans tout le hangar. Elle crut d'abord à un tremblement de terre, mais l'identifia sans tarder : une des portes en métal était en train de s'ouvrir en s'enroulant vers le haut. Quelqu'un allait entrer.

Elle éteignit sa lampe, sortit son arme et songea à descendre vite du camion. Mais cela l'aurait exposée. Elle s'immobilisa et écouta. Entendit les grondements d'un moteur tournant au ralenti, mais rien qui indique un mouvement. Puis le conducteur fit monter le régime et le véhicule entra dans le garage. Ballard pensait qu'il s'était enfin garé à sa place lorsque le contact fut coupé.

Encore une fois pendant quelques secondes, il n'y eut plus que le silence, Ballard n'entendant même pas quelqu'un descendre du véhicule. Puis ce fut à nouveau le grincement de la porte du garage qui descendait.

Ballard écouta de toutes ses forces. Elle n'avait plus que ses oreilles pour comprendre ce qui se passait.

Elle devait supposer que le conducteur n'était autre que Dillon et pensa à trois choses qu'il pouvait avoir remarquées en arrivant : qu'il y avait de la lumière dans le hangar, qu'une des portières du cube hors service était ouverte et qu'un des vasistas avait disparu dans la toiture. Elle devait encore supposer que rien de tout cela ne lui ayant échappé, il avait compris qu'il y avait eu cambriolage. Il n'en restait pas moins à savoir s'il pensait que l'intrus était reparti ou n'avait toujours pas quitté les lieux. Si jamais il appelait le 911[1], elle serait probablement arrêtée et sa carrière terminée. Mais à ne pas le faire, il confirmerait qu'il ne voulait pas de flics dans son hangar à cause de ce qui s'y était déroulé. Elle se rappela l'incinérateur avec son tuyau d'échappement noir de suie tout en haut, et sa chambre de combustion parfaitement nettoyée et passée à l'aspirateur.

Elle regarda le maigre matelas étalé par terre et se demanda si elle saurait jamais qui s'était trouvé dans ce lieu de ténèbres et avait tremblé sous sa couverture tout aussi maigre. Qui donc s'était brisé un ongle en essayant de trouver une issue ? Sa colère contre Dillon arriva bientôt au point de non-retour – au champ de la mort qu'on donne et qu'elle savait avoir en elle.

Elle entendit s'ouvrir la portière de l'autre camion et son occupant en sauter d'un bond sur le sol en ciment. Elle ne

1. Équivalent américain de notre 17.

pouvait voir l'intérieur du hangar que par la portière ouverte du véhicule dans lequel elle se trouvait et cela ne lui donnait qu'une vision très étroite de ce qu'il y avait au-delà. Elle attendit, écouta, tenta d'entendre les pas et les mouvements de Dillon, mais non, rien.

Soudain la portière arrière du cube dans lequel elle se cachait se fermant en claquant, elle fut plongée dans le noir. Elle entendit tourner la poignée extérieure et les pennes qui la bloquaient en haut et en bas se mettre en place. Elle était enfermée. Elle serra son arme d'une main et sa lampe de l'autre, mais décida de rester plongée dans le noir en se disant qu'elle entendrait peut-être mieux.

— Bon, je sais que vous êtes là-dedans. Qui êtes-vous?

Ballard se figea. Bien qu'elle ne lui ait parlé qu'une fois, elle reconnut sa voix. C'était bien lui.

Elle ne répondit pas.

— On dirait que vous m'avez pété ma lucarne bien comme il faut. Et ça, ça me fout en colère parce que j'ai pas le fric pour la réparer.

Elle sortit son portable et regarda l'écran. Elle se trouvait en gros dans une boîte en métal à l'intérieur d'une boîte en ciment et n'avait aucun réseau. Et si la radio qu'elle avait prise au commissariat chargeait bien dans sa voiture, elle le faisait à deux pâtés d'immeubles de là.

Bruits secs du métal qui frappe le métal, Dillon se mit à taper sur la portière.

— Allez, parlez-moi! Peut-être que si vous êtes d'accord pour me rembourser les dégâts, j'appellerai pas les flics. Qu'est-ce que vous dites de ça?

Ballard savait très bien qu'il n'avait aucune intention d'appeler la police. Pas avec ce qu'elle venait de trouver dans le camion. Et donc, elle devait mettre ça à son avantage. Elle s'avança vers les portières arrière. Elle avait son arme. Et la plupart des cambrioleurs n'en ont pas dans la mesure où cela augmente la peine de prison s'ils sont pris. Dillon ne s'attendait donc pas à ce qu'elle en ait une.

Elle sursauta lorsqu'il cogna de nouveau sur la portière.

— Vous m'entendez ? reprit-il. J'ai un flingue et je rigole pas. Va falloir que vous me disiez que vous êtes prêt à sortir de là les mains en l'air, que je puisse les voir.

Cela changeait tout. Ballard cessa d'avancer et s'accroupit lentement sur le plancher au cas où Dillon se mettrait à tirer à travers la fine paroi d'acier du véhicule. Elle prit son arme à deux mains – elle était prête à tirer en évaluant à peu près l'origine du feu adverse.

— Oh et puis merde ! lança Dillon. J'ouvre la portière et je commence à tirer. Légitime défense. Je connais des tas de flics et ils me croiront. Vous serez mort et moi, je…

Un grand bruit se fit entendre contre la portière et cette fois, ce n'était pas celui du métal qui frappe le métal, et Dillon n'alla pas au bout de sa menace. Puis il y eut un autre bruit, métallique cette fois, celui de quelque chose qui tombait sur le ciment. Elle se dit que c'était celui de son arme qui glissait sur le sol et sut qu'il y avait quelqu'un d'autre dans le hangar.

Puis la poignée de la portière fut tournée, entraînant le déblocage des pennes en haut et en bas. Et la portière s'ouvrit et inonda de lumière l'intérieur de la boîte. Ballard garda la position, la poubelle et les serpillières lui servant de paravent. Elle leva son arme, elle était prête à tirer.

— Renée, c'est vous là-dedans ? Il n'y a plus de danger.

C'était Bosch.

BOSCH

Bosch aida Ballard à sortir du cube en sautant par terre. Le type qu'il avait frappé avec son arme était toujours allongé inconscient sur le sol. Ballard le regarda.

— C'est Dillon? lui demanda Bosch.

— Oui, c'est lui, répondit-elle.

Puis elle se tourna et regarda Bosch.

— Comment avez-vous fait pour me retrouver? lui demanda-t-elle. Je me disais que vous étiez peut-être avec la SIS.

— J'y étais, mais je suis parti parce qu'on était censés bosser ensemble. Mais quand je suis arrivé à Hollywood, vous n'y étiez plus. J'ai parlé avec Money qui m'a donné la carte que vous m'aviez laissée. (Il montra l'homme étendu par terre.) Et donc j'arrive ici et lui, il est en train d'ouvrir le garage. Je voyais bien qu'il y avait quelque chose qui clochait rien qu'à la façon qu'il avait d'hésiter et de regarder partout avant d'entrer avec son camion. J'ai tout de suite pensé que vous étiez à l'intérieur. Je me suis collé derrière son cube avant qu'il redescende la porte.

— Bon, ben, faut croire qu'on est quittes. Vous m'avez sauvé la vie.

— Vous aviez vos armes. Je crois que vous auriez pu gérer.

— Ça, je sais pas.

— Moi, si. Quand j'ai dit que vous aviez vos armes, je pensais à plus qu'à votre flingue. Je sais ce dont vous êtes capable. (Il regarda Dillon étendu sur le dos et toujours inconscient.) J'ai pas de menottes.

— Moi, si, dit-elle en s'avançant et s'emparant des siennes accrochées à son ceinturon.

— Attendez une seconde, dit-il.

Il se dirigea vers les étagères où étaient stockées les fournitures, s'arrêta pour ramasser l'arme de Dillon et la glissa dans sa ceinture. Puis il s'empara d'un rouleau d'adhésif et revint.

— Gardez vos menottes, dit-il. On va faire comme ça.

— « On » ? répéta-t-elle. Non, pas vous. Vous, vous dégagez. C'est moi qui vais m'en occuper.

— Non, il n'est pas question que je les laisse vous reprocher ce que j'ai fait, moi. Si quelqu'un doit avoir des ennuis, ce sera moi, lui renvoya-t-il en se servant de l'adhésif pour attacher les chevilles et les pieds de Dillon. Je peux plus être viré, moi. J'ai plus de boulot, vous vous rappelez ? Allez, filez et laissez-moi régler tout ça.

— Et les éléments de preuve ? Il y a un matelas et des emballages de bouffe dans le camion. Et j'ai trouvé un ongle rose. Daisy Clayton n'a pas été sa dernière victime.

— Je sais. Il n'a fait que s'améliorer.

Il jeta un coup d'œil à l'incinérateur par-dessus son épaule, puis revint sur Ballard.

— Je parie qu'il n'avait pas cet endroit à l'époque… Pour Daisy, je veux dire. Ni non plus cet incinérateur.

Ballard acquiesça d'un air sombre.

— Je me demande combien il en a…

— Je vais essayer de le savoir dès que vous serez partie, répondit-il en déchirant des bouts d'adhésif et les collant sur les yeux et la bouche de Dillon.

— Harry…

— Allez, partez… tout de suite. Retournez au commissariat et demandez à Money si je suis jamais passé. Et vous, vous dites que vous ne m'avez jamais vu.

— Vous êtes sûr?

— Oui. C'est la seule façon de procéder. Quand tout sera prêt, j'appellerai la division de Van Nuys. Et je vous le ferai savoir. Il n'y aura pas de retour de flamme pour vous. S'ils veulent se mettre en colère contre quelqu'un, ce sera moi, mais ils devront vraiment beaucoup réfléchir si je leur livre ce type dans un paquet bien emballé avec la bande-son.

— Quelle bande-son? Vous n'avez pas de portable!

— J'ai un magnéto dans ma voiture.

Soudain Dillon grogna et remua. Il commençait à retrouver ses esprits et à comprendre la situation dans laquelle il était. Il essaya de crier quelque chose à travers l'adhésif qui le bâillonnait.

Bosch regarda Ballard et se posa un doigt sur les lèvres pour lui signifier de se taire, puis il le fit tourner en l'air : il était temps qu'elle s'en aille.

Elle lui montra la porte fermée du hangar et lui mima le geste de tourner une clé. Bosch acquiesça d'un hochement de tête, s'agenouilla près de Dillon et commença à lui faire les poches. Dillon hurla comme un fou à travers son bâillon.

— Désolé, mec, lui lança Bosch. Je vérifie juste tes poches au cas où t'aurais des armes et d'autres trucs très vilains.

Il en sortit un jeu de clés, fit signe à Ballard de le suivre, déverrouilla la porte et l'accompagna dehors. Sa Cherokee était toujours à l'endroit où il l'avait laissée, plus bas devant un des autres hangars.

— Surveillez-le une seconde pendant que je ramène ma voiture et y prends des gants et mon magnéto. Vous n'avez qu'à rester là, à côté de la porte.

— D'accord, murmura-t-elle.

Il s'éloignait déjà lorsqu'elle l'arrêta.

— Harry…

Il se retourna.

— Merci.

— Vous l'avez déjà dit.

— Non, c'était pour avant. Ça, c'est pour vous remercier de vous coller tout ça sur le dos.

— Tout ça quoi? Un jeu d'enfant, que ce sera, dit-il, et il repartit vers sa voiture.

Ballard le regarda s'éloigner.

CHAPITRE 48

Bosch était maintenant seul avec Dillon. Il l'avait redressé contre un des grands barils remplis de solvants et lui avait violemment arraché son bâillon, Dillon poussant de grands cris de douleur avant de se mettre à jurer. Bosch lui avait laissé les yeux bandés.

Avant de lui arracher l'adhésif, Bosch avait fait le tour du hangar pour préparer ses questions. Il avait tiré à lui le fauteuil du bureau et s'était assis à un bon mètre cinquante de Dillon qu'il avait maintenant pile en face de lui. Il lui avait sectionné l'adhésif autour des chevilles et bien écarté les jambes sur le sol en ciment.

Il posa deux seaux à serpillière de part et d'autre de son fauteuil. Dans l'un il y avait cinq centimètres d'eau, dans l'autre il avait versé une bouteille d'acide sulfurique qu'il avait trouvée sur une des étagères de stockage.

— Alors, t'es réveillé maintenant? demanda-t-il.

— C'est quoi, ces merdes? lui renvoya Dillon. Et qui t'es, toi?

— Ça n'a aucune importance. Tu me dis pour Daisy Clayton.

— Je ne sais pas de quoi ou de qui tu parles. Et tu me détaches... tout de suite.

— Bien sûr que tu sais. Y a neuf ans de ça? La gamine qui faisait le trottoir dans Sunset Boulevard et que t'as enlevée devant la supérette? Ça devait être ta première. C'était avant que t'aies cette installation et que t'aies plus besoin de t'inquiéter de savoir où et comment disposer des corps.

Il y eut une petite pause dans la réponse de Dillon, Bosch sachant aussitôt qu'il avait marqué un point.

— T'es cinglé et tu vas aller en prison, lui lança Dillon. Tout ça… c'est illégal. Que je te dise ceci ou cela n'aura aucune importance. Je pourrais très bien raconter que j'ai assassiné Kennedy, Tupac ou Biggie Smalls que ça n'aurait aucune importance. Ta fouille et ta perquise sont illégales. Je ne suis même pas flic, mais ça, je le sais. Alors, vas-y, espèce d'enculé, appelle-les donc qu'on en finisse.

Bosch se redressa sur son siège qui grinça.

— Sauf que là, y a un problème, dit-il. Je suis pas flic. Et je suis pas venu pour appeler quiconque. Je suis ici pour Daisy Clayton. C'est tout.

— Des conneries, oui! Je le sais bien que t'es un flic.

— Parle-moi de Daisy.

— Y a rien à en dire. Je la connais pas.

— Ce soir-là, tu l'as enlevée… Kidnappée, voilà.

— Comme tu voudras, mec. Je veux un avocat.

— Y en a pas ici. Et on n'en est plus là.

— Alors tu fais ce que tu as à faire, frangin. Moi, je dirai rien.

Son fauteuil se remettant à grincer, Bosch tendit la main vers le seau d'acide. Le souleva avec précaution et le posa entre les jambes bien écartées de Dillon.

— Qu'est-ce que tu fous?! s'écria ce dernier.

Bosch ne répondit pas. Ce furent les vapeurs d'acide qui parlèrent à sa place.

— Quoi, c'est de l'acide sulfurique? demanda Dillon de la panique dans la voix. Je le sens. Qu'est-ce que tu fous, bordel?

— La belle affaire, Roger, lui renvoya Bosch. Tu dis que je suis flic, c'est bien ça? Je ne te ferai donc aucun mal. Enfin… pas si c'est illégal.

— Bon, d'accord, je te crois. T'es pas flic. Mais t'écartes ce truc de là. Vaut mieux pas déconner avec ça. Rien que les vapeurs, ça peut… Attends une minute. Dans quoi tu l'as versé? Ça bouffe le métal, ça. Tu le sais, non?

— Alors faut croire qu'on n'a pas beaucoup de temps devant nous. Daisy Clayton… Tu me dis.

— Je t'ai déjà…

Soudain il renonça à la discussion et se mit à hurler « À l'aide! » à tue-tête. Bosch ne fit rien, Dillon comprenant au bout de vingt secondes que ces cris ne servaient à rien.

— Ironique, non? enchaîna Bosch. T'imagines et tu construis ce truc pour que personne ne puisse en sortir et que ça ne serve à rien de crier à l'aide et voilà que… Voilà qu'on en est là. Allez, vas-y, hurle tout ton saoul!

— Écoute, s'il te plaît, je m'excuse. Je suis désolé si je t'ai mis en colère. Je m'excuse si j'ai jamais fait…

Bosch avança un pied et lui poussa le seau de quelques centimètres dans l'entrejambe. Dillon essaya de reculer, mais il n'avait aucun endroit où aller. Il détourna le visage vers la droite.

— Je t'en prie! Les vapeurs. Ça me rentre dans les poumons.

— Un jour, j'ai lu un truc dans le journal, reprit Bosch. Ça parlait d'un type qui s'était renversé de l'acide sulfurique sur les mains et qui les avait mises vite vite sous un robinet, sauf que ç'a été encore pire… Comme quoi l'eau doublerait la douleur. D'un autre côté, si on se débarrasse pas de l'acide, il vous ronge la peau et finit par la traverser.

— Mais putain! Qu'est-ce que tu veux?

— Tu le sais très bien. Je veux toute l'histoire. Daisy Clayton. 2009. Tu me dis.

Dillon continua de détourner son visage des vapeurs d'acide.

— Écarte-moi ça de là! Ça me brûle les poumons!

— 2009, répéta Bosch en se renversant en arrière dans son fauteuil qui couina encore une fois.

— Écoute, qu'est-ce que tu veux? Tu veux que je te dise que c'est moi? Parfait, oui, c'est moi. Tout ce que tu veux! C'est moi qui l'ai fait. Et maintenant, t'appelles les flics. Je sais que t'en es pas un, mais appelons-les et je leur dirai que c'est moi. Promis. Je le leur dirai. Et je leur dirai que les autres, c'est aussi moi. Toutes celles que tu voudras et je leur dirai que c'est moi qui les ai tuées.

Bosch glissa la main dans sa poche et y prit le minimagnéto qu'il avait récupéré dans sa voiture.

— Combien d'autres? demanda-t-il. Dis-moi leurs noms.

Et il appuya sur le bouton enregistrement.

Dillon hocha la tête, puis la détourna encore du seau.

— Putain! s'écria-t-il. C'est dingue.

Bosch posa son pouce sur le micro.

— Donne-moi un nom, Dillon. Tu veux sortir d'ici, tu veux que j'appelle les flics, tu me donnes un nom. Je peux pas te croire si tu peux pas m'en donner un.

Et il libéra le micro.

— Je t'en prie, laisse-moi partir. Je parlerai à personne de ce truc-là. J'oublierai. Mais tu me laisses partir. S'il te plaît.

Bosch poussa un peu plus le seau du bout du pied, jusqu'à ce qu'il touche la couture intérieure du jean de Dillon. Puis il couvrit à nouveau le micro.

— C'est ta dernière chance, Roger, dit-il. Tu commences à parler ou moi, je commence à m'en aller. Je te laisse le seau et peut-être que l'acide passera au travers, ou pas.

— Non, tu peux pas faire ça! Je t'en prie! J'ai rien fait!

— Mais tu viens de dire que t'avais tué les autres! Alors, c'est quoi, la vérité?

— D'accord, comme tu voudras. Je les ai tuées. Je les ai toutes tuées, OK ?

— Tu me donnes leurs noms. Au moins un, que je puisse te croire.

— La Daisy. Oui, elle.

— Non, elle, c'est moi qui t'ai donné son nom. Faut que tu m'en donnes un autre.

— Mais j'en ai pas d'autres !

— Ça, c'est vraiment dommage.

Et Bosch se leva comme s'il allait partir, le fauteuil grinçant comme pour souligner son propos.

— Sarah Bender !

Bosch s'immobilisa. Le nom lui disait vaguement quelque chose, mais pas moyen de le situer. Il posa le pouce sur le micro.

— Qui ça ?

Il releva le pouce.

— Sarah Bender. C'est le seul nom que je connaisse. Je me souviens d'elle parce que là, c'est passé dans les journaux. Son père se foutait complètement d'elle jusqu'à ce qu'elle disparaisse, mais alors là, attention le raffut.

Pouce sur le micro.

— Et tu l'as tuée ?

Pouce relevé.

Dillon acquiesça tout de suite d'un hochement de tête.

— Elle était devant une cafète. Je m'en souviens parce que c'était qu'à une rue du commissariat du LAPD. Je l'ai enlevée quasi sous leurs nez.

Pouce sur le micro.

— Et après, qu'est-ce que t'as fait d'elle ?

Pouce relevé.

D'un mouvement de la tête Dillon lui montra l'incinérateur dans le coin de la pièce.

— Je l'ai brûlée.

Bosch marqua une pause.

— Et Daisy Clayton?

— Elle aussi.

— T'avais pas ce truc-là pour la brûler à l'époque.

— Non, à l'époque, je travaillais dans mon garage. Je commençais juste à monter mon affaire.

— Et donc, qu'est-ce que t'as fait?

— Je l'ai nettoyée. À la Javel. J'avais pas encore mon permis acide.

— Tu t'es servi de ta baignoire?

— Non, je l'ai mise dans un de mes bacs bios. Avec un couvercle. Je l'ai rempli de Javel et l'ai laissée comme ça une journée. Je roulais avec pendant que je travaillais.

— Qui d'autre, en plus de Daisy et de Sarah?

— Je te l'ai dit. Je me rappelle plus leurs noms.

— Et la plus récente? Celle avec les ongles roses? Comment elle s'appelait?

— Je me rappelle pas.

— Bien sûr que si. Tu l'avais à l'arrière du camion… là! Comment s'appelait-elle?

— Tu vois donc pas? Je lui ai jamais demandé son nom. Je m'en foutais. Leurs noms n'avaient aucune importance. Elles ne manquaient à personne. Elles, tout le monde s'en foutait. Elles ne comptaient pas.

Bosch le fixa longtemps du regard. Côté confirmations, il avait tout ce dont il avait besoin. Mais il n'en avait pas fini.

— Et leurs parents? reprit-il. Elles ne comptaient même pas… pour leurs mères?

— Quoi? Les trois quarts de ces filles-là? Que je t'apprenne un truc, mec : leurs parents s'en foutaient complètement.

Bosch songea à Elizabeth et à sa triste fin. Et colla tout sur le dos de Dillon. Puis il mit le magnéto dans sa poche et se pencha pour prendre le seau. Le souleva, prêt à en déverser le contenu sur la tête de Dillon.

Même sans voir à cause de l'adhésif, Dillon comprit la décision que Bosch était en train de prendre.

— Non ! le supplia-t-il.

Bosch attrapa le seau d'eau. Le souleva calmement et le posa entre les jambes de Dillon en s'assurant de bien remuer le liquide. Puis il écarta le seau d'acide.

— Putain, mais fais attention ! s'écria Dillon.

Bosch reprit le rouleau d'adhésif et attacha Dillon contre le baril en veillant à ce qu'il ne puisse pas se lever ou se traîner quelque part. Il lui en entoura aussi deux fois le cou, et lui laissa la possibilité de détourner le visage du seau. Lorsqu'il en eut fini, il déchira encore un petit bout de ruban, ressortit le magnéto de sa poche et le fixa à la poitrine de Dillon.

— Et maintenant, tu te tiens tranquille, dit-il.

— Où tu vas ?

— Chercher les flics, comme tu m'as demandé de le faire.

— Et tu vas me laisser là ?

— C'est l'idée.

— Tu peux pas faire ça ! L'acide sulfurique est très volatile. Il pourrait traverser le seau. Il pourrait…

— Je ferai vite.

Sur quoi, il tapa sur l'épaule de Dillon pour l'encourager. Puis il prit le seau d'acide et gagna la porte qu'il avait déverrouillée pour Ballard. Et la laissa ainsi derrière lui.

Une fois dehors, il enfila l'étroit passage entre le hangar de Dillon et celui d'à côté. Il déversa l'acide sur le tas de détritus et se débarrassa aussi du seau. Alors seulement il sortit du passage et regagna sa Jeep.

CHAPITRE 49

La division de Van Nuys était à moins de quinze cents mètres de là, mais il s'y rendit en voiture. Ce n'était pas parce qu'il aurait eu la moindre intention de parler à quelque flic que ce soit, mais parce que c'était le seul endroit qu'il connaissait où trouver des téléphones à pièces dans le coin. Il y en avait toute une rangée au pied de l'escalier sous la sortie principale du commissariat. Elle y avait été installée pour les prisonniers libérés qui voulaient appeler leurs proches, ou leurs avocats, pour qu'ils viennent les chercher.

Bosch n'avait plus le portable de la SIS. Cespedes le lui avait redemandé lorsqu'il lui avait annoncé qu'il quittait le lieu de la fusillade et était monté dans une voiture de la patrouille pour regagner sa voiture.

Près de la rangée de téléphones il y avait aussi une machine à faire de la monnaie, mais elle n'acceptait que les billets de cinq dollars. Bosch n'avait que deux appels à passer, ce fut à contrecœur qu'il en cassa un et se retrouva avec vingt quarters. Il commença par appeler le numéro de Ballard de mémoire, celle-ci lui répondant aussitôt.

— Il a reconnu les faits pour Daisy et d'autres, dit-il. Il y en avait trop pour qu'il arrive même à se les rappeler.

— Nom de Dieu ! s'écria Ballard. Et il vous a dit tout ça comme ça ? Qui étaient les autres ?

— Il ne se souvenait que d'une parce que c'était passé aux nouvelles et qu'à l'époque ça chauffait assez. Sarah Bender, vous vous rappelez ? D'après lui, son père était une espèce de gros bonnet. Je me rappelle le nom, mais j'arrive pas à situer l'affaire. Je veux m'en servir comme d'un cas témoin. C'est moi qui ai mentionné Daisy, mais c'est lui qui a parlé de Sarah Bender. Si on peut le confirmer, on...

— On peut. Le confirmer, je veux dire. Le père de Sarah Bender a un club dans Sunset Boulevard... Le Bender's, dans le Strip. D'habitude, y a la queue dehors.

— C'est ça, oui. Je le connais. Un peu plus bas, près du Roxy.

— Sarah a disparu il y a environ trois ans. George Bender a défrayé la chronique et engagé des privés pour la retrouver. On sous-entend même qu'il serait passé du mauvais côté quand il a compris que le LAPD ne la cherchait pas sérieusement.

— Comment ça du « mauvais côté » ?

— Vous savez bien, il aurait engagé des types qui n'étaient pas vraiment du bon côté de la loi pour s'en occuper. Du genre mercenaires. Y a même eu une rumeur comme quoi ceux qui investissaient dans son club faisaient partie de la mafia. Quand sa fille a disparu, ça a fait partie de l'enquête, mais ça n'a rien donné. Je crois que la ligne officielle était qu'elle avait fugué.

— Ça y ressemblait peut-être, mais ce n'était pas une fugueuse. Dillon l'avait enlevée devant une caféte.

— Je me rappelle que le père avait aussi proposé une récompense. Et il a commencé à avoir des signalements dans tout le pays. Des gens qui voulaient toucher le fric. Pour finir, tout s'est éteint et maintenant ce n'est plus qu'un énième mystère pour le LAPD.

— Eh bien… Le mystère est résolu. Il m'a dit l'avoir tuée et passée à l'incinérateur.

— Quel enfoiré! Comment avez-vous fait pour qu'il vous avoue tout ça?

— Ça n'a pas d'importance. Il l'a fait, et ce nom-là, je ne le lui ai pas donné. C'est lui qui l'a prononcé. Il m'a donné Daisy et elle. Pour les autres, il ne se rappelait pas leurs noms. Même pas celui de la fille aux ongles roses.

Il y eut une pause avant que Ballard ne reprenne la parole.

— Qu'est-ce qu'il a dit d'elle?

— Rien. Seulement qu'il n'avait même jamais su son nom et que donc, l'oublier…

— Vous lui avez demandé quand il l'a enlevée?

— Non. J'aurais peut-être dû.

— Je crois que c'est récent. Quand j'étais au fond du camion… j'ai senti sa peur. J'ai tout de suite su que c'était là qu'il la gardait prisonnière.

Bosch ne sut trop comment réagir. Cela ne fit qu'alimenter la frustration et la colère qui montaient en lui. Plus il y pensait, plus il regrettait d'avoir jeté l'acide sulfurique au lieu de le verser sur la tête de Dillon.

Ballard reprit la parole avant qu'il retrouve ses esprits.

— Il est toujours…

— Vivant? Je le regretterai probablement jusqu'à la fin de mes jours, mais oui, il est toujours vivant.

— Non, c'est juste… On laisse tomber. Qu'est-ce que vous allez faire de lui maintenant?

— Je vais appeler les flics. Ce sera à Van Nuys de s'en débrouiller.

— Vous l'avez enregistré?

— Oui, mais ça n'aura aucune importance. Ce ne sera pas recevable. Il faudra qu'ils refassent le boulot et qu'ils remontent un dossier. Je vais leur dire de commencer par l'intérieur du cube. Pour les empreintes, et l'ADN.

S'ensuivit une longue pause tandis qu'ils voyaient à quel point leurs actes illégaux avaient mis en danger toute manière appropriée d'amener Dillon devant un tribunal.

Ce fut Ballard qui reprit enfin la parole.

— Espérons qu'ils trouvent quelque chose, dit-elle. Je ne veux plus jamais le voir libre.

— Il ne le sera pas, lui répondit Bosch. Ça, je vous le promets.

Un autre silence suivit tandis qu'ils réfléchissaient à ce qu'il venait de dire.

L'heure était venue de raccrocher, mais Bosch n'en avait pas envie. Il se rendait compte que c'était peut-être la dernière fois qu'ils se parlaient. C'était l'affaire qui avait soudé leur relation. Et maintenant, elle était terminée.

— Faut que je passe l'appel, dit-il enfin.

— OK, dit-elle.

— On se reverra peut-être dans le coin, d'accord ?

— Bien sûr. On reste en contact.

Il raccrocha. C'était une fin bizarre. Il fit tinter les pièces dans sa main en songeant à la manière dont il allait passer l'appel qui enverrait les enquêteurs au hangar de Dillon. Il avait besoin de se protéger, mais il voulait aussi s'assurer que son appel déclenche une réaction urgente.

Il glissa des quarters dans la fente, mais c'est alors que ses intentions furent comme prises en otage. Des souvenirs d'Elizabeth Clayton lui revenant brutalement, il fut submergé de tristesse en imaginant la fin tragiquement solitaire qu'elle avait dû connaître dans une chambre de motel miteux avec un flacon de pilules vide sur sa table de nuit alors que la hantait le fantôme de sa fille disparue. Puis il se rappela comment Dillon refusait toute dignité à ces femmes et à ces filles qui ne comptaient pas ou n'avaient aucune importance pour quiconque et soudain la colère s'emparant de lui, il voulut de la vengeance.

Lorsque la tonalité le tira de sa sombre rêverie, il composa le 411 et demanda à l'opératrice de lui donner le numéro du Bender's.

Il s'apprêtait à glisser d'autres quarters pour passer son appel lorsque la prudence se fit jour dans les fureurs de sa vengeance. Il se tourna, regarda l'avancée du toit du commissariat et y repéra au moins deux caméras.

Il raccrocha et s'éloigna.

Il traversa la grand-place pour gagner Van Nuys Boulevard où il avait garé sa Jeep. Il ouvrit le hayon et y prit sa tenue mauvais temps – une casquette des Dodgers et une veste de l'armée avec un grand col pour se protéger de la pluie et du vent. Il les enfila, referma le hayon, traversa la rue et s'avança vers une file de vingt-quatre bureaux de paiement de cautions. Au bout de la file se trouvait un téléphone à pièces fixé au mur du bâtiment.

Il abaissa sa casquette et remonta son col, glissa les pièces dans la fente, composa le numéro et consulta sa montre en attendant que ça sonne. Il était 1 h 45 du matin et il savait que les clubs fermaient à deux.

Son appel fut reçu par une femme dont la voix disparaissait sous la musique électronique en arrière-plan.

— Le patron est là ? hurla-t-il. Passez-moi le patron !

Il fut mis en attente presque une minute avant qu'une voix d'homme ne lui réponde.

— Monsieur Bender ?

— Il est pas là. Qui est à l'appareil, s'il vous plaît ?

Bosch n'eut aucune hésitation.

— Police de Los Angeles, répondit-il. J'ai besoin de parler à M. Bender tout de suite. C'est une urgence. C'est pour sa fille.

— C'est des conneries ou quoi ? Parce qu'il en a plus qu'assez de vous autres, lui !

— C'est très sérieux, monsieur. J'ai des nouvelles de sa fille et j'ai besoin de lui parler immédiatement. Où puis-je le contacter ?

— Un instant.

Il fut remis en attente une minute. Puis une autre voix d'homme se fit entendre.

— Qui est à l'appareil ?

— Monsieur Bender ?

— Je vous ai demandé qui vous étiez.

— Qui je suis n'a aucune importance. Je suis navré d'être aussi brutal pour vous faire part d'une nouvelle aussi triste mais... Votre fille a été assassinée il y a trois ans de ça. Et le type qui l'a assassinée se trouve...

— Qui est à l'appareil, bordel ?!

— Je ne vais pas vous le dire, monsieur. Ce que je vais faire, c'est vous donner l'adresse où vous trouverez le type qui a tué votre fille. Il vous attend et la porte sera ouverte.

— Comment est-ce que je peux vous croire ? Vous m'appelez comme ça et vous ne voulez pas me dire votre nom, comment voulez-vous que je...

— Je suis vraiment navré, monsieur Bender, mais je ne peux pas vous en dire plus. Et cet appel, il fallait que je le passe avant que je change d'avis.

Et il laissa cette déclaration en suspens un instant dans les ténèbres entre eux deux.

— Alors, vous la voulez, cette adresse ? lui demanda-t-il enfin à nouveau.

— Oui, répondit Bender. Donnez-la-moi.

CHAPITRE 50

Après avoir fourni l'adresse de Saticoy Street à Bender, Bosch raccrocha sans ajouter un mot. Il laissa le téléphone et regagna sa voiture en traversant le boulevard désert.

Toute une série de pensées contradictoires lui traversait l'esprit. Des visages lui revenaient. Celui d'Elizabeth. Celui de sa fille, qu'il ne connaissait que par des photos. Il songea à sa propre fille, à Bender perdant la sienne et à la douleur aveuglante que devait déclencher un événement pareil.

Alors il se rendit compte qu'il venait de mettre Bender sur un chemin où il ne ferait qu'échanger un désir momentané de justice et de vengeance contre une autre sorte de douleur et de culpabilité. Pour eux deux.

Arrivé au milieu du boulevard, il fit demi-tour.

Il regagna le téléphone à pièces pour y passer un dernier appel, composa le numéro direct de la salle des inspecteurs du Valley Bureau et demanda qu'on lui passe l'inspecteur du quart de nuit. Il eut droit à un certain Palmer auquel il annonça qu'il y avait un assassin qui, toujours enchaîné, attendait la police dans un hangar de Saticoy Street. Il ajouta qu'il y trouverait un magnétophone avec des aveux qui devraient déclencher une enquête conduisant à son inculpation. Il y avait aussi des éléments de preuve à l'arrière d'un camion cube garé dans ce hangar.

Sur quoi il lui donna l'adresse exacte et lui dit de faire vite.

— Pourquoi ça? lui demanda Palmer. On dirait quand même bien que ce type ne va pas filer quelque part.

— Parce que vous avez de la concurrence, lui répondit Bosch.

BALLARD ET BOSCH

Bosch franchit une des portes en verre du bureau du légiste et trouva Ballard en train de l'attendre adossée à la façade.

— C'est elle? demanda-t-elle.

Bosch acquiesça d'un air sombre.

— Mais je le savais, ajouta-t-il.

— Je suis navrée, dit-elle.

Il la remercia d'un hochement de tête et remarqua qu'elle avait les cheveux mouillés et lissés en arrière. Et elle, elle remarqua qu'il le remarquait.

— J'étais sur ma planche quand vous m'avez laissé le message ce matin, reprit-elle. C'était la première fois depuis un bon moment que je pouvais remonter sur l'eau après mon service.

— Vous avez pris le Scooby-Doo?

— Oui.

Ils commencèrent à descendre les marches conduisant au parking.

— Vous avez jeté un coup d'œil au journal ce matin? reprit-elle.

— Non, pas encore. Qu'est-ce qu'il raconte?

— Ils ont sorti un article sur le truc de la SIS dans la Valley. Mais ça s'est passé si tard qu'ils n'ont pas beaucoup de détails.

Y aura probablement quelque chose de plus fourni en ligne dans la journée, et dans la version papier demain.

— Oui. La SIS, ça veut dire grosses manchettes. Ils n'arrêteront pas d'en parler pendant des jours et des jours. Rien sur Dillon ?

— Non, rien dans le journal. Mais hier soir, j'ai reçu un appel du Valley Bureau.

— Qui disait… ?

— Qu'ils voulaient des conseils sur l'affaire Daisy Clayton. Et comme ils savaient que j'y avais travaillé… Ils m'ont dit avoir ramassé un type qui, pour eux, leur semblait bon pour son assassinat… entre autres meurtres. Ils avaient été rencardés par quelqu'un qui se disait « concerné ». Une espèce de Batman. Identité inconnue.

— Vous ont-ils dit s'ils avaient de quoi bâtir un dossier d'accusation ?

— Ils m'ont dit que les aveux enregistrés ne valaient rien, mais qu'ils avaient assez de trucs de cause raisonnable pour qu'un juge leur octroie un mandat de perquisition pour le cube.

— Ça, c'est bien. Espérons qu'ils…

— C'est déjà fait. Ils ont des empreintes et de l'ADN. S'ils obtiennent des correspondances avec les disparues, Dillon tombera. Mais probablement pas pour Clayton. Ça serait un sacré coup du hasard après toutes ces années.

— Moi, tout ce qui compte, c'est qu'il débarrasse le plancher.

Elle acquiesça d'un hochement de tête.

— Le plus drôle, reprit-elle, c'est qu'ils étaient au hangar quand une voiture s'est garée devant, puis est repartie. Et alors, le gars avec qui je discute, l'inspecteur Palmer, demande à la patrouille de poursuivre la bagnole et devinez un peu qui est dedans ?

— Aucune idée.

— George Bender et deux ou trois videurs de son club. Le père de Sarah Bender… dont nous venions juste de parler hier soir !

— Étrange.

— Et le plus étrange, c'est qu'il leur dit avoir reçu un appel anonyme lui apprenant que sa fille avait été assassinée par le type du hangar. Du coup, ils vérifient son coffre et y trouvent une tronçonneuse. Là, comme ça, dans son coffre. Une putain de tronçonneuse, Harry !

Bosch haussa les épaules, mais Ballard n'en avait pas fini.

— À mon avis, ce Batman essayait de jouer tout le monde contre tout le monde, enchaîna-t-elle. Palmer m'a même précisé que dans son appel, l'anonyme lui avait dit de se grouiller parce qu'il avait de la concurrence. C'est pour ça que je suis contente que vous m'ayez passé un coup de fil aujourd'hui, Harry, parce que justement, je voulais vous demander ce que vous avez foutu hier soir, bordel de Dieu !

Bosch s'immobilisa, se retourna et la regarda en face. Puis il haussa les épaules.

— Écoutez, j'appliquais le plan et à un moment donné, je me suis mis à penser à Elizabeth, OK ? Parce que c'est comme s'il l'avait tuée elle aussi, si vous voulez mon avis. Alors ça m'a foutu en colère et j'ai passé un appel. Mais juste après, j'ai corrigé le tir. Et tout a fini par marcher comme il faut.

— De justesse, oui ! s'écria Ballard. Ç'aurait facilement pu donner le résultat inverse.

— Et ç'aurait été si mal que ça ? lui renvoya-t-il en haussant à nouveau les épaules et repartant vers sa voiture.

— Et c'est pour ça que vous vouliez qu'on se retrouve ? Pour m'expliquer votre coup de fil à Bender ?

— Non, répondit-il. En fait, je voulais vous parler d'autre chose.

— Et de quoi donc ?

— Je me disais qu'on bosse pas mal du tout ensemble. Genre disons… qu'on a formé une bonne équipe dans cette histoire.

Arrivés à la Cherokee, ils s'arrêtèrent.

— Oui, bon, d'accord, on a fait une bonne équipe, dit-elle. Mais qu'est-ce que vous êtes en train de me dire?

Il haussa les épaules.

— Qu'on pourrait peut-être continuer à travailler ensemble sur des affaires, répondit-il. Vous savez bien… vous les trouvez et moi aussi, j'en trouve… et moi, je travaille en externe et vous en interne… Et on voit à quoi on peut arriver…

— Et après? Vous nous faites le coup de Batman et vous décidez qui on appelle quand c'est fini?

— Non, je vous l'ai dit : c'était une erreur et je l'ai corrigée. Ça ne se reproduira pas. Pour ce genre de trucs, vous pourrez diriger si vous voulez.

— Et côté fric? Je suis payée et pas vous? On se partage ma paie? Quoi?

— Je ne veux ni de votre argent ni de l'argent de quiconque. Ma pension de retraite est probablement plus élevée que votre salaire, de toute façon. Ce que je veux, c'est juste ce que vous avez, vous… Parce qu'il y a pas beaucoup de gens qui l'ont.

— Je suis pas très sûre de voir de quoi vous parlez.

— Bien sûr que si, et vous le savez. Vous l'avez… et y a peut-être seulement un pour cent de gens qui l'ont. Vous avez des cicatrices partout sur le visage, mais personne ne les voit… parce que vous êtes acharnée. Vous allez jusqu'au bout. Et moi, à l'heure qu'il est, je serais la proie des chiens si vous n'aviez pas eu ça. Alors, travaillons ensemble. À des affaires. Badge ou pas, ça n'a aucune importance. Je suis au-delà de tout ça maintenant. Je ne sais pas combien de temps il me reste, mais tout ce que j'ai, je veux m'en servir pour retrouver des types comme Dillon. Et d'une façon ou d'une autre, les dégager de là.

Elle avait les mains dans les poches et regardait l'asphalte pendant qu'il disait toutes ces choses sur elle. Ces choses qu'elle savait être vraies. Surtout les cicatrices.

Elle acquiesça.

— OK, dit-elle. Oui, on pourra travailler sur des affaires. Mais les règles, on les tord, Harry. On ne les brise pas.

Il lui renvoya son assentiment.

— Ça me semble juste, dit-il.

— Et par où on commence?

— Je ne sais pas. Tu m'appelles quand c'est le moment. Je serai là.

— D'accord, je te ferai signe.

Ils scellèrent leur accord avec une poignée de main et partirent chacun de leur côté.

REMERCIEMENTS

L'auteur tient à remercier tous ceux qui, pour une grande ou petite part, ont contribué à ce roman. Au premier plan, l'inspectrice Mitzi Roberts du Los Angeles Police Department. Et aussi les inspecteurs Rick Jackson, Tim Marcia et David Lambkin qui me donnèrent bien des idées de valeur.

Tout un casting de directeurs de collection a, sous la houlette d'Asya Muchnick, joué un rôle essentiel dans l'écriture de ce roman, dont Bill Massey, Emad Akhtar et Pamela Marshall.

La Connelly Cabal de mes fidèles lecteurs m'a aidé à façonner cet ouvrage et j'y inclus Linda Connelly, Jane Davies, Terrill Lee Lankford, Heather Rizzo, Henrik Bastin, John Houghton et Dennis Wojciechowski. Tous ceux qui m'ont aidé à faire que cette histoire soit enfin sur papier ont ici toutes mes reconnaissance et gratitude.

Un grand merci à tous.

Du même auteur

Les Égouts de Los Angeles
Prix Calibre 38, 1993
1re publication, 1993
Calmann-Lévy, l'intégrale MC,
2012 ; Le Livre de Poche, 2014

La Glace noire
1re publication, 1995
Calmann-Lévy, l'intégrale MC,
2015

La Blonde en béton
Prix Calibre 38, 1996
1re publication, 1996
Calmann-Lévy, l'intégrale MC,
2014

Le Poète
Prix Mystère, 1998
1re publication, 1997
Calmann-Lévy, l'intégrale MC,
2015

Le Cadavre dans la Rolls
1re publication, 1998
Calmann-Lévy, l'intégrale MC,
2017

Créance de sang
Grand Prix de littérature policière,
1999
1re publication, 1999
Calmann-Lévy, l'intégrale MC,
2017

Le Dernier Coyote
1re publication, 1999
Calmann-Lévy, l'intégrale MC,
2017

La lune était noire
1re publication, 2000
Calmann-Lévy, l'intégrale MC,
2012 ; Le Livre de Poche, 2012

L'Envol des anges
1re publication, 2000
Calmann-Lévy, l'intégrale MC,
2012 ; Le Livre de Poche, 2012

L'Oiseau des ténèbres
1re publication, 2001
Calmann-Lévy, l'intégrale MC,
2012 ; Le Livre de Poche, 2011

Wonderland Avenue
1re publication, 2002
Calmann-Lévy, l'intégrale MC,
2013

Darling Lilly
1re publication, 2003
Calmann-Lévy, l'intégrale MC,
2014

Lumière morte
1re publication, 2003
Calmann-Lévy, l'intégrale MC,
2014

Los Angeles River
1re publication, 2004
Calmann-Lévy, l'intégrale MC,
2015

Deuil interdit
1re publication, 2005
Calmann-Lévy, l'intégrale MC,
2016

La Défense Lincoln
1re publication, 2006
Calmann-Lévy, l'intégrale MC,
2018

Chroniques du crime
1re publication, 2006
Calmann-Lévy, l'intégrale MC,
2018

Echo Park
1re publication, 2007
Calmann-Lévy, l'intégrale MC,
2018

À genoux
1re publication, 2008
Calmann-Lévy, l'intégrale MC,
2019

Le Verdict du plomb
Seuil, 2009 ; Points, n° P2397

L'Épouvantail
Seuil, 2010 ; Points, n° P2623

Les Neuf Dragons
Seuil, 2011 ; Points n° P2798 ;
Point Deux

Volte-Face
Calmann-Lévy, 2012 ; Le Livre de
Poche, 2013

Angle d'attaque
Ouvrage numérique,
Calmann-Lévy, 2013

Le Cinquième Témoin
Calmann-Lévy, 2013 ; Le Livre de
Poche, 2014

Intervention suicide
Ouvrage numérique,
Calmann-Lévy, 2014

Ceux qui tombent
Calmann-Lévy, 2014 ; Le Livre de
Poche, 2015

Le Coffre oublié
Ouvrage numérique,
Calmann-Lévy, 2015

Dans la ville en feu
Calmann-Lévy, 2015 ; Le Livre de
Poche, 2016

Muholland, vue plongeante
Ouvrage numérique,
Calmann-Lévy, 2015

Les Dieux du verdict
Calmann-Lévy, 2015

Billy Ratliff, dix-neuf ans
Ouvrage numérique,
Calmann-Lévy, 2016

Mariachi Plaza
Calmann-Lévy, 2016 ; Le Livre de
Poche, 2017

Jusqu'à l'impensable
Calmann-Lévy, 2017 ; Le Livre de
Poche, 2018

Sur un mauvais adieu
Calmann-Lévy, 2018 ; Le Livre de
Poche, 2019

En attendant le jour
Calmann-Lévy, 2019

Une vérité à deux visages
Calmann-Lévy, 2019

Dans la collection
Robert Pépin présente…

Kent ANDERSON
Un soleil sans espoir

Pavel ASTAKHOV
Un maire en sursis

Federico AXAT
L'Opossum rose

Alex BERENSON
Un homme de silence
Départ de feu

Lawrence BLOCK
Entre deux verres
Le Pouce de l'assassin
Le Coup du hasard
Et de deux…
La Musique et la nuit

C. J. BOX
Below Zero
Fin de course
Vent froid
Force majeure
Poussé à bout

Wei-jan CHI
Rue du Dragon couché

Lee CHILD
Elle savait
61 Heures
La cause était belle
Mission confidentielle
Coup de chaud sur la ville
(ouvrage numérique)
Jack Reacher : Never go back
(*Retour interdit*)
La cible était française

Bienvenue à Mother's Rest
Formation d'élite

James CHURCH
L'Homme au regard balte

Michael CONNELLY
La lune était noire
Les Égouts de Los Angeles
L'Envol des anges
L'Oiseau des ténèbres
Angle d'attaque
(ouvrage numérique)
Volte-Face
Le Cinquième Témoin
Wonderland Avenue
Intervention suicide
(ouvrage numérique)
Darling Lilly
La Blonde en béton
Ceux qui tombent
Lumière morte
Le Coffre oublié
(ouvrage numérique)
Dans la ville en feu
Le Poète
Los Angeles River
La Glace noire
Mulholland, vue plongeante
(ouvrage numérique)
Les Dieux du Verdict
Billy Ratliff, 19 ans
(ouvrage numérique)
Mariachi Plaza
Deuil interdit
Le Cadavre dans la Rolls
Jusqu'à l'impensable
Le Dernier Coyote
Créance de sang
Sur un mauvais adieu

La Défense Lincoln
Chroniques du crime
Echo Park
En attendant le jour
À genoux
Une vérité à deux visages

Miles CORWIN
Kind of Blue
Midnight Alley
L.A. Nocturne

Martin CRUZ SMITH
Moscou, cour des Miracles
La Suicidée
Le Pêcheur de nuées

Matt GOLDMAN
Retour à la poussière
Et la glace se fissura

Steve HAMILTON
La Deuxième Vie de Nick Mason

Chuck HOGAN
Tueurs en exil

Melodie JOHNSON HOWE
Miroirs et faux-semblants

Fabienne JOSAPHAT
À l'ombre du Baron

Andrew KLAVAN
Un tout autre homme

Michael KORYTA
La Rivière Perdue
Mortels Regards

Stuart MACBRIDE
Surtout, ne pas savoir

Russel D. McLEAN
Ed est mort

Robert McCLURE
Ballade mortelle

Alexandra MARININA
Quand les dieux se moquent

T. Jefferson PARKER
Signé : Allison Murrieta
Les Chiens du désert
La Rivière d'acier

P. J. PARRISH
Une si petite mort
De glace et de sang
La tombe était vide
La Note du loup

George PELECANOS
Une balade dans la nuit
Le Double Portrait
Red Fury
La Dernière Prise

Henry PORTER
Lumière de fin

James RAYBURN
La Vérité même
L'Otage introuvable

Sam REAVES
Homicide 69

Craig RUSSELL
Lennox
Le Baiser de Glasgow
Un long et noir sommeil

Thom SATTERLEE
The Stages

Roger SMITH
Mélanges de sangs
Blondie et la mort
Le sable était brûlant
Le Piège de Vernon
Pièges et Sacrifices
Un homme à terre
Au milieu de nulle part

p.g.sturges
L'Expéditif
Les Tribulations de l'Expéditif
L'Expéditif à Hollywood
De facto grosso

Peter SWANSON
La Fille au cœur mécanique
Parce qu'ils le méritaient
Chacune de ses peurs

David SWINSON
La Fille de Kenyon Street
Le Chant du crime

Joseph WAMBAUGH
Bienvenue à Hollywood
San Pedro, la nuit

Photocomposition Belle Page

Achevé d'imprimer en juin 2020
par CPI BRODARD & TAUPIN (72200 La Flèche)
pour le compte des Éditions Calmann-Lévy
21, rue du Montparnasse, 75006 Paris

CALMANN
LÉVY s'engage
pour l'environnement en réduisant
l'empreinte carbone de ses livres.
Celle de cet exemplaire est de :
0,750 kg éq. CO$_2$
PAPIER À BASE DE   Rendez-vous sur
FIBRES CERTIFIÉES   www.calmann-levy-durable.fr

N° d'éditeur : 3996411/10
N° d'imprimeur : 3039864
Dépôt légal : juin 2020
Imprimé en France.